1.Auflage 2020

Lektorat: Friederike Ramin
Sämtliche Inhalte sind urheberrechtlich geschützt
und dürfen ohne die ausdrückliche schriftliche Genehmigung
in keiner Art und Weise (elektronisch, in Bild, Ton oder
Sprachform)
weiter verwendet, vervielfältigt, kopiert
oder in jeglicher Form abgespeichert werden.
Biografische Information der deutschen Nationalbibliothek:
Die Deutsche Nationalbibliothek verzeichnet
diese Publikation in der Deutschen Nationalbibliografie;
detaillierte biografische Daten sind im Internet
über http://dnb.dnb.de abrufbar.

© 2019 Leyendecker, Gudrun
Herstellung und Verlag: BoD – Books on Demand,
Norderstedt
ISBN: 978375042377

Als das Glück wie Glas zerbrach

von Gudrun Leyendecker

Als das Glück wie Glas zerbrach

Liebe und mehr
Band 7

Roman

Gudrun Leyendecker

Inhaltsangabe

Sankt Augustine im Karneval.
Überall in der historischen Kleinstadt und im Schloss des berühmten Malers Moro Rossini herrscht in diesem Jahr ein heiteres Karnevalstreiben, sogar in Märchenpark mit seiner düsteren Vergangenheit finden närrische Veranstaltungen statt.
Und während der berühmte amerikanische Filmregisseur einige Szenen für seinen neuesten Film dreht, geschieht ein rätselhafter Mord. Oder war es ein Unfall? Die Journalistin Abigail Mühlberg entdeckt Spuren, die zu mehreren möglichen Tätern führen. Während sie sich für den verdächtigen Tobias einsetzt, gerät ihre Partnerschaft Gefahr.

Anhang:
Im Anhang finden Sie die zwei Märchen, die gleich zu Anfang des Romans eine besondere Bedeutung haben.
Es handelt sich um das Märchen:
„Die drei Schwestern mit den gläsernen Herzen" von Volkmann-Leander
und das Märchen:
„Der gläserne Schatzberg"
frei nach einem alten Märchen aus dem Volksmund
von Gudrun Leyendecker

Es ist sinnvoll, diese beiden Märchen vor dem Roman zu lesen

Gudrun Leyendecker ist seit 1995 Buchautorin. Sie wurde 1948 in Bonn geboren... Siehe Wikipedia.

Sie veröffentlichte bisher 27 Bücher, unter anderem Sachbücher, Kriminalromane, Liebesromane, und Satire. Leyendecker schreibt auch als Ghostwriterin für namhafte Regisseure. Sie ist Mitglied in schriftstellerischen Verbänden und in einem italienischen Kulturverein. Erfahrungen für ihre

Tätigkeit sammelte sie auch in ihrer Jahrzehnte langen Tätigkeit als Lebensberaterin.

1. Kapitel

„Ach du Schreck, Sankt Augustine!" hatte meine Freundin Laura Camissoll ausgerufen, als sie ganz überraschend hörte, dass ihr Mann, der amerikanische Regisseur Kevin Braun die nächsten Filmszenen ausgerechnet zur Karnevalszeit in der historischen Kleinstadt drehen wollte.

Das war vor einer Woche gewesen, und nun stand ich hier am Flughafen, um sie und ihren Mann abzuholen und in den altertümlichen Ort zu bringen.

Ich mochte diese Atmosphäre am Arrival rings um mich herum, überall wartende Menschen in freudiger Gespanntheit. Da gab es die Geduldigen, die mit einer Blume in der Hand bescheiden in der Ecke standen, die unruhig Zappelnden, die ständig von einer Ecke in die andere liefen und alle zwei Minuten auf die sich ständig verändernde Anzeigetafel schauten, die Nervösen, die schnell noch einmal die Hälfte einer Zigarette pafften, und die, die ihre Freude des erwarteten Wiedersehens nicht allein tragen konnten und fremde Menschen unter Vorwänden ansprachen, wie: „Wissen Sie eigentlich, ob die Maschine Verspätung hat?" Oder: „Warten Sie auch auf jemanden?" Die mochte ich am liebsten, denn von ihnen hörte man die schönsten Geschichten.

Laura kam nicht direkt aus Philadelphia, sie hatten zahlreiche Umwege und Stationen hinter sich, als sie endlich hinter der großen Wand auftauchten.

Die junge Frau ließ alle Koffer stehen, als sie mich sah, drückte Kevin eine große Tüte in die Hand, rannte auf mich zu und drückte mich, sodass ich kaum Luft bekam.

„Wir haben uns ja so lange nicht mehr gesehen", versuchte sie mir einzureden, obwohl es gerade einmal zwei Monate her war. Nun, wie ich wusste, ist Zeit ein relativer Begriff, als bestes Beispiel für „lange Zeit" erinnere ich mich ungern aber häufig an die Dauer eines Bohrvorgangs beim Zahnarzt.

„Ich habe dich auch schon vermisst", beruhigte ich sie. „Hattet ihr einen ruhigen Flug?"

Kevin brachte die Koffer und umarmte mich ebenfalls. „Wir haben einige Stunden geschlafen", verriet er mir. „Es ist schon ein weiter Weg über das Meer. Und hätte ich mich nicht total in dieses Sankt Augustine verliebt, würde ich diesen weiten Weg schon gar nicht machen. Hinzu kommen natürlich die vielen historischen Gebäude und vor allem das einzigartige Schloss, dessen Kulisse für mich von unschätzbarem Wert ist."

„Das geht nicht dir allein so", versicherte ich ihm schmunzelnd. „Selbst die Puppenspielertruppe von Jérôme Tessier findet immer wieder hierher. Und in den nächsten Tagen gibt es hier den außergewöhnlich spektakulären Karnevalsumzug, der sowohl historische Fußgängergruppen mit sich führt, als auch etliche Wagen mit Märchenmotiven, die vom Märchenpark aus in die Innenstadt starten. Das große Spektakel endet am Gemeindezentrum mit den Märchenaufführungen „Die drei Schwestern mit den gläsernen Herzen" und dem Märchen „Der gläserne Schatz-Berg"."

Während wir mit dem Gepäck dem Ausgang zustrebten, hatte ich offenbar Lauras Neugier geweckt. „Wer führt denn diese Märchen auf? Eine bekannte Schauspieltruppe? Jérôme Tessier vielleicht?"

„Nein, nur die Laienspiel-Gruppe aus Sankt Augustine. Allerdings hat sie sich inzwischen schon im ganzen Gebiet einen Namen gemacht."

Wir schlängelten uns zwischen den Passanten hindurch zum Parkhaus.

Kevin war hellhörig geworden. „Das hört sich wirklich sehr gläsern an. Hat das irgendeine besondere Bedeutung? Beide Märchen haben mit Glas zu tun."

„Das kann man wohl so sagen. Gleichzeitig mit diesem Karnevalsfest feiert der berühmte Glaser von Sankt Augustine, Alexander Pollmann das 100-jährige Jubiläum seiner Firma. Der große neue Industrie-Betrieb steht in Wittentine, aber hier im Ort befindet sich noch die kleine alte Glasbläserei, die sein Urgroßvater damals gegründet hat. Und weil die große Fabrik in Wittentine, wie er meint, die besten Fenster weit und breit herstellt, und er offenbar ein reicher Mann geworden ist, hat er einen großen Teil der Kosten für den Karnevalsumzug übernommen, und außerdem noch die Kulissen für die Aufführungen der Märchen bezahlt. Da ist ihm die Laienspielgruppe natürlich etwas entgegengekommen und hat sich für Märchen entschieden, in denen es auch um Glas geht. Aber ihr müsst jetzt nicht denken, dass der gläserne Berg wirklich aus Glas ist. Nein, das wäre zu gefährlich. Die Kulisse ist weitgehend aus durchsichtigen Kunststoff, das wie Glas aussieht."

Laura lächelte ihren Mann an. „Dann kannst du dich dort einmal nach neuen Talenten umschauen", scherzte sie. „Sankt Augustine hat sicher wie immer einige Überraschungen zu bieten."

„Ich werde darauf acht geben", ging er auf ihren Scherz ein. „Hier laufen sicher Talente in Mengen herum." Er küsste ihr die Hand. „Aber an dich, mein Darling, wird so schnell niemand herankommen. Aus dir musste ich keinen Star machen, du warst schon perfekt, als ich dich kennenlernte."

Sie sah ihn verliebt an. „Man merkt es uns an, dass wir noch nicht so lange verheiratet sind, wenn du mir immer noch solche Komplimente machst!"

Mein Auto stand in der hinteren Ecke des Parkhauses, ich hatte Mühe, das ganze Gepäck meiner Freunde zu verstauen.

„Gut, dass ich schon meine ganzen Klamotten vorausgeschickt hatte", bemerkte Laura. „Und wenn ich nicht genug dabei habe, gehe ich einfach einmal mit Tante Katharina shoppen. Wer spielt denn alles mit in dem Laientheater? Kenne ich ein paar von denen?"

Nachdem sich meine beiden Fahrgäste angeschnallt hatten, startete ich den Motor. „Na klar, du kennst einige der Mitspieler. Zum Beispiel die Zwillinge Jasmin und Senta Schirmer vom Gutshof. Jetzt im Winter haben sie nicht so viel zu tun, da konnten sie eine kleine Rolle übernehmen. Cordula spielt mit, und sogar Nina, die sich sonst nur um die Kostüme kümmert."

„Nina, die hübsche kleine Bedienung aus dem Gasthof „Zur Traube"? War die nicht mal mit so einem Italiener zusammen und nach Italien ausgewandert?"

„Richtig. Sie und Roberto glaubten, die große Liebe gefunden zu haben. Aber schon nach kurzer Zeit kam sie wieder zurück. Sie ist jetzt wieder solo. Und dann, stell dir vor, Theresa, alias Susi, kommt mit ihrem Vater Giovanni extra aus Italien angereist, weil sie in dem Stück „Der gläserne Berg" die Hauptrolle übernommen hat."

„Genial!" freute sich die Schauspielerin. „Da sehe ich ja alle meine alten Bekannten wieder. Hat sich denn inzwischen ihr Giorgio gemeldet, der Mann, der sie einmal heiraten wollte?"

„Nein. Seitdem die Prozesse damals auf Sizilien beendet waren, und er freigesprochen wurde, hat er nichts mehr von sich hören lassen. Und ich bin auch nicht sicher, ob sie die damals so dramatischen Umstände schon überwunden hat. Möglicherweise kann sie es sich nicht verzeihen, dass sie damals Giorgios Frau getötet hat, auch wenn es nur ein Unfall war, an dem Luciana einen großen Teil der Schuld trug."

„Ja, ich erinnere mich. Was für ein Drama! Mein Mann sollte die Geschichte verfilmen, das gäbe einen ergreifenden Streifen."

Kevin lachte. „Stell dir vor, ich würde all das verfilmen, was Abigail bisher hier in Sankt Augustine erlebt hat! Das könnte ein Lebenswerk werden, ein außergewöhnlicher Monumentalfilm. Ist das nicht so, Abigail?"

„Ich fürchte ja", stimmte ich ihm zu, während ich den Wagen auf die Autobahn lenkte. „Es ist sehr viel passiert, eine ruhige Phase wäre nicht schlecht."

„Die Karnevalszeit ist hier bestimmt nicht ruhig", vermutete Laura. „Aber da bin ich wirklich beruhigt, dass all die gläsernen Kulissen nicht wirklich aus Glas sind, sonst könnte es doch ziemlich geräuschvoll zu gehen, und gefährlich wäre es auch.

Also, unsere schöne Halbitalienerin Theresa spielt die Hauptrolle in einem der beiden Märchen?"

„Ja, im gläsernen Schatz-Berg, gemeinsam mit dem Polizisten Ben. Sie spielen beide hinreißend. Die Hauptdarsteller in dem Stück: „Die drei Schwestern mit den gläsernen Herzen werden gespielt von einer India Kelly und ihrem Freund Tobias Körner, die beiden wirst du nicht kennen, denn sie sind nicht aus diesem Ort. Lediglich seine Eltern wohnen hier, da halten sie sich momentan auf."

Laura horchte auf. „Kelly? Ist sie vielleicht aus Amerika?"

„Nein, sie kommt aus der Gegend von London. Dort hat sie an der Universität Tobias kennengelernt, der da mit ihr studiert hat. Sie sind schon seit fünf Jahren zusammen. Er selbst ist aus Sankt Augustine, seine Eltern und seine Geschwister wohnen hier, deswegen sind sie auch hierhergekommen. Du wirst dich sicher fragen, woher ich das alles weiß."

Meine schöne Freundin lächelte. „Bei dir frage ich so etwas nie. Vermutlich musstest du einen von beiden wieder einmal für deinen Chef Wieland und für seine Kunstzeitungen interviewen. Ist es nicht so?"

„Genau. Es ist nicht die Tatsache, dass die beiden auch Kunstgeschichte studiert haben, was Wieland interessiert hat. Nein, er hat herausgefunden, dass India alte Uhren sammelt, und das schon von Kindheit an. Das fand mein Chef bemerkenswert und beauftragte mich, den Kontakt zu ihr herzustellen."

„Ich schwärme auch für alte Uhren", teilte uns Kevin mit. „Aber sicher wird sie die alle in England aufbewahren, nicht wahr?"

„Im Prinzip ja. Aber die Familie Körner hier ist so hingerissen von ihrer Schwiegertochter in spe, dass sie sich inzwischen auch einmal nach alten Uhren umgesehen und auch mehrere für sie erworben haben. Es ist sogar eine sehr wertvolle Armbanduhr dabei, die hat ihr Tobias geschenkt. Das soll eine besondere Rarität sein."

„So weit, so gut", meldete sich Laura zu Wort. „Aber deswegen hat man diese India doch bestimmt nicht zur Hauptdarstellerin für die Aufführung gewählt."

Ich lachte. „Natürlich nicht. Sie hat eine bezaubernde Stimme und kann singen wie ein Engel. Tatsächlich hat sie hier einmal im Gemeindezentrum vor zwei Jahren ein ganzes Konzert gegeben, Tobias hat sie dabei mit der Gitarre begleitet. Sie hatte sehr viel Erfolg. Von ihrem Schauspieltalent hat sich mein Chef neulich bei der Generalprobe überzeugen können. Sie ist ein Naturtalent, eben für das Show-Business geschaffen. Man hatte fünf Frauen in der engeren Wahl, aber India hat ihre Konkurrentinnen problemlos weit hinter sich gelassen."

„Da bin ich aber sehr neugierig. Und auch mein liebster Kevin könnte sich für sie interessieren. Wann werde ich sie kennen lernen?"

„Spätestens morgen Abend bei der Aufführung. Aber wenn es dir so wichtig ist, und du nicht von deinem Flug zu müde bist, kannst du später mit mir zu Nina in den Gasthof kommen. Die beiden sind nämlich dann dort noch mit den letzten Feinheiten für Indias Kostüm beschäftigt, die Zeit wollte ich nutzen, um mich noch mit ihr etwas zu unterhalten."

„Oh, natürlich komme ich mit, und ich bin überhaupt nicht müde. Ich habe während des Fluges genug geschlafen. Mein Liebster wird bestimmt den Abend gern mit Moro Rossini verbringen. Auf eine gemütliche Stunde am Kamin in dem Atelier freut er sich nämlich schon eine ganze Weile."

„Ich weiß, Laura. Der Schlossherr hat es mir selbst erzählt. Irgendwie hat er deinen Ehemann ins Herz geschlossen. Und er will ihm heute Abend auch ein paar neue Werke zeigen."

Kevin staunte. „Er malt wieder? Aber er ist doch nun schon so krank gewesen, da sah es bisher nicht so aus, als ob er sich mit seinen über 80 Jahren noch so weit erholen könnte. Hatte er nicht auch ein Problem mit einem seiner beiden Augen?"

„Ja, leider. Aber er hat jetzt eine Spezialbrille bekommen, und er hat ein bisschen trainiert, wie er seine zitternden Hände etwas ruhiger halten kann. Da hat er dann tatsächlich für seine geliebte Adelaide drei neue Gemälde erschaffen. Sehr schwungvoll, und für meinen Geschmack auch sehr schön."

Laura lächelte sehnsüchtig. „Die beiden und ihre große Liebe! So wünsche ich mir das auch einmal mit Kevin im Alter. Wenn er dann möglicherweise schon im Rollstuhl sitzt, sollte er noch einmal einen besonderen Film für mich drehen, vielleicht sogar mir."

Ich sah im Rückspiegel, dass der berühmte Filmregisseur Kevin Braun seine Frau in den Arm nahm und zärtlich küsste.

***

2. Kapitel

Während ich meinem Verlobten Rolf am Telefon kurz mitteilte, dass es heute Abend spät werden würde, zu spät, um ihn noch einmal anzurufen, zog sich Laura nach einer kurzen Dusche rasch um und erschien wenige Minuten später in der kleinen Dachwohnung des Schlosses. „Gefällt es euch immer noch hier, in den kleinen Räumen, Abigail? Ihr seid doch nun auch schon eine Weile verlobt, wollt ihr euch da nicht eine etwas größere Wohnung gönnen?" Ich verzog das Gesicht. „Wir sehen uns so selten, liebe Laura. Rolf ist fast immer unterwegs, nicht alle schönen Fotomotive findet man hier im alten Sankt Augustine. So ein Fotograf reist überall herum an die schönsten Plätze der Erde. Und für mich allein reicht diese Wohnung hier wirklich. Ganz abgesehen davon ist es schon ein besonders gutes Gefühl, in einem so gepflegten, alten Schloss zu wohnen. Aber das, was mich hier hält, sind natürlich auch Moro Rossini und seine Frau, die dem Gebäude mit ihrer Ausstrahlung den richtigen Glanz verleihen. Sie sind beide so lebensfrohe Künstler und haben ihr Leben, das nicht einfach war, wirklich gut gemeistert."

„Da hast du ja Recht, Abigail. Kevin hat sich schon während des ganzen Fluges auf den gemütlichen Abend mit Moro gefreut. Und er weiß die späte Stunde auch zu schätzen, weil er informiert ist, dass der Künstler sonst schon sehr früh zu Bett geht."

„Genauso ist es, Moros Gesundheit ist leider oft besorgniserregend, und ich hoffe mit Adelaide, dass ihm noch einige Zeit auf der Erde geschenkt wird. Schließlich waren die beiden einige Jahrzehnte getrennt, bevor sie sich wiederfanden und zusammenbleiben durften."

„Aber was macht denn Ada heute Abend dann so allein hier im Schloss, wenn wir hier fliehen und in den Gasthof zu Nina und India gehen?"

„Sie bastelt noch etwas an den Kostümen für morgen herum. Die beiden fahren nämlich auch beim Karnevals-Umzug in einer Kutsche mit. Sozusagen als König und Königin vom Schloss. Adelaide hat sich sehr viele Gedanken darüber gemacht, damit die Fahrt für ihren Mann nicht zu anstrengend wird. Sie hat sogar ein paar Wärmekissen aus Kirschkernen hergestellt, die sie auf Moros Sitzplatz verteilt, damit es ihm, eingehüllt in Decken, nicht zu kalt wird."

„Führen sie dann den Zug an?"

„Nein. Sie sind das Highlight und fahren ganz am Schluss, im letzten Wagen. Deswegen steht die Kutsche auch noch sehr lange im Stall bei Jasmin und Senta Schirmer im Gutshof."

„Ach ja, die Zwillinge vom Gutshof! Ist bei denen noch alles wie immer? Ist Jasmin noch mit Niklas, dem Kriminalkommissar zusammen?"

„Ja, Jasmin und Niklas Meyer sind ein gutes Paar. Er ist jetzt sogar zu ihr in den Gutshof gezogen. Und es scheint sich tatsächlich eine tiefe Freundschaft zwischen Senta und Emma anzubahnen, die ja auf so tragische Weise ihre Partnerin verlor. Emma löst gerade ihren Haushalt im Norden auf und will ebenfalls in den Gutshof ziehen. Vielleicht wird dann eines Tages aus den Frauen auch ein glückliches Paar. Ich wünsche es ihnen jedenfalls, nachdem beide so viel Pech hatten."

„Naja, eine gute Freundschaft ist auch etwas wert", Laura grinste mich an. „Wir sind ja nach den

17

Anfangsschwierigkeiten auch inzwischen die besten Freundinnen geworden. Ich habe das Gefühl, dass ich mich blind auf dich verlassen kann."

Ich lachte. „Musst du gar nicht! Halte deine hübschen Augen lieber auf. Die ganze Welt will dich in Kevins Filmen sehen."

Als wir das Schloss verließen, strahlte uns die Frühlingssonne in milder Wärme entgegen, und wir beschlossen, mein Auto auf dem Parkplatz stehen zu lassen und den kurzen Weg durch die Straßen von Sankt Augustine zu Fuß zu gehen.

Wie gewohnt stolzierte Laura auf hohen Absätzen neben mir her, um auf der holprigen Straße nicht zu fallen, hakte sie sich bei mir unter.

„Ich habe sie richtig vermisst, diese kleine Stadt", behauptete Laura. „In diesem Ort konzentriert sich doch so einiges aus der kulturellen Szene. Ich würde mich nicht wundern, wenn hier die nächsten Filmfestspiele stattfänden."

„Lieber nicht. Noch ist es eine verträumte kleine Stadt. Nur an manchen Tagen, wie zum Beispiel morgen oder wenn Jérôme Tessier hier gastiert, wird sie von Touristen überflutet. Aber ich habe das Gefühl, nach solchen Ereignissen muss sie sich immer wieder eine ganze Weile davon erholen. Ich bin schon froh, dass man dem Glaser Pollmann nicht erlaubt hat, seine neue Fabrik hier am Ortsrand zu bauen. Das hätte dem Städtchen sicherlich viel Romantik genommen."

An uns vorbei eilten Menschen in bunten Kostümen, alle bewegten sich in Richtung zum Gemeindezentrum.

„Findet da heute schon irgendetwas statt? Das sieht ja aus wie ein Bienenschwarm", fand Laura und bewegte sich mit kleinen Schritten vorwärts.

„Ja, die letzten Proben, Kostümanproben. Es geht um die letzten Feinheiten, damit morgen alles perfekt ist."

„Wo stellen wir uns denn morgen bin? Wo ist der Blick am besten, um das ganze Spektakel an sich vorübergehen zu lassen?"

„Vielleicht wäre es sehr romantisch, direkt am Eingang des Märchenpark zu stehen, das ist vielleicht die hübscheste   Kulisse. Aber dorthin wird sich Cordula postieren und für uns alle Fotos machen und auch filmen. Für uns ist es bequem, uns am Ende des Spektakels aufzustellen, am Gemeindezentrum, denn dann finden wir im Anschluss an den Umzug schnell zu unseren Sitzplätzen in den Theaterräumen."

„Ich hätte gute Lust, mitzuspielen", scherzte Laura.

„Aber damit wäre unsere gute Theresa bestimmt nicht einverstanden. Und diese India kenne ich auch nicht, vielleicht würde sie mir die Augen auskratzen."

„Sicher würdest du alle ausstechen, meine Liebe! Schließlich bist du ein Profi, und auch von Natur aus genial. Um diese Hauptrollen hat es schon genug Scherereien gegeben. Dabei war eine ganze Menge Konkurrenzkampf und Neid im Spiel. Aber India hat eben gerade mit ihrer Sanftheit überzeugt. Sie ist ein Mensch, der innerlich sehr harmonisch ist, und mit sich und der Welt im Einklang lebt. Ich habe sie heute Morgen kurz begrüßt und sie als eine sehr bescheidene junge Frau kennen gelernt."

„Du machst mich wirklich sehr neugierig auf sie. Ich fühle mich immer ein bisschen unsicher bei solch sanften Menschen. Du kennst ja mein Temperament, ich sage immer alles frei heraus, immer genau das, was ich denke. Auch wenn ich manchmal damit anecke. Und du weißt auch, dass ich Bescheidenheit für eine menschliche Schwäche halte. Wenn ich nicht von Anfang an solche großen Träume gehabt hätte, dann hätte ich nie das erreicht, was ich jetzt erreicht habe. Man muss viel verlangen, um viel zu bekommen. Man muss anspruchsvoll sein, nur so kommt man zum Ziel."

„Ja, Laura, für dich ist das so in Ordnung. Du bist ein ganz anderer Typ. Du bist temperamentvoll, das habe ich von Anfang an gemerkt. India ist still, sie wirkt auf mich wie eine sehr besonnene Person. Aber, was erzähle ich dir das jetzt hier? Du wirst sie gleich kennen lernen. Wir sind fast am Gasthof angekommen."

Wir erkannten es schon, dass schmiedeeiserne Schild mit der Aufschrift „Zur Traube" und beschleunigten unseren Schritt.

An der Eingangstür trafen wir Frau Bühler, die Inhaberin des kleinen Hotels.

„Ach wie schön!" rief sie uns zu. „Die Frau Camissoll und die Frau Mühlberg. Wir haben uns lange nicht mehr gesehen."

Sie begrüßte uns herzlich und lud uns zu einem Kaffee in die gemütliche Gaststube ein.

„Nina und India Kelly sind gerade von der letzten Probe vom Gemeindezentrum gekommen", berichtete sie uns, als wir ihr mitgeteilt hatten, wen wir hier zu treffen beabsichtigten. „Sie wollten sich nur noch rasch umziehen und werden sicherlich jeden Augenblick hier sein."

In der Gaststube hatte sich nichts verändert, es sah alles noch genauso aus wie vor langer Zeit, als ich den Auftrag hatte, Moro Rossini im Schloss zu interviewen.

Genau in dem Augenblick, als uns Frau Bühler den duftenden Kaffee servierte, erschien Nina, wie immer mit ihren blonden Locken wie ein Engel aussehend und hinter ihr eine junge, schlanke Frau mit rehbraunen Haaren. In ihrem feingeschnittenen, ovalen Gesicht leuchteten violettblaue Augen.

Nachdem sie uns begrüßt und India sich Laura vorgestellt hatte, setzen sich die beiden Frauen zu uns an den Tisch und bestellten ebenfalls Kaffee.

Das hatte Frau Bühler offenbar vorausgeahnt, denn sie stellte gleich zwei weitere Kassen mit dem heißen Getränk dazu. „Der Kaffee geht heute aufs Haus", teilte sie uns mit. „Das frische Karnevalsgebäck, ein paar Krapfen und Berliner Pfannkuchen serviere ich gleich nach".

„Danke, Frau Bühler", wandte sich India an der Gastwirtin. „Sie sind wie immer ein Engel. Seit ich hier bin, werde ich wahnsinnig verwöhnt."

„Da kann ich nur zustimmen", fügte Laura hinzu. „Ich war auch immer gern hier. „Aber jetzt bin ich ganz neugierig auf Sie, liebe Frau Kelly. Oder darf ich India sagen? Vielleicht werden Sie einmal meine Nachfolgerin."

Die junge Frau lächelte. „Wir anderen sagen hier auch du zueinander, natürlich. Und bei uns in England sagen wir alle du. Das ist viel unkomplizierter. Aber Deine Nachfolgerin? Nein, das könnte ich niemals schaffen. Doch die Schauspielerei ist für mich auch nur ein Hobby, ich könnte sie niemals zum Hauptberuf machen."

„Warum nicht?" Laura sah India erstaunt an. „Trotz vieler Mühen und mehr Arbeit, als manche Leute denken, ist das doch ein Traumberuf. Abigail hat mir schon erzählt, dass du Talent hast. Ein Talent sollte man niemals in eine Ecke verbannen."

„Das tue ich auch nicht", entgegnete die junge Frau sanft. „So oft ich in einer Laienspielgruppe mitwirken kann, bemühe ich mich um eine Rolle. Aber man muss eben Prioritäten setzen. Ich habe in meinem Beruf schon noch einiges vor. Da will ich mich demnächst stärker engagieren. Und das wird alle meine Zeit erfordern."

„Das klingt interessant", fand Laura. „Um was handelt es sich da? Oder bist du in geheimer Mission unterwegs?"

„Es geht um den Schutz alter Baudenkmäler. Da wollen wir demnächst eine große Kampagne starten. Es geht da vor allen Dingen um die Fabriken, die zu viel Schadstoffe produzieren und die Luft verschmutzen. Gerade hier in Sankt Augustine gibt es einige großartige Gebäude. Das Schloss zum Beispiel oder den Rosenturm, einige erhaltene Teile der Stadtmauer, die alte Barockkirche im Nordosten und auch die verschiedenen Brunnen. Da sollten wir es ernsthaft versuchen, diese Gebäude und Kunstwerke zu schützen, damit sie auch der Nachwelt erhalten bleiben."

„Und wer startet diese Kampagne?" erkundigte sich Laura. „Hast du jemanden im Rücken, der dich dabei finanziell unterstützt?"

„Ja, ich habe bereits einige Personen gefunden, die mir bei dieser Kampagne helfen wollen. Zunächst einmal hat mein Verlobter Tobias sehr reiche Eltern. Sie haben einen kleinen Chemiekonzern nicht weit von Wittentine entfernt. Sie haben sich bereit erklärt, mich bei der Kampagne finanziell zu unterstützen. Wer auch noch mitmacht, das ist die Firma Pollmann, da habe ich mit dem Seniorchef gesprochen, der bisher auch immer sehr intensiv kontrolliert, dass bei der neuen, großen Firma in Wittentine alles im Sinne der Umwelt geschützt wird. Auch er hat sich überlegt, etwas zu spenden. Und dann wäre da noch die Exfreundin von Tobias. Ihre Eltern besitzen einen großen Modekonzern, auch sie hat bereits alles mobil gemacht, damit wir ein gutes Fundament für unsere Arbeiten haben."

„Da kann ich mir jetzt gut vorstellen, wie sehr dich dieses Projekt in Anspruch nimmt", fand Laura. „Aber sag mal, wie klappt das denn so in einer Gemeinschaft mit der Exfreundin deines Verlobten? Geht so etwas ohne Eifersucht?"

„Natürlich. Wir sind doch alles erwachsene Menschen. Wir sind zwar noch jung, aber haben doch schon allerhand Erfahrungen gemacht. Und in eurem Alter sind doch schon ganz viele mindestens einmal geschieden. Wir klären das alles ganz vernünftig. Tobias und Manuela haben sich in Freundschaft getrennt. Da gibt es keine negativen Emotionen."

Laura lächelte. „Ja, diese junge Generation. Die schafft das wohl besser als wir Frauen im besten Alter." Sie entdeckte die goldene Uhr an Indias Handgelenk. „Ich habe gehört, du sammelst Uhren? Ist das diese besondere Armbanduhr, die so kostbar und wertvoll ist?"

Sie nickte. „Ja, und auf die bin ich sehr stolz. Mein Verlobter hat sie tatsächlich auf einem alten Trödelmarkt entdeckt, dabei ist sie ungeheuer wertvoll, sodass man sie auch in einem Tresor aufbewahren könnte. Aber ich habe mir eine Sicherheitskette anbringen lassen, damit kann ich sie nicht verlieren, und so leicht kann sie auch keiner stehlen. Ich denke bei mir am Handgelenk ist sie sicherer als irgendwo in einer Schmuckkassette. Die meisten Menschen wissen sowieso nicht, wie wertvoll sie ist, und ich liebe sie wirklich sehr, deswegen habe ich sie gern bei mir und trage sie sehr stolz."

„Das kann ich verstehen, sie sieht sehr edel aus. Ja, wenn du so engagiert bist, dann bleibt natürlich nicht viel Zeit für eine Laiengruppe. Und trotzdem hast du dich dieses Mal dazu bereit erklärt, das finde ich prima. Das zeigt deine Flexibilität und Vielseitigkeit. Du spielst die Prinzessin mit dem gläsernen Herzen?" Frau Bühler stellte das Gebäck auf den Tisch und wir bedienten uns.

„Es ist eigentlich nur eine kleine Rolle. Aber das Drehbuch ist ganz hübsch geschrieben und lässt einem etwas Freiheit beim Spiel. Wenn du mich morgen siehst, wirst du natürlich über mich lachen. Du bist ein Profi, du würdest alles sicher viel besser machen."

Laura schüttelte energisch den Kopf. „Aber wo denkst du hin?! Ich kann mir vorstellen, dass du sehr talentiert bist, vermutlich ein Naturtalent. Und ich freue mich wirklich schon auf dein Spiel. Und solltest du dir doch einmal Gedanken darüber machen, dass die Schauspielerei mehr für dich ist, dann kannst du mir gern einmal schreiben. Kevin, mein Mann hat auch ein gutes Auge für Talente. Er könnte dich auch sehr gut testen."

„Das ist sehr lieb von dir gemeint, Laura. Aber ich glaube nicht, dass das für mich jemals infrage kommt. Die Schauspielerei ist für mich wirklich nur ein Spiel. Das Umweltprojekt, das ist für mich der Ernst des Lebens, und dafür brenne ich." India wandte sich an mich. „Du hattest noch ein paar Fragen an mich, Abigail?"

„Ach, eigentlich ist das nicht so wichtig. Vielleicht sollten wir das lieber auf übermorgen verschieben. Ich denke einmal, du bist jetzt auch konzentriert auf deine Rolle. Da möchte ich dich nicht gern durcheinanderbringen."

„Oh, da musst du keine Rücksicht auf mich nehmen, Abigail. Ich hatte nur gedacht, die anderen langweilen sich, wenn ich über mich erzähle. Geheimnisse werden es keine sein, man wird es ja später auch in der Zeitung lesen können. Also, wollt ihr das wirklich hören?"

Laura und Nina nickten eifrig.

„Gut", fuhr sie fort. „Also, Dein Chef. Herr Wieland wollte wissen, wie ich zu meinem Uhrentick kam. Der Big Ben ist schuld."

Nina begann zu lachen. „Nanu! Wie denn das?"

„Ich habe mich schon als Kind in diese Uhr verliebt, und mir immer gewünscht, eine Miniaturausgabe davon zu Weihnachten zu bekommen. Aber meine Eltern hatten damals noch nicht viel Geld, und haben mir dann zum Trost etwas selber gebastelt. Damit war ich natürlich dann nicht wirklich zufrieden, obwohl ich mir nichts anmerken ließ. Aber später einmal, als ich sehr krank wurde, da opferte meine Mutter ihr ganzes Gespartes, um mir eine winzige Reproduktion zu kaufen, und ich war natürlich sehr glücklich darüber. Daraufhin wurde ich sehr schnell gesund, und alle Welt überhäufte mich mit Uhren. Das war dann der Anfang. Also eine ganz einfache Geschichte."

Laura war mit der Geschichte zufrieden, aber ihre Neugier wegen Ninas Beziehung ließ ihr keine Ruhe. „Warum bist du eigentlich wieder hier, in Sankt Augustine? Warum bist du nicht mit Roberto in Rom oder Venedig?"

„Es hat nicht geklappt mit uns, wir sind einfach zu verschieden. Und ich hoffe nur, dass Roberto nicht morgen zum Karnevalsumzug und dem übrigen Spektakel hier auftaucht, ich habe nämlich keine Lust auf ein Wiedersehen mit ihm. Dazu ist es einfach noch zu schmerzhaft. Und ich kann froh sein, dass mich Frau Bühler wieder hier aufgenommen hat als Arbeitskraft im Gasthof, nachdem ich doch eine ganze Weile weg war."

„Sie weiß eben, was sie an dir hat", behauptete Laura. „Es wird für dich noch andere Robertos geben. Mir ist Kevin auch ganz schicksalhaft über den Weg gelaufen, da war ich eigentlich gar nicht auf der Suche nach einem Mann, nur meinem Erfolg hinterher. Ich glaube, das ist das ganze Geheimnis, man sollte einfach in froher Erwartung auf sein Ziel losgehen, aber nicht krampfhaft etwas suchen."

„Außer Uhren", warf India ein und schwenkte ihren Arm. „Wenn man da richtig sucht, kann man schon manchen Schatz finden."

„Womit wir wieder beim Thema wären", bemerkte ich. „Gab es denn dann in der Uhrengeschichte noch irgendetwas Besonderes, das erwähnenswert wäre?"

India überlegte. „Beim Entdecken der Uhren eigentlich nicht, aber mir sind schon einige Menschen begegnet, die mir gern einige Exemplare abgekauft hätten. Deswegen habe ich sie lieber zu meinem Onkel in ein schottisches Schloss gebracht. Er hat ein Museum dort, das ständig bewacht wird, also sind meine Uhren in diesem Gebäude ebenfalls sicher."

„Sehr vernünftig", fand Laura. „Gerade diese Sammlerstücke sind begehrt, da müsstest du sonst ständig Einbrüche in Kauf nehmen, besonders wenn du wegen deiner Mission viel unterwegs bist."

India nickte. „Oh ja, und ich hoffe, dass ich hier auch viel Erfolg haben werde. Nicht in Augustine, hier gibt es ja keine Industrie, aber schon gleich nebenan in Wittentine werde ich meine Kampagne nach der Aufführung verstärken, das Industriegebiet dort wächst wie die Pilze aus dem Boden. So ganz ohne Hilfe könnte ich das nicht schaffen. Vielleicht habt ihr auch Lust, euch dafür zu engagieren?"

Laura verzog den Mund. „Wir haben ja hier nur einen kurzen Aufenthalt, Kevin und ich. Danach sind wir wieder in Amerika und drehen am laufenden Band. Das wird sich wohl nicht machen lassen. Außerdem engagiert sich mein Mann drüben sehr stark für Hilfsprojekte, da ist er leider auch schon ausgelastet."

„Aber ich kann mich mit einbringen", schlug Nina vor. „Mir tut es ganz gut, wenn ich mich wieder stark für irgendetwas engagiere, für irgendetwas brenne. Dann ist der Liebeskummer nicht so schlimm."

„Das ist super", fand India. „Ich freue mich über jeden, der meine Kampagne unterstützt. Wenn du magst, kann ich dich gleich noch in alles einweihen. Hast du Lust?"

Nina freute sich. „Oh ja, darüber möchte ich mehr von dir wissen, ich habe noch eine Stunde frei bevor meine Schicht anfängt. Sollen wir jetzt gleich?"

„Ist dir das auch recht, Abigail?" wandte sich India an mich. „Du bist jetzt extra in den Gasthof gekommen, um mir weitere Fragen zu stellen. Aber meiner Meinung nach habe ich dir jetzt auch schon das meiste gesagt. Ich kann dir einen Katalog mit meinen Uhren zukommen lassen, mit ein paar Notizen dazu, wann und wie ich sie erworben habe. Dann kannst du dir selbst ein gutes Bild davon machen, und wenn du willst, etwas darüber schreiben. Wir können dann übermorgen nach der Aufführung noch ein Treffen vereinbaren und die restlichen Themen erörtern."

„Natürlich. Das ist ein guter Vorschlag. Ich nehme an, Laura hat sowieso schon wieder Sehnsucht nach ihrem Mann, der jetzt genug Zeit allein mit dem Maler Rossini verbracht hat. Adelaide erwartet uns bestimmt auch schon, sie freut sich immer über Gäste, die das große Schloss beleben."

„Genauso ist es", stimmte mir Laura zu. „Mittlerweile zeigt sich bei mir auch etwas Müdigkeit nach dem langen Flug. Da könnt ihr beiden euch jetzt mit den Plänen für die Kampagne beschäftigen. Wir sehen uns dann spätestens morgen beim Umzug. Für wie viel Uhr ist er geplant? Wann startet der Zug am Eingang des Märchenparks?"

„Um 12:00 Uhr mittags", wusste Nina.

Eilig verabschiedeten wir uns und ließen die beiden Frauen allein. Für den Heimweg bestand Laura auf einem Taxi, und ich wusste, in diesem Punkt konnte ich nicht mit ihr handeln.

Ich zeigte auf ihre Schuhe. „Bist du sicher, dass du bei Schuhen so eine gute Wahl triffst wie bei allem anderen?"

Sie warf mir einen bösen Blick zu. „Das verstehst du nicht, Abigail. In dem Bereich lebst du in einer völlig anderen Welt."

***

3. Kapitel

Damit hatte Laura zweifellos Recht, die Welt des Showgeschäfts war nicht die meine, auch wenn ich in meinen Interviews häufig darüber zu berichten hatte. Nicht Recht hatte sie dagegen mit ihrer Behauptung: „Wir sehen uns dann spätestens morgen beim Umzug", mit der sie sich am Vorabend im Gasthof von Nina und India verabschiedet hatte.

Noch bevor wir es im Mittagsblatt lesen konnten, suchte uns Nina am anderen Vormittag völlig verzweifelt und in Tränen aufgelöst auf und teilte uns mit, dass India nicht mehr lebte, und so wie es aussah, einem Verbrechen zum Opfer gefallen war.

„Aber wie konnte das passieren?" erkundigte sich Laura fassungslos. „Es war doch gestern noch alles in Ordnung. Und ihr wart doch auch immer zusammen, oder?"

Nina trocknete sich die Tränen. „Wir haben heute Morgen sogar noch zusammen gefrühstückt. Danach musste ich zur Arbeit, und sie wollte noch einmal zum Gemeindezentrum, um in den Kulissen etwas nachzuschauen. Weil sie so vertrauenerweckend ist, hatte man ihr einen Ersatzschlüssel anvertraut. Wir dachten uns alle nichts dabei, denn um diese Zeit sollten die Reinigungsfrauen noch einmal kontrollieren, ob alles in Ordnung ist."

„Und? Waren die Reinigungsfrauen da?" fragte ich.

„Ja, und sie haben India gefunden. Bei den Kulissen neben einem zerbrochenen Glasherz."

„Wie schrecklich!" fand Laura. „Wie geht es denn Tobias, ihrem Verlobten? Und sind ihre Eltern schon informiert?"

Nina brach wieder in Weinen aus, und wir nahmen sie in den Arm und trösteten sie, so gut es ging. Adelaide brachte eine Tasse heiße Schokolade, die sie der jungen Frau reichte.

„Der Tobias wird tatsächlich von der Polizei verdächtigt, weil er als Letzter bei ihr war. Er soll sie nämlich heute Morgen dorthin begleitet haben. Aber dann hat er sie nach eigenen Angaben dort alleingelassen, weil er noch an ihrem Karnevalswagen unbedingt etwas verändern wollte. Er war also der Letzte, der sie lebendig gesehen hat. Und ein Kriminalbeamter aus Wittentine hat ihn deswegen sofort verdächtigt."

„Oh, das ist stark", bemerkte ich. „Aber wieso hat denn hier nicht Niklas aus Sankt Augustine diesen Fall übernommen?"

„Niklas hatte heute Morgen keinen Dienst", wusste Nina. „Er hat Jasmin im Gutshof geholfen. Irgendetwas war mit den Pferden."

Laura überlegte einen Augenblick. „Und was ist jetzt mit dem Fest? Wird denn jetzt der Karnevalsumzug trotzdem stattfinden? Und was ist mit den Theaterstücken? Werden sie aufgeführt? Das ist doch jetzt wohl alles etwas geschmacklos, wenn man so tut, als wäre nichts geschehen."

„Der Bürgermeister hat heute Morgen schon eine außergewöhnliche Sitzung einberufen", wusste Nina. „Und obwohl alle schockiert sind, und es allen wahnsinnig leid tut, sollen doch die Festlichkeiten wie geplant stattfinden. Lediglich eine Schweigeminute zwischen den beiden Vorstellungen soll das Mitgefühl bekunden."

Adelaide schüttelte den Kopf. „Das ist wirklich sehr herzlos. So ein liebenswerter Mensch wie India wird ganz brutal aus dem Leben gerissen, und hier soll alles weitergehen mit großen Festlichkeiten. Schließlich soll so ein Festumzug zu Karneval auch für Heiterkeit sorgen. Und das passt nun gar nicht zu dem Vorfall."

„Das sieht der Bürgermeister eben nicht so. Er meint, dieser Umzug hier in Sankt Augustine sei kein lustiger Karnevalsumzug, so wie man das beispielsweise im Rheinland, in Köln und in Düsseldorf gewohnt ist. Die Märchenwagen gehören zu einem kulturellen Erbe, seien historische Zeugnisse, einerseits natürlich dazu da, die Zuschauer zu erfreuen, andererseits für die Bildung, aber keinesfalls zum Belustigen. Außerdem ist er der Meinung, dass es zum Absagen viel zu spät ist, weil sich so viele Zuschauer und auch die Akteure bereits darauf eingestellt haben. So hat er dann alles mit dem Kriminalkommissar von Wittentine abgesprochen. Und der meint wirklich, dass Tobias der Täter ist. Und deswegen will er auch nur begrenzt weiter suchen."

„Hoffentlich übernimmt Niklas bald diesen Fall. So kann das doch nicht weitergehen! Für mich gibt es da sofort jede Menge Verdächtige", fand ich.

„Ja, Abigail! Da gebe ich dir völlig Recht", Nina hatte sich wieder gefasst. „Die vier Mitbewerberinnen für die Hauptrolle, die halte ich schon einmal für sehr verdächtig. Sie alle haben India diesen Triumph nicht gegönnt. Ich habe sie alle vier kennengelernt, weil ich für die Kostüme und die Anprobe zuständig war. Ich habe mir sogar ihre Namen gemerkt: Ricarda, Ulrike, Linda, und Maren. Und mir waren alle vier sehr unsympathisch. Die müsste sich der Kommissar einmal ansehen."

„Vielleicht hatte es jemand auch auf die teure Uhr abgesehen", überlegte Laura. „Ist sie denn noch da? Oder wurde sie gestohlen?"

Nina überlegte kurz. „Danach habe ich mich jetzt noch gar nicht erkundigt. Diese Uhr war auf jeden Fall sehr wertvoll. Und wenn das jemand wusste, konnte ein Krimineller schon auf die Idee kommen, sie zu stehlen."

Laura atmete tief. „Ich könnte mir aber auch vorstellen, dass sie mit ihrer Kampagne ebenfalls einigen Staub aufwirbeln wollte. Und wenn es da irgendeinen Umweltsünder gibt, dem es gar nicht recht war, dass Laura in diesem Bereich herumstocherte, da konnte auch schon jemand auf die Idee kommen, sie irgendwie zu stoppen."

„Da haben wir schon eine ganze Reihe Motive", fand Adelaide. „Aber ich kann es immer noch nicht begreifen. Sie war so ein netter und bescheidener Mensch, hat niemandem etwas getan, und dann so etwas! Und außerdem sollen Tobias und sie wirklich sehr glücklich gewesen sein, ein so junges und verliebtes Paar! Das tut mir von Herzen leid!"

Nina nahm erneut ihr Taschentuch zur Hilfe. „Es ist fürchterlich! Ich habe sie zwar nur kurz kennengelernt, aber ich mochte sie doch schon sehr gern. Und nun ist sie plötzlich nicht mehr da. Aber Tobias traue ich wirklich keinen Mord zu. Nicht einmal im Affekt. Da haben wir doch schon genug merkwürdige Gestalten um sie herum gefunden. Und wenn wir noch mehr aus ihrem Leben wüssten, fänden wir bestimmt noch mehr Personen, die India nicht gut gesonnen waren", überlegte sie. „Und unter den harmlos aussehenden Menschen gibt es eine ganze Menge, die plötzlich ausflippen können, auch wenn man es ihnen gar nicht zutraut."

Laura sah mich an. „Ich kann dir jetzt schon sagen, wie es weitergeht. Wenn sich der Kommissar direkt an Tobias als Täter festbeißt, dann wirst du vermutlich wieder mit irgendeinem deiner hilfreichen Detektive auf Täterjagd gehen. Stimmt's, Abigail?"

„Jedenfalls gefällt es mir nicht, wenn man den erstbesten sofort zum Täter abgestempelt. Ich kenne Tobias zwar noch nicht. Aber die beiden sollen doch das Traumpaar gewesen sein. Warum sollte er sie da umgebracht haben?"

Adelaide überlegte. „Geld hatten beide genug, da kann es dann nur noch die Eifersucht als Motiv geben. Wie war das denn mit der Exfreundin von Tobias. Ich hatte gehört, dass sich die beiden Frauen sehr gut verstehen. Da scheidet ja dann Eifersucht als Motiv auch direkt schon wieder aus."

„Es ist nicht alles so, wie es aussieht", sinnierte Nina. „Ob es bei den beiden wirklich keine Eifersucht gab, können wir nur feststellen, wenn wir einmal genauer hinschauen. Aber ich kann jetzt leider nicht mehr bleiben. Da ja um 12:00 Uhr der Zug losgeht, alles wie geplant, muss ich mich schnell noch umziehen. Aber ich weiß, dass ein Reporter vom Mittagsblatt am Tatort war. Vielleicht könnt ihr dann schon gleich in der Zeitung etwas Genaueres erfahren."

Sie verabschiedete sich von uns und ließ uns verwirrt zurück. Eine ganze Weile beschäftigten wir uns in Gedanken noch mit Spekulationen über einen möglichen Täter, aber da wir keine näheren Informationen hatten, gaben wir es etwas frustriert wieder auf.

„Jetzt wird es auch für uns Zeit zum Umziehen", mahnte Adelaide. „Moro wird sicher schon auf mich warten, denn er ist etwas hilflos beim Anziehen des historischen Kostüms."

Laura lächelte. „Ja, Rossini als Fürst oder König! Das passt zu ihm. Er hat diese königliche, etwas selbstgefällige Haltung. Und wenn er auch alles andere als jung ist, liebe Ada, so übertrifft er doch so manchen jungen Mann an Charme."

Adelaides Augen leuchteten. „Ich weiß", sagte sie schlicht.

***

4. Kapitel

Laura, Kevin und ich standen unter der großen alten Eiche vor dem Gemeindezentrum und betrachteten die bunten Märchenwagen, die von Pferden gezogen auf den großen Platz fuhren.

„Kannst du Kevin die Märchenbilder etwas erklären", bat mich Laura. „In Amerika gibt es nicht alle unsere Märchen, und wie du weißt, habe ich meine Jugend in Frankreich verbracht. Da gab es auch niemanden, der mir Märchen vorgelesen hat. Ich nehme also an, dass du von uns Dreien die Expertin bist."

„Ich werde es versuchen. Gleich der erste Wagen hier ist das Märchen Brüderchen und Schwesterchen. Vorne seht ihr die schöne junge Frau, das ist das Schwesterchen und neben ihr seht ihr ein Reh, das ist ihr verwunschener Bruder. Hinter den drei Tannenbäumen seht ihr den Königssohn auf der Jagd, der das Reh eigentlich töten wollte, dann aber durch das Tier zu Schwesterchen geführt wurde, sie dann mit auf sein Schloss nimmt und sie heiratet. Natürlich wandelt sich am Ende des Märchens das Reh wieder zurück in einen hübschen jungen Mann, der dann bei dem König und seiner Schwester am Hofe bleibt."

„Warum steht auf dem Wagen die Nummer 2", erkundigte sich Kevin. „Dies ist doch der erste Wagen, den wir sehen."

„Richtig. Der erste Wagen wird gerade noch umgebaut, damit wir ihn als vorletzten sehen können. Es war das Märchen Schneewittchen und zeigte die schöne junge Frau im gläsernen Sarg. So hatte man es dem Glaser Pollmann versprochen. Aber das fand man dann doch zu pietätlos, jetzt, nach dem Tod von India Kelly."

Ein älterer Herr trat näher zu uns, er trug eine Filmkamera. „Das machen Sie ja ganz gut", sprach er mich an. „Sie könnten mich hier vertreten."

Ich sah ihn fragend an. „Haben Sie irgendeinen Wunsch?"

„Oh, tut mir leid. Ich bin Bernhard Schmidt und arbeite für den kleinen Lokalsender und das Mittagsblatt von Sankt Augustine. Ich berichte gerade über den Umzug, im Augenblick habe ich Pause, die Übertragung wird durch etwas Musik vom Sender aufgelockert."

„Da kann ich Ihnen leider nicht helfen, Herr Schmidt. Ich bin nur privat hier mit meinen beiden Freunden Laura und Kevin. Ja, minimal bin ich vielleicht auch beruflich hier, meinen Chef Jens Wieland interessiert das Fest auch ein wenig."

„Sie sind bei dem berühmten Wieland? Das ist doch der Kulturkaiser des ganzen Landes. Da müssen Sie aber gut sein, wenn er Sie beschäftigt."

Ich zwinkerte Laura zu. „Na ja, wie man es sieht. Wenn ich alle Verrücktheiten mitmache und es dulde, dass er häufig meinen Terminkalender diktiert, dann komme ich mit ihm klar. Nicht jeder hält es lange mit ihm aus."

„Ja, dann, noch viel Erfolg! Meine Pause ist wieder vorbei. Sehen wir uns später?"

Ich blickte ihn irritiert an. „Keine Ahnung. Meine Freunde und ich haben während der Vorstellung reservierte Plätze."

„Ja, für das erste Märchen gilt das schon. Aber nicht für das Märchen, bei dem India mitspielen sollte. Dieser Raum ist mitsamt seinen Kulissen beschlagnahmt. Da wird auch gerade noch an einer Ersatzlösung gearbeitet. Die reservierten Plätze können selbstverständlich nicht garantiert werden"

„Was Sie nicht alles wissen!" Ich spürte, dass mein Ton nicht überzeugend klang. „Dann wissen Sie bestimmt auch, ob man die teure Uhr gestohlen hat, die India am Handgelenk trug."

Er nickte. „Sie ist nicht gestohlen worden. Aber der Kommissar schließt auch einen Raubmord aus. Es hat sich schon herumgesprochen, dass der Verlobte, Tobias verdächtigt wird."

„Auch wenn die Uhr noch da ist, sagt das noch nicht, dass es der Täter nicht doch auf die Uhr abgesehen hatte", widersprach ich ihm. „Ich weiß zufällig, dass die junge Frau diese Uhr mit einem zusätzlichen Sicherheitsschloss versehen hat. Daher ist es vermutlich gar nicht so leicht, die Uhr vom Handgelenk zu stehlen. Und viel Zeit hatte der Täter offensichtlich nicht. Die Putzfrauen befanden sich in den Nachbarräumen."

„Und jetzt verdächtigen Sie wohl die armen Putzfrauen", meinte er verärgert.

„Noch verdächtige ich niemanden. Dazu müsste ich mich erst einmal in Indias Umkreis etwas näher umsehen. Sie verpassen bestimmt noch Ihre Reportage. Da kommt auch schon der nächste Wagen herein. Tut mir leid, ich möchte jetzt auch weiter für meine Freunde da sein."

„So ein aufdringlicher Kerl", schimpfte ich, als er sich entfernt hatte.

Laura amüsierte sich. „Ich glaube, der wollte etwas von dir. Der wird bestimmt wieder bei dir auftauchen."

„Ich lege keinen Wert darauf", antwortete ich wahrheitsgemäß. „Ich habe kein Verständnis für Menschen, die voreingenommen sind. Aber jetzt will ich mich von ihm nicht mehr stören lassen. Der zweite Wagen ist inzwischen schon hereingefahren. Seht euch dieses hübsche Knusperhäuschen an. Die beiden Kinder davor, das sind Hänsel und Gretel."

Kevin nickte. „Dieses Märchen kenne ich auch. Dazu gibt es auch eine Oper, die ich bereits in einer Vorstellung im Stadttheater von Bonn gesehen habe. Diese beiden gefallen mir. Sie sind überhaupt nicht kitschig, wie ich es befürchtet hatte."

„Sie sind wirklich sehr geschmackvoll", fand auch Laura. „Wie viele Wagen sind es insgesamt?"

„30 Wagen insgesamt. Aber nicht alle werden von Pferden gezogen, es folgen noch einige als Drachen und Ungeheuer verkleidete Traktoren."

Immer mehr Wagen fuhren auf den riesigen Parkplatz, viele bekannte Märchen präsentierten sich als lebende Bilder. Der vorletzte Wagen zeigte die sieben Zwerge bei ihrer täglichen Arbeit, den gläsernen Sarg mit dem Schneewittchen hatte man entfernt. Als letzter Blickpunkt nahte die Kutsche mit Moro Rossini und Adelaide, seiner Frau. Sie stellten das Märchen Dornröschen vor und waren eingehüllt in unzählige rote Rosen.

Das Ehepaar stieg als erstes aus und wurde, von Lakaien und Zofen begleitet, feierlich in die Theaterräume des Zentrums geleitet, die Darsteller der anderen Märchenbilder folgten ihnen in einem feierlichen Zug. Zahlreiche Zuschauer klatschten eifrig Beifall.

Als alle Gäste im großen Saal Platz genommen hatten, hielt der Bürgermeister eine Begrüßungsrede, in der er auch kurz auf Indias schrecklichen Tod zu sprechen kam: „Wir bedauern es alle, dass in unserer Stadt an dem heutigen Tag etwas derart Grausames und Schlimmes geschehen ist. Besonders leid tut es uns auch für die Angehörigen dieser jungen Frau, die nun einen schweren Schock zu überwinden haben. Heute Morgen haben wir eine besondere Sitzung einberufen, um zu entscheiden, ob wir diesen Umzug und dieses Fest überhaupt stattfinden lassen sollen. Aber wir haben uns dann im Sinn von India entschieden. Denn sie war ein Mensch, der nicht nur zuverlässig war, sondern sich auch durch großes Pflichtbewusstsein auszeichnete. Sie hätte es nicht gewollt, dass dieser Tag heute ausfällt. Ich möchte Sie noch einmal darauf hinweisen, dass wir zwischen den beiden Theaterstücken eine Gedenkminute für India Kelly einlegen. Ebenso muss ich Ihnen mitteilen, dass wir ihre Rolle nun leider neu besetzen mussten. Die Hauptrolle in „Die drei Schwestern mit dem gläsernen Herzen" wird nun gespielt von Frau Ulrike Boppard. Sie wird in Indias Sinn ihr Bestes geben. Auch die Rolle, die ihr Verlobter Tobias Körner spielte, wurde von der Zweitbesetzung, Herrn Werner Kollwitz übernommen. Weiterhin wünsche ich Ihnen erst einmal eine gute Unterhaltung, die Festlichkeit nach den Aufführungen findet in angemessener Weise später in der großen Hallen nebenan statt."

„Der wirkt ja ziemlich kühl", fand Laura.

Kevin stimmte ihr zu. „Er scheint sich wirklich nur um diese Festlichkeit zu sorgen und wenig Mitgefühl zu haben. Und wenn er es hat, lässt er es sich wenigstens nicht anmerken. Hoffentlich wird er im

Laufe der Zeit nicht so gefühlskalt wie der vorherige Bürgermeister Karl Hammer."

„Ja, der ist nach und nach kriminell geworden", fügte ich hinzu. „Es ist manchmal komisch mit den Menschen, die an die Macht kommen, Machtmissbrauch ist da gar nicht so selten. Ich hoffe wirklich, dass wir uns täuschen."

Das Läuten der Glocke verkündete uns, dass das Schauspiel begann.

Im Märchen „Der gläserne Schatzberg" verzauberte uns Theresa nicht nur mit ihrer charmanten und zauberhaften Erscheinung, sondern ließ uns alles Bedrückende vergessen und in die Welt der alten Geschichten eintauchen. Für eine halbe Stunde gab es nur diesen glitzernden, gläsernen Berg und die süße Erscheinung der Prinzessin. Obwohl auch alle anderen Schauspieler ihr Bestes gaben, stellte sie Theresa mit ihrer Ausstrahlung deutlich in den Schatten.

Nach dem nichtendenwollenden Beifall erschien noch einmal der Bürgermeister auf der Bühne und ordnete die Schweigeminute an, in der wir versuchten, uns das bescheidene Bild der India Kelly vor das innere Auge zu rufen. Ich hatte ihr freundliches Gesicht noch gut vom gestrigen Tag in meinem Kopf und hatte das Gefühl, dass sie mir momentan sehr nahe war.

Nach einem kurzen Musikstück, einem melancholischen Largo, läutete die Glocke erneut zum zweiten Märchen, dem Märchen von den drei Schwestern mit den gläsernen Herzen. Als sich der Vorhang hob, sahen wir, dass die Bühne umgestaltet worden war. Der wie Glas aussehende Plastikberg war verschwunden, stattdessen sah man in das Innere eines festlichen Schlosses hinein.

„Das hätte man auch gut in Rossinis Schloss drehen können", meinte Laura neben mir. „Die Kulisse ist dort sehr realistisch. Deswegen dreht auch mein Kevin immer so gern dort."

Ich nickte. „Nur, in Moros Schloss ist nicht so viel Platz für so viele Zuschauer. Höchstens im Sommer, wenn man die großen Terrassen mit einrechnet."

Das Stück begann, gebannt schauten wir dem Geschehen zu. Als gleich in der ersten Szene, so wie es die Rolle vorschrieb, die erste der drei Schwestern wie tot zusammenbrach und leblos auf dem Boden liegen blieb, erfasste mich ein unangenehmes, dumpfes Gefühl in der Magengegend. Vielleicht hätte man diese Szene besser herausgenommen, nach dem, was heute Morgen in dem benachbarten Saal geschehen war. Doch der Szenenwechsel brachte mich auf andere Gedanken, die talentierten Laienschauspieler zeigten uns mit Begeisterung ihr Können.

Im weiteren Verlauf des Schauspiels fanden wir besonderen Gefallen an dem Spiel der Ulrike Boppard, die sehr viel Talent zeigte und die Zuschauer am Ende zu einem ausdauernden Beifall veranlasste.

„Sie hat Talent, die Kleine", fand Laura. „Wir haben jetzt natürlich keinen Vergleich. Möglicherweise hat India noch besser gespielt. Das kann ich jetzt leider nicht beurteilen. Aber Ulrike hat auch Ehrgeiz, das sieht man ihr an. Einen Mord traue ich ihr allerdings nicht zu. Aber festlegen will ich mich da nicht, man kann ja nicht in jeden Menschen direkt hineingucken. Wirst du dich mit ihr beschäftigen?"

Ich nickte. „Du hast mich ertappt. Ich werde mir nachher ein Autogramm bei ihr holen. Ich muss unbedingt wissen, wie sie zu India stand. Und ich möchte auch gern wissen, ob es schon feststand, dass sie die zweite Besetzung war, oder ob man sich die Option von allen Vieren offengelassen hatte."

„Noch gibt es ja auch kein Ergebnis, was wirklich passiert ist. Vielleicht war es ja ein Unfall mit Todesfolge. Dazu reicht schon manchmal ein kleiner Streit mit einem unglücklichen Sturz. Das haben wir damals im Märchenpark mit Regine so erlebt", erinnerte mich Laura. „Denn ich glaube nicht an einen vorsätzlichen Mord. Immerhin konnte der Täter hier jeden Moment von den Putzfrauen entdeckt werden. Da sucht man sich doch einen stilleren Tatort aus."

„Richtig. Soweit habe ich noch gar nicht gedacht. Das Ergebnis wird mir sicher Niklas verraten. Hast du ihn hier schon gesehen?"

„Vermutlich kümmert er sich draußen um die Pferde. Die sind doch wohl zum großen Teil vom Gutshof von Jasmin und Senta, oder?"

„Ja. Das hat mir Jasmin letzte Woche verraten. Und auch, dass der Tierarzt Dr. Clemens Lang, in den sich hier schon einige verliebt haben, mit ein paar Freunden die Kutschen wieder zurück fährt. Da ist es gut möglich, dass Niklas dabei ebenfalls hilft. Und ich hoffe, dass er endlich den Fall übernimmt. Diesen Kommissar von Wittentine möchte ich gern einmal kennen lernen."

„Dazu haben Sie jetzt die Gelegenheit", ertönte eine tiefe Stimme neben mir. „Ich bin Thomas Neubert, Kommissar aus Wittentine. Und wer sind Sie?"

„Ich bin Abigail Mühlberg, zurzeit wohne ich in Sankt Augustine bei meinen Freunden, zu denen auch Niklas Meyer zählt, der Kommissar des hiesigen Kommissariats."

„Oh, ja. Herr Meyer ist ein netter Kollege von mir, und von Ihnen habe ich auch schon viel gehört. Sie haben sich oft sehr weit in die gefährliche Arbeit der Polizei hineingewagt. Wenn es meine Fälle gewesen wären, hätte ich das nicht geduldet. Schließlich sind Sie kein Profi, sondern nur eine Hobby-Detektivin."

„Und, Herr Neubert, werden Sie den Fall jetzt behalten?" erkundigte ich mich erwartungsvoll.

„Nicht direkt. Herr Meyers bricht in zwei Stunden seinen Urlaubstag ab, und er wird dann die Hauptuntersuchungen führen. Wir haben aber beschlossen, dass ich ihm weiterhin zur Seite stehe, weil ich die ersten Untersuchungen vorgenommen und einiges organisiert habe."

Ich atmete auf. Wie gut, dass sich dieser unsympathische Kollege von Niklas etwas zurückziehen würde! „Dann wünsche ich Ihnen noch viel Erfolg!" bemühte ich mich um einen höflichen Ton. „Ich bin sicher, dass Sie sehr gewissenhaft Ihren Job machen."

„Darauf können Sie sich verlassen", antwortete er in scharfem Ton, „und wenn Sie sich in meine Arbeit einmischen, werde ich das mit Sicherheit nicht dulden. Einen angenehmen Abend wünsche ich Ihnen!"

„Was für ein Ekel!" bemerkte Laura, als er im Nebenraum verschwunden war. „Du kannst glücklich sein, dass du hier mit dem Kommissar befreundet bist. Sonst würde dir dieser Neubert ganz schön die Flügel stutzen."

Kevin ergriff für mich Partei. „Ich denke, Niklas ist sehr froh darüber, dass du ihm bei der Aufklärung der diversen Fälle schon so gut helfen konntest. Es ist oft gut, wenn die Polizei mit Detektiven zusammenarbeitet, in diesem Fall bist du eben die Hobby-Detektivin."

„Das weiß ich auch, mein Schatz", Laura schenkte ihrem Mann einen liebevollen Blick. „Ich habe auch schon von Abigails Spürsinn profitiert in der Vergangenheit. Aber mit diesem Neubert ist nicht gut Kirschen essen. Der scheint sich genau an alle Vorschriften zu halten. Im Übrigen habe ich jetzt Hunger. Was haltet ihr von einem Imbiss am Buffet."

„Im Grunde genommen eine gute Idee", fand ich. „Geht ihr schon einmal vor! Mein Magen meldet sich auch schon, aber ich möchte erst noch mit dieser Ulrike Boppard Kontakt aufnehmen, gerade jetzt, wo sie sich hier in unmittelbarer Nähe befindet."

„Also gut", stimmte mir Laura zu. „Aber mach nicht so lange! Sonst ist das Buffet am Ende abgegrast worden."

Ich wünschte ihnen einen guten Appetit und machte mich auf die Suche nach Frau Boppard.

***

5. Kapitel

Ich fand Ulrike Boppard im Gespräch mit dem Bürgermeister und wartete in der Nähe, bis sie sich voneinander verabschiedet hatten.

Sie trug das glitzernde, elfenbeinfarbige Kostüm der Prinzessin mit dem gläsernen Herzen, mit erhobenem Kopf blickte sie in die Menge ihrer Bewunderer, die alle auf ein Autogramm von ihr warteten.

Da ich wenig Lust hatte, mich in die Schlange einzureihen, benutzte ich einen Trick und stellte mich ihr vor. „Mein Name ist Abigail Mühlberg, ich bin Journalistin und arbeite für den großen Kunstverlag Wieland." Das war nicht einmal gelogen. „Davon haben Sie bestimmt schon einmal gehört?! Hätten Sie ein paar Minuten Zeit für mich?"

Frau Boppard sah mich erfreut an. „Oh ja, selbstverständlich. Wer kennt den nicht? Sollen wir uns in die kleine Cafeteria verziehen?"

Ich nickte und folgte ihr in einen der kleineren Nebenräume.

„Möchten Sie etwas über mich schreiben?" erkundigte sie sich, als wir uns an einem der kleinen runden Tische niedergelassen hatten.

„Das würde ich schon sehr gern", ich ertappte mich beim Schwindeln. „Aber ob das geht, hängt von Ihnen und von meinem Chef ab. Auf der einen Seite habe ich schon den Auftrag, einen kleinen Artikel über den heutigen Tag zu schreiben. Auf der anderen Seite kommt es natürlich auf Sie an, ob Sie etwas Interessantes zu bieten haben."

Sie musterte mich irritiert. „Wie meinen Sie das?"

„Eigentlich hatte ich den Auftrag, etwas über India zu schreiben. Aber nicht, weil sie die Hauptrolle in diesem Märchen hatte, sondern weil sie diese alten Uhren sammelte. Machen Sie vielleicht auch irgendetwas Besonderes?"

Sie sah mich mit großen Augen an. „Oh! Etwas Besonderes? Ja, India hatte diesen Uhrentick, das wusste ich auch. Wir, die vier anderen Bewerberinnen für die Rolle, haben uns immer etwas darüber lustig gemacht. Wir wussten ja nicht, dass sie schon so bald deswegen umgebracht wird."

„Deswegen. Was meinen Sie damit?"

„Es war doch bestimmt wegen dieser wertvollen Armbanduhr, oder?"

Ich sah sie aufmerksam an. „Das weiß man alles noch nicht so genau. Aber das werden wir sicher alles noch erfahren. Sicher werden das einige Leute vermuten, möglicherweise auch der Kommissar. Wissen Sie denn etwas Näheres darüber?"

„Nein, natürlich auch nicht. Aber sie hat immer behauptet, die Uhr sei nicht wertvoll und hat so getan, als wüsste keiner Bescheid darüber, was es mit der Uhr in Wirklichkeit auf sich hatte. Das stimmte nicht. Wir wussten es alle, alle vier."

„Wer hat es Ihnen denn verraten, Frau Boppard?"

„Es stand gestern im Mittagsblatt. In einem großen Artikel über India."

Jetzt staunte ich. „Es ist ein Artikel über India Kelly im Mittagsblatt erschienen, in dem etwas über ihre wertvolle Uhr stand?"

Die junge Frau nickte. „Ja, natürlich. Wir haben ihn gestern Abend noch gelesen nach der Probe und uns darüber amüsiert, weil sie immer so geheimnisvoll getan hat. Sie selbst hatte nie darüber gesprochen.

Aber dann muss sie es doch dem Typen von der Presse erzählt haben."

„Wissen Sie denn, wer diesen Artikel geschrieben hat, Frau Boppard?"

„Keine Ahnung. So viele Reporter hat das Mittagsblatt von Sankt Augustine ja nicht. Möglicherweise ist es der gleiche Typ, der heute auch den Umzug kommentiert hat. Der arbeitet nämlich nicht nur beim Regionalsender, sondern auf freiberuflich beim Mittagsblatt."

„Das ist ja sehr interessant. Dann wussten also seit gestern viele Leute in Augustine und um Augustine herum, dass India eine sehr wertvolle Uhr trug."

„So ist es. Deswegen haben wir auch alle gesagt, sie muss etwas verrückt sein. Denn so etwas an die große Glocke zu hängen, ist doch sehr gefährlich. Damit hat sie doch praktisch diesen Raubmord selbst provoziert."

„So krass würde ich es natürlich nicht sehen", widersprach ich ihr. „Aber es war schon sehr unvorsichtig. Ich werde mich einmal erkundigen, wer diesen Artikel verfasst hat, und warum sie dieses Geheimnis gelüftet hat. Ich habe nämlich auch gestern noch mit ihr gesprochen, auch über diese Uhr. Und sie hat mir versichert, dass man der Uhr nicht ansieht, wie viel sie wert ist. Deswegen kann ich jetzt gar nicht verstehen, dass sie einem Journalisten vorher etwas anderes gesagt hat. Das klingt für mich etwas wirr."

Sie nickte. „Genau das haben wir uns auch gedacht. Wenn wir sie vorher über die Uhr ausgefragt haben, hat sie uns nur gesagt: Das ist eine Imitation. Und dann muss sie ja wohl gestern Vormittag bei dem Interview verraten haben, wie wertvoll die Uhr wirklich ist. Aber das fragen Sie am besten bei der Zeitung nach. Ich weiß nicht mehr darüber."

„Ja, das werde ich auch tun. Und jetzt noch einmal zu Ihnen! Haben Sie selbst ein besonderes Hobby?"

„Ich bin Verkäuferin und in der Modebranche tätig. Ich arbeite in einer Boutique, da fühle ich mich auch wohl. Natürlich träume ich wie alle anderen von mehr. Ich wünsche mir einmal eine eigene Boutique, aber diesen Traum kann ich im Augenblick nicht verwirklichen. Ich bin zwar noch sehr jung, erst Mitte zwanzig, aber ich bin schon geschieden, und es gibt da auch noch ein paar Altlasten aus dieser kurzen Ehe. Da sind noch ein paar Schulden übrig geblieben. Ich weiß, das könnte mich jetzt verdächtig machen. Aber Sie können es mir glauben, an die Uhr hätte ich mich nicht herangewagt, ich wusste von diesem komischen Sicherheitsschloss. Das habe ich schon einmal bemerkt, als wir uns gemeinsam im Waschraum die Hände gewaschen haben. Sicherlich gibt es auch kleine Zangen, mit denen man es schnell aufbrechen kann. Aber dafür hätte ich gar nicht die Nerven gehabt, während die Putzfrauen in den anderen Räumen schon gearbeitet haben. Aber noch einmal zurück zu mir. Ja, auch ich habe meine Hobbys. Da ist einmal in erster Linie das Schauspiel. Ich arbeite nämlich auch als Komparsin für kleinere TVProduktionen. Damit verdiene ich mir immer noch ein bisschen Taschengeld dazu, und ich komme dabei auch mit netten, fröhlichen Leuten zusammen. Eine Sammelleidenschaft habe ich nicht, aber ich stelle Modeschmuck her, besonders aus Naturprodukten."

„Das ist doch sehr hübsch", fand ich. „Vor gar nicht langer Zeit habe ich in Catania auf Sizilien eine Frau kennengelernt, die ebenfalls Modeschmuck herstellt, allerdings nicht aus Naturprodukten sondern aus allerlei Perlen und anderen Kettengliedern. Mittlerweile schickt sie mir auch ab und zu ein paar Schmuckstücke, und ich verschenke ihn dann an meine Freundinnen. Können Sie mir denn einmal ein paar Schmuckstücke zeigen?"

„Natürlich, wenn es nicht heute sein muss. Auch damit verdiene ich mir nämlich etwas Geld nebenbei, und kann immer Kundschaft gebrauchen."

„Schade, dass diese Rollen in den Märchen hier nicht mit Gage belohnt wurden", bedauerte ich, „sonst hätten Sie sich ja auch etwas nebenbei verdienen können."

„Ach, in diesem Fall war uns vier Frauen das gar nicht so wichtig. Wir hatten es uns in den Kopf gesetzt, dadurch den berühmten Filmregisseur Kevin Braun kennenzulernen. Wir haben uns vorgestellt, dass er auf uns aufmerksam werden kann, wenn wir diese Rolle spielen und er zusieht. Schließlich ist es allen bekannt, dass er und seine berühmte Frau Laura Camissoll in diesen Tagen hier sind, und er seine Augen immer offenhält."

„Laura ist meine Freundin, und Kevin kenne ich auch sehr gut", verriet ich ihr. „Aber eigentlich ist er nicht auf Talentsuche. Natürlich, wenn er einmal jemand Außergewöhnliches sieht, dann wird er schon eine Ausnahme machen. Dann waren Sie also alle vier sehr bemüht, diese Rolle hier zu bekommen?"

Sie lachte. „Natürlich. Aber wenn Sie jetzt denken, eine von uns Vieren wäre so ehrgeizig, deswegen jemanden umzubringen, dann täuschen Sie sich. Keine von uns ist so kalt, keine von uns geht über

Leichen. Nein, wenn Sie das glauben, dann sind Sie auf dem Holzweg."

„Aber wer behauptet denn das?" wandte ich ein. „Ich kann mir auch nicht vorstellen, dass ein solcher Konkurrenzkampf so groß werden kann, dass einer den anderen aus Ehrgeiz umbringt. Das habe ich im Sport bei Wettkämpfen noch nicht gehört, und bei den so flexiblen und oft auch diplomatischen Schauspielern kann ich mir das auch nicht vorstellen. Mord aus Eifersucht, ja das ist auch in Schauspielkreisen schon oft vorgekommen, wenn die Gefühle überflossen."

„Diese Vermutung könnten Sie sich auch gleich abschminken", fuhr sie fort. „Diese Rechnung geht ja auch nicht auf. Man hatte mich zwar als zweite Besetzung in Reserve gehalten. Aber es stand auch fest, dass, wenn India aus irgendeinem Grund, zum Beispiel aus Krankheit ausfallen sollte, dass man dann zuerst doch noch mal neu kurz abstimmen wollte, wer dann als Ersatz einspringen sollte. Es ist also unlogisch, wenn man vermutet, dass man sie für einen solch vagen Erfolg aus dem Weg geräumt hat."

„Da ist etwas Wahres dran", antwortete ich. „Daran werde ich denken, wenn ich auch mit ihren Mitbewerberinnen spreche. Und über den Schmuck müssen wir unbedingt noch einmal reden. Daran bin ich sehr interessiert, Frau Boppard."

„Ich werde mich dann bei Ihnen melden. Aber sagen Sie doch einfach Ulrike zu mir, das passt schon. Werden Sie dann auch etwas über mich schreiben?"

„Ich bin die Abigail. Ja, Schmuck aus Naturprodukten, das hört sich interessant an. Welche Produkte verwendest du denn?"

„Das ist ganz unterschiedlich, angefangen von getrockneten Blumen, über Bohnen bis hin zu den verschiedenartigsten Nüssen, da wirst du überrascht sein."

„Fein, dann ruf mich bitte an, wenn du Zeit hast. Ach, und noch etwas. Könntest du mir vielleicht ein Autogramm von dir geben?"

Sie sah mich überrascht an. „Wirklich? Du willst ein Autogramm von mir?"

„Ich denke, du wirst noch viel erreichen. Wer weiß, eines Tages ist das einmal sehr wertvoll."

Sie lachte. „Ich hätte nichts dagegen. Vielleicht fragst du einmal diesen Regisseur, wie ihm mein Spiel gefallen hat."

„Das mache ich doch gern, abgemacht." Ich reichte ihr meine Visitenkarte. „Ruf mich an wenn du Zeit hast wegen des Schmucks, und ich erkundige mich bis dahin bei Kevin."

Wir verabschiedeten uns, und während ich in Gedanken noch über sie nachdachte, begann ich, den Reporter Bernhard Schmidt zu suchen.

Ich überlegte, ob ich Ulrike zutraute, aus Ehrgeiz India Kelly bedroht oder bedrängt zu haben. Tatsächlich stellte ich fest, dass sich in mir dazu noch keine feste Meinung gebildet hatte. Vermutlich hatte ich zu wenig Information, und wie alle Schauspieler zeigte sie mir vermutlich ein Sonntagsgesicht. Also beschloss ich, mir erst einmal die anderen Tatverdächtigen anzusehen.

Doch zuerst wollte ich das klärende Gespräch mit Schmidt führen, den ich am Buffet fand, als er sich gerade mit kaltem Hühnchen bediente.

***

6. Kapitel

Ich bahnte mir den Weg zu ihm. „Darf ich Sie noch einmal kurz stören, Herr Schmidt? Ich habe da noch eine kleine Frage an Sie."

Er sah mich überrascht an. „Wie nett! Ich hatte gar nicht zu hoffen gewagt, Sie so schnell wieder zu sehen. Was haben Sie auf dem Herzen?"

„Ich habe erfahren, dass die Zeitung „Das Mittagsblatt" India Kelly interviewt hat. Ich habe auch gehört, dass Sie nicht nur für den Regionalsender arbeiten, sondern auch für diese Zeitung recherchieren. Haben Sie zufällig dieses Interview geführt?"

Er sah mich abschätzend an. „Wenn ich mich nicht irre, habe Ihnen schon von meiner Tätigkeit beim Mittagsblatt berichtet. Eigentlich müsste ich Sie fragen, weshalb Sie das wissen wollen. Hat Ihnen der Artikel nicht gefallen? Ja, um es schon einmal vorwegzunehmen, tatsächlich hatte ich dieses exklusive Interview mit Frau Kelly. Hat Ihnen dieser Artikel nicht gefallen?" Er knabberte an einem Hühnerbein.

„Ich habe diesen Artikel noch gar nicht gelesen. Vermutlich steht auch Ihr Name dabei. Es hat mich nur irritiert, dass Frau Kelly noch gestern im Gespräch verlauten ließ, dass niemand weiß, wie wertvoll ihre Armbanduhr ist. Damit wollte sie sich vor Dieben schützen. Aber zuvor hat sie es Ihnen dann doch im Interview gesagt, und jetzt weiß es die ganze Welt. Wie passt denn so etwas zusammen? Können Sie sich einen Reim darauf machen?"

Er schüttelte den Kopf. „Nein, das kann ich mir auch nicht erklären. Bei mir hat sie sich völlig geoutet. Und wenn man sich vor der Presse outet, dann weiß man, dass es jedermann erfahren kann. Dass sie dann hinterher bei Ihnen noch solch ein Geheimnis daraus gemacht hat, klingt völlig unlogisch. Besonders, da Sie ja auch von ihr erfahren haben, dass sie Uhren sammelt. Und dass es unter alten Uhren auch sehr wertvolle gibt, das weiß doch jedes Kind. Das wird die Welt auch erfahren, wenn Sie ihren Artikel veröffentlichen, Frau Mühlberg."

„Das stimmt, aber die Armbanduhr hätte ich vermutlich der Presse verschwiegen, um India nicht in Gefahr zu bringen, Herr Schmidt."

„Wollen Sie damit andeuten, dass ich Frau Kelly in Gefahr gebracht habe?"

„Nein. Vermutlich hat sie angenommen, dass alles, was sie Ihnen erzählt, auch in dem Artikel erwähnt wird. Sie musste also damit rechnen, dass die Öffentlichkeit davon erfährt. Denken Sie denn, sie ist wegen dieser Uhr umgebracht worden?"

Er spülte sich die Finger in einer Schale mit Zitronenwasser. „Das herauszufinden, ist die Aufgabe des Kommissars. Darf ich Sie vielleicht zu einem Glas Champagner einladen?"

Ich sah ihn erstaunt an. „Champagner? Gibt es den hier etwa?"

Er lächelte geheimnisvoll. „Ich habe ihn eben von Alexander Pollmann geschenkt bekommen, weil ich einen so guten Artikel über seine Glasbläserei geschrieben habe. Meine Frau mag keinen Champagner. Mit Ihnen würde ich gern ein Gläschen trinken. Vielleicht drüben in der Bibliothek?"

Und obwohl er keineswegs der Typ Mann war, mit dem ich gerne Champagner trank, sagte ich ihm zu, um ihn noch ein bisschen mehr ausfragen zu können.

In der Bibliothek fanden wir eine ruhige Ecke, einen kleinen Tisch mit zwei Sesseln, auf die wir uns setzten. Der Journalist zauberte zwei Sektgläser aus seiner Jackentasche, öffnete gekonnt die Champagnerflasche und ließ das prickelnde Getränk in die Kelche fließen.

„Worauf trinken wir?" erkundigte ich mich.

„Auf eine gute Zusammenarbeit", schlug er vor und sah mich lange an.

„Wobei? Stellen Sie sich vor, dass wir den Fall gemeinsam lösen, Herr Schmidt?"

„Nein, das überlasse ich lieber der Polizei. Ich werde mich auch bei Ihrem Chef, Herrn Wieland vorstellen und bewerben. Ich könnte mir vorstellen, dass wir ein gutes Team werden könnten."

„Ich arbeite eigentlich ganz gern allein", teilte ich ihm mit. „Nur ganz selten schickt mir mein Chef einen Fotografen, der das notwendige Material für mich sammelt. Denken Sie etwa, ich würde bei Wieland ein gutes Wort für Sie einlegen?"

„Aber nein, da haben Sie mich völlig missverstanden. Es klingt zwar sehr eingebildet von mir, aber ich glaube, meine Artikel sprechen für sich. Und vermutlich habe ich auch die Gabe, Menschen zum Sprechen zu bringen. Das haben Sie jetzt selbst im Fall von India Kelly gesehen. Aber falls wir dann Kollegen werden, gibt es doch vielleicht die eine oder andere Möglichkeit, bei der wir uns gegenseitig helfen könnten."

„Dann trinken wir vielleicht einfach nur auf eine erfolgreiche Zukunft", schlug ich ihm vor.

Er war damit einverstanden und lächelte mich an.

Wir hoben die Gläser, ließen sie leicht aneinander klingen.

„India Kelly war eine sehr bescheidene und liebenswerte Frau", begann ich. „Wenn Sie Ihnen so viel erzählt hat, gibt es dann dabei irgendetwas, das uns in dem Mordfall weiterführt?"

„Leider weiß ich da vermutlich auch nicht mehr als Sie. Nennenswert ist ja außer ihrer Uhren-Sammelleidenschaft noch ihre Kampagne gegen Umweltsünder. Ich nehme doch an, dass sich die Kommissare auch in dem Bereich umschauen, ob dort nicht der Täter zu finden ist. Wittentine hat ja ein reiches Industriegebiet. Haben Sie schon einmal die Riesenfabriken von Alexander Pollmann gesehen?"

Ich schüttelte den Kopf. „Nein. Und ich kenne auch unsere Nachbar-Kleinstadt nur wenig. Sie meinen also, da könnte es einen Fabrikanten geben, der Angst hatte, dass India Staub aufwirbelte?"

„Natürlich! Und wenn es zum Beispiel irgendjemand ist, der keine Skrupel kennt, aber sehr viel Geld besitzt, der kann sogar ein Killer bezahlen."

Ich kniff die Augen zusammen. „Das sieht mir aber nicht nach einem Killer aus. Ein Profi würde sich einen anderen Ort ausgesucht haben."

„Gerade das kann der Täter beabsichtigt haben. Damit niemand auf die Idee kommt, dass es ein Profi war. Aber jetzt möchte ich doch gern mit Ihnen von anderen Themen reden. Dieser besondere Champagner sollte zu heiteren Themen getrunken werden. Oder sind Sie so sehr in den Fall involviert? Ist India vielleicht sogar eine Verwandte von Ihnen gewesen?"

„Aber nein! Wie kommen Sie darauf? Mir tut sie einfach leid, diese nette junge Frau. Sie war mir auf Anhieb sympathisch. Und selbst wenn sie unausstehlich gewesen wäre, dass Geschehene bedrückt mich einfach. Ich bin keine Reporterin der Katastrophen, die von den vielen Grausamkeiten abgestumpft ist. Haben Sie etwa kein Mitleid mit India."

„Oh doch, natürlich", beeilte er sich zu sagen. „Ich kenne sie zwar auch erst seit gestern, aber da bin ich völlig Ihrer Meinung, sie war eine liebenswerte junge Frau und hat mich mit ihrer Bescheidenheit sehr beeindruckt. Nur habe ich überhaupt kein Talent zum Hobbydetektiv und halte die hiesige Polizei für sehr kompetent. Und so traue ich ihr auch zu, dass sie den Fall baldmöglichst löst, was ich wirklich von Herzen wünsche. Erzählen Sie mir doch etwas von sich! Haben Sie auch irgendwelche interessanten Hobbys?"

Ich überlegte. „Falls Sie irgendwelche ausgefallenen Talente meinen, leider nein. Ich kann weder malen wie Rossini, noch kann ich dichten wie Adelaide oder der ermordete Schriftsteller Benjamin. Ich kann nicht tanzen und singen wie Laura Camissoll, ich nähe nicht wie Nina, ich stelle keinen Schmuck her wie Ulrike Boppard, und ich fertige auch keine Skulpturen an wie Theresa Meinhardt. Ich interessiere mich für Menschen, für ihre Wünsche und Pläne, und wie sie es anstellen, sich ihr eigenes Leben zu erobern. Mehr kann ich Ihnen nicht bieten."

Er schenkte uns Champagner nach. „Für Ihren Beruf genügt das doch, Jens Wieland kann mit Ihnen zufrieden sein. Ich denke, wir werden gute Kollegen."

Im Stillen seufzte ich. „Ich werde mich bemühen. Aber etwas anderes interessiert mich jetzt bei Ihnen. Sie sind doch bestimmt auch viel unterwegs, wie schaffen Sie das dann mit ihrer Partnerschaft? Mein Verlobter und ich, wir leiden schon sehr darunter, dass wir uns nur so selten sehen. Was meint denn Ihre Frau dazu, wenn Sie so oft weg sind?"

Er sah mich prüfend an. „Ich kann nicht sagen, dass unsere kurzen Trennungen unsere Ehe belasten. Im Gegenteil, immer, wenn ich beruflich ein paar Tage unterwegs war, freuen wir uns besonders auf das Wiedersehen. Wir haben ständig neue Gesprächsthemen und beleben unsere Partnerschaft durch neue Eindrücke, die wir getrennt voneinander sammeln."

„Ja, in der Theorie hört sich das immer alles so schön an", räumte ich ein. „Aber in der Praxis sieht das bei uns oft ganz anders aus. Rolf und ich sind auch zwischendurch öfter einmal eifersüchtig, und das Vertrauen mussten wir auch erst lernen."

„Das kommt schon noch", tröstete er mich. „Meine Frau Britta und ich, wir sind schon über 25 Jahre verheiratet. Wir vertrauen uns sehr, so sehr, dass meine Frau sogar alleine zum Tanzen gehen darf."

Ich überlegte. „Da sind sie wohl eine seltene Ausnahme. Das ginge bestimmt nicht in jeder Ehe gut. Denn beim Tanzen kann man sich schon auch näher kommen. Gab es da wirklich nie Probleme bei Ihnen?"

„Nein, niemals. Tanzen ist eben ihr Hobby, sie braucht dazu auch nicht immer einen Partner. Oft geht sie auch nur mit einer Freundin zum Frauentanzen. Es geht ihr einfach um die Bewegung im Rhythmus der Musik. Das geht wohl vielen

Frauen so, und das muss man eben als guter Ehemann auch verstehen."

„Erstaunlich", fand ich. „Da sind Sie den meisten Männern schon weit voraus. Damit sollten Sie einmal an die Öffentlichkeit gehen. Schreiben Sie doch einmal etwas darüber!"

„Wenn Sie etwas von mir lesen wollen, dann schauen Sie doch einmal in das Mittagsblatt von vorgestern. Dort steht der Artikel über Pollmann und seine Firma drin. Vielleicht gefüllt er Ihnen ja. Es ist eine Biografie und die Geschichte der alten Glasbläserei. Ich habe einen Mini- Roman daraus gemacht, und er geht über zwei Seiten."

„Gut. Ich werde das gern einmal lesen. Aber jetzt müssen Sie mich leider entschuldigen! Ich muss mich doch wieder um meine Freunde kümmern. Die haben mich bestimmt schon vermisst. Und mehr Champagner kann ich jetzt wirklich auch nicht trinken. Vielleicht heben Sie sich den Rest doch lieber für später auf."

Er lächelte. „Ich stelle ihn kalt, vielleicht schmeckt er ja auch morgen noch. Aber den nächsten trinken wir wieder zusammen, wenn ich die Stelle bei Wieland bekommen habe, die ich mir wünsche. Dann müssen Sie unbedingt wieder mit mir feiern. Versprechen Sie mir das?"

Ich verzog das Gesicht. „Ich werde sehen, was sich machen lässt. Dann wünsche ich Ihnen viel Glück für Ihre Bewerbung und wünsche Ihnen noch einen angenehmen Abend!"

„Ihnen auch alles Gute! Die Neuigkeiten über den Fall können wir gern untereinander tauschen", schlug er mir vor.

„Mhm" brummelte ich nur. „Die Polizei wird uns sicher informieren." Eilig entfernte ich mich und suchte im großen Saal nach Laura und Kevin. Ich fand die beiden im Gespräch mit Niklas Meyer, der den beiden gerade verriet, was die Polizei über den Fall bereits an die Öffentlichkeit gegeben hatte: „Die Obduktion hat uns bisher wenig weitergebracht. India ist wohl rückwärts gegangen und wollte irgendetwas ausweichen. Dabei ist sie jedoch unglücklich gefallen. Genau genommen war es ein Unfall mit Todesfolge. Trotzdem haben die Pathologen jedoch festgestellt, dass sich ein Sedativum in ihrem Blut befand."

„Was ist denn das?" erkundigte sich Laura.

„Ein Beruhigungsmittel", erklärte ihr der Kommissar. „Und das wird sie bestimmt nicht selbst freiwillig eingenommen haben. Mit dieser Menge wäre sie nämlich mit Sicherheit kurz darauf eingeschlafen. Und ich bin ganz sicher, dass sie nicht hierhergekommen war, um zu schlafen."

„Dann kann es doch jemand auf die Uhr abgesehen haben", überlegte Laura. „Vermutlich wollte ihr jemand, während sie schlief, dann die Uhr entwenden. Wahrscheinlich war das Schlafmittel in irgendeinem Getränk, dass der Täter ihr anbot. Dann aber wurde er vermutlich durch das Herannahen einer Putzfrau gestört."

„Trotzdem muss es nicht unbedingt um die Uhr gegangen sein", fand Kevin. „Ihre Konkurrentinnen hatten vielleicht vor, sie mit dem Schlafmittel außer Gefecht zu setzen."

„Aber der Kommissar von Wittentine glaubt, dass es ihr Verlobter Tobias war. Davon lässt er sich nicht abbringen. Er hatte sogar vorgehabt, den jungen Mann zu verhaften."

„Warum denn das?" fragte ich entsetzt. „Warum ist er denn so voreingenommen?"

„Nun ja, er hat schon seine Schlüsse gezogen, aus dem, was ihm berichtet wurde. Eine der Putzfrauen hat heute Morgen nämlich gesehen, dass er eine andere Frau geküsst hat. Und diese andere Frau war Manuela, seine Exfreundin."

***

7. Kapitel

Nachdem ich mich von diesem Schrecken erholt hatte, wandte ich mich an Niklas. „Und? Sind die beiden denn schon verhört worden?"

„Ja", wusste der Kommissar. „Manuela hatte sich für den Dienst in der Kaffeeküche angeboten, und war ebenfalls heute Morgen schon hier. Da sind sie sich dann auch begegnet, als Tobias für sich selbst und für India einen Tee aus der Küche holen wollte. Und als die Putzfrau aus der Vorratskammer kam, sah sie die Beiden in der Küche, wie sie sich küssten. Natürlich hat sie sich nichts dabei gedacht. Sie wusste ja nicht, wer sie waren. Danach ist Manuela fortgegangen und war angeblich zur Tatzeit in einem Lebensmittelladen. Tobias hat dann mit India Tee getrunken, und hat behauptet, kurz danach wieder weggegangen zu sein. Aber dafür hat er keinerlei Zeugen. Es ist nun fraglich, ob er der Täter war, oder ein anderer, der später den Theaterraum betreten hat. Gesehen haben die Putzfrauen jedenfalls niemanden sonst. Aber das muss natürlich noch nichts heißen."

„Aber dann kann sowohl Manuela als auch Tobias das Betäubungsmittel in den Tee getan haben", überlegte Kevin.

„Das Betäubungsmittel hat sie erst später eingenommen", wusste Niklas. „Vermutlich in einer Praline. Wir haben natürlich auch alles nach Pralinen abgesucht, aber keine gefunden, nicht einmal ein Papier davon."

„Das wiederum sieht aber nach einem Profi aus", fand Laura. „Ich als Laie wüsste zum Beispiel nicht, wie man ein Betäubungsmittel in eine Praline hinein bekommt."

„Vermutlich wurde es mit einer kleinen Spritze in die Praline injiziert", verriet uns der Kommissar.

„Wo ist denn jetzt Tobias? Und wo ist diese Manuela?" wollte ich wissen.

„Tobias ist bei seinen Eltern, sie wohnen im Nordwesten von Sankt Augustine, etwas außerhalb im Neubauviertel, dort wo auch die Villen stehen. Was hast du vor, Abigail?"

„Mit deiner Erlaubnis würde ich ganz gerne einmal mit den beiden sprechen, nein, natürlich nicht wegen India. Ich wollte mir aus beruflichem Interesse von beiden etwas über die Kampagne erzählen lassen. Man muss sich doch erkundigen, ob sie nun ohne India stattfindet oder nicht."

Niklas lachte. „Ich habe dich schon durchschaut, Abigail. Es geht dir gar nicht um die Kampagne. Du möchtest wissen, ob Tobias als Täter infrage kommt. Und du hoffst, auch durch Manuela mehr über Tobias zu erfahren. Zum Beispiel willst du auch wissen, was der Kuss zu bedeuten hatte."

Ich lächelte ihn unschuldig an. „Was du aber auch immer denkst! Wegen eines Kusses würde mich doch Wieland niemals zu den Beiden schicken. Aber die Kampagne interessiert ihn bestimmt auch, du weißt doch, sein Interesse ist breit gefächert. Und es geht schließlich um den Schutz von kunsthistorischen Gebäuden. Und die wiederum gehören zur Kultur, und Kultur ist Wielands Spezialität."

Er lachte laut. „Ich gebe mich geschlagen. Manuela ist in der Kaffeeküche hier. Du kannst sie gar nicht verfehlen. Sie ist die einzige mit roten Haaren und wunderschönen grünen Augen wie die Meerjungfrau.

Mit dem Interview bei Tobias wirst du noch etwas warten müssen. Als ich vorhin bei ihm war, hatte er einen Nervenzusammenbruch und wurde von einem Arzt behandelt. Da wirst du vor morgen sicher keine Gelegenheit haben, zu ihm vorgelassen zu werden."

Ich sah meine beiden Freunde an. „Braucht ihr mich im Moment?"

Die beiden schüttelten den Kopf.

„Wir sind ja nicht zum ersten Mal hier", erinnerte mich Laura. „Ich erinnere mich noch gut hier an die Aufführungen gemeinsam mit Jérôme Tessier. Du erinnerst dich?"

„Und ob! Das werde ich nicht vergessen. Dann entschuldigt mich bitte einen Augenblick, denn ich muss dringend in die Kaffeeküche."

Ich winkte Niklas noch einmal zu und eilte dann in den kleinen Nebenraum.

Die schöne, rothaarige junge Frau räumte gerade die Spülmaschine aus.

Ich stellte mich ihr als Journalistin vor. „Hätten Sie vielleicht ein paar Minuten für mich Zeit? Es geht um die Kampagne, die Frau Kelly ins Leben gerufen hat. Dazu hätte ich ein paar Fragen an Sie."

Sie sah mich misstrauisch an. „Sind Sie die Journalistin, mit der India gestern verabredet war, im Gasthof „Zur Traube"?"

Ich nickte. „Genau, die bin ich. Ich habe Frau Kelly nur flüchtig kennen gelernt, aber sie hat einen sehr netten Eindruck auf mich gemacht. Und diese Kampagne hat ihr wirklich am Herzen gelegen. Haben Sie vor, da weiter etwas zu unternehmen?"

„Wir wollen die Sache erst einmal aufs Eis legen. Jetzt ist es erst mal wichtig, dass der Mörder von India gefunden wird. Als junge Frau muss man ja jetzt hier Angst haben, sich im Gemeindezentrum allein in einem Raum zu bewegen. Wollen Sie einen Kaffee?"

„Danke nein! Im Augenblick habe ich schon genug getrunken. Ich kann mir schon denken, dass Ihnen die ganze Sache sehr nahegeht. Und natürlich besonders dem Tobias. Man erzählt sich überall, dass die Beiden ein Traumpaar gewesen sind. Hatten Sie auch diesen Eindruck?"

„Ein Traumpaar? Nein, das glaube ich nicht. Eigentlich haben die beiden gar nicht zueinander gepasst. Aber gerade das ist es ja, was oft zwei völlig verschiedene Menschen zueinander zieht. Tobias hat India abgöttisch geliebt, aber sie hat ihn nur ausgenutzt."

„Wie meinen Sie das? Womit hat sie ihn ausgenutzt?"

„Die Eltern von Tobias haben Beziehungen, überall hin, in die höchsten Kreise. Das hat India nicht nur für ihre Eitelkeiten und ihre Spinnereien ausgenutzt, sondern sich dadurch auch alle möglichen Vorteile verschafft. Auch diese Sammleruhren hat sie oft durch Tobias Verwandtschaft bekommen. Die waren nämlich auch alle total verliebt in dieses scheinbar so bescheidene Wesen mit Namen India. In Wirklichkeit war das alles nur Berechnung. Sie war wirklich eine gute Schauspielerin, besser wahrscheinlich noch als diese Laura, die hier mit dem bekannten Filmregisseur angereist ist."

„Sie sprechen nicht gut über India. Kann das sein, dass sie eifersüchtig waren auf Tobias Verlobte? Man erzählt sich, dass sie sich heute Morgen im Gemeindezentrum geküsst haben."

Sie sah mich ungerührt an. „Ach, hat sich das jetzt schon überall herumgesprochen. Sankt Augustine ist doch wirklich ein kleines Nest. Was hat diese Raumpflegerin denn da nur verbreitet?! Natürlich für diese Klatschtanten war das ein gefundenes Fressen. Das war in Wirklichkeit total harmlos. Wir haben uns nicht geküsst, ich habe ihn geküsst, ganz freundschaftlich, weil ich ihn trösten wollte."

„Und warum wollten Sie ihn trösten?"

„Die beiden hatten sich gestritten, weil India auch die Firma von Tobias Eltern auf Umweltverschmutzung untersuchen lassen wollte, alles im Zuge der Kampagne."

Ich staunte. „Oh, mir ist noch gar nicht bekannt, dass Tobias Eltern auch eine Firma besitzen. Befindet sie sich auch in Wittentine?"

„Nein. Es ist eine größere Firma, die modische italienische Schuhe einkauft und sie hier an Schuhgeschäfte weiterverkauft. Sie stellen also gar nichts her, sondern verpacken diese Schuhe nur in besondere Kartons und versenden sie dann weiter. Es gibt also überhaupt keinen Grund, diese Firma auf Umweltverschmutzung zu untersuchen. Es werden ja überhaupt keine Produkte hergestellt oder verwertet. Aber diese India hatte sich eben in den Kopf gesetzt, aus irgendeinem übertriebenen Gerechtigkeitsgefühl heraus, alle gleich zu behandeln und auch die Firma ihrer zukünftigen Schwiegereltern nicht zu verschonen."

„Das klingt sehr interessant", fand ich. „Wussten denn auch Tobias Eltern von Indias Plan?"

„Keine Ahnung! Jedenfalls war Tobias sehr enttäuscht. Da hat er sie gebeten, die Firma seiner Eltern auszulassen. Aber sie beharrte auf ihrem

Entschluss. Darüber haben sie sich dann gestritten, und er war tief enttäuscht, als er zu mir in die Küche kam. Da habe ich ihn einfach mit einem freundschaftlichen Kuss getröstet. Danach hat er sich zwei Tassen mit Tee zubereitet, und ist damit dann wieder zu India in den Theaterraum gegangen. Und bevor er das Gebäude verlassen hat, kam er noch einmal vorbei und sagte: „Wir haben uns wieder etwas versöhnt. Sie hat mir versprochen, es sich noch einmal zu überlegen." Danach ist er dann weggefahren. Und so habe ich das auch der Polizei erzählt. Da gibt es nichts wegzulassen oder zu beschönigen."

„Dann haben Sie India heute selbst gar nicht gesehen, Manuela?"

„Doch. Gleich heute Morgen, als die Beiden hier ankamen, sind wir uns kurz begegnet. Und während Tobias noch ein paar Kleinigkeiten aus dem Auto ausgeladen hat, habe ich den Beiden einen Kaffee in den Raum gestellt. Da war India ziemlich schlecht gelaunt, und hat sich nicht einmal für den Kaffee bedankt."

Ich schüttelte verständnislos den Kopf. „So habe ich Frau Kelly gar nicht kennen gelernt. Sie war sehr nett und freundlich und auch bescheiden. Es passt so gar nicht zu dem Bild, dass ich mir von ihr gemacht habe."

Manuela gab einen Zischlaut von sich. „Ja, so lernt man sie kennen. Aber das ist nicht ihr wahres Gesicht. Fragen Sie einmal Tobias! Der kann ein Liedchen davon singen, und auch ich kenne ihre dunkle Seite sehr gut. Wir waren ganz bestimmt keine Freundinnen."

„Haben Sie das so auch dem Kommissar gesagt?"

„Natürlich. Warum sollte ich das verbergen? Meinen Sie vielleicht, dass man mich deswegen verdächtigt, India umgebracht zu haben? Das wäre doch zu einfach, wenn man gleich jeden verdächtigt, der Schwierigkeiten mit ihr hatte."

„Lieben Sie Tobias noch?" provozierte ich die junge Frau.

Sie sah mich kühl an. „Aha, jetzt denken Sie an Mord aus Eifersucht. Nein, wir sind nur noch Freunde. Als Tobias India kennenlernte, bemerkte ich sehr schnell, dass er sich da total verrannt hat. Sie war für ihn sofort die große Liebe, das habe ich sehr schnell erkannt und mich zurückgezogen, um mich nicht selbst zu verletzen. Am Anfang habe ich auch nicht geglaubt, dass wir gute Freunde werden können. Aber ich habe gesehen, dass Tobias und ich auf einer anderen Ebene ein gutes Team sind, und ich habe gelernt, dass zu schätzen."

„Und jetzt? Jetzt ist Tobias doch wieder frei. Könnten sich da Ihre Gefühle nicht wieder ändern?"

„Nein, das ist vorbei. Für Tobias wird India immer die große Liebe bleiben, und jetzt, nach ihrem Tod, wird sich noch alles verklären. Sie wird wie eine Heilige für ihn sein. Ich möchte nicht immer die zweite Geige spielen."

„Aber mit Heiligen kann man hier auf die Dauer auf der Erde nicht in irdischer Weise leben, Manuela! Vielleicht ist er eines Tages wieder frei für Sie."

Sie schüttelte energisch den Kopf. „Nein! Das lässt auch mein Stolz nicht zu. Ich will kein Notnagel sein. Das ist eben alles vorbei. Wir werden Freunde bleiben, und das ist auch nicht das Schlechteste."

„Schön. Dann wünsche ich Ihnen viel Glück dazu. Und nun noch einmal zurück zu meinem Anliegen.

Die Kampagne wird also erst einmal nicht stattfinden. Kann ich das so an meinen Chef weiterleiten?"

„Ja, das können Sie. Es ist alles bis auf weiteres auf Eis gelegt. Und falls Sie mit Tobias sprechen, sollten Sie etwas sensibler mit ihm reden. Er ist im Moment in einem sehr schlechten Gesundheitszustand, da wäre es nicht gut, ihn weiter aufzuregen."

„Ich passe mich gern dem aktuellen Zustand meines Gegenübers an", bemerkte ich mehrdeutig.

Die Verabschiedung fiel kurz und kühl aus, und während ich hinausging, überlegte ich mir, welchen Schritt ich jetzt als nächstes gehen sollte.

Niklas fing mich an der Tür ab. „Und? Bist du zufrieden mit dem, was dir Manuela erzählt hat?"

„Sie will ehrlich scheinen, weil sie nicht verheimlicht, dass sie India nicht mochte. Sie gibt auch vor, jetzt nur noch Tobias Freundin zu sein, eine gute Freundin. Aber ich glaube, dass sie in Wirklichkeit sehr eifersüchtig auf India ist. Auf jeden Fall streiche ich sie für mich nicht von der Liste der Verdächtigen. Wie harmlos der Kuss nun wirklich war, das kann ich immer noch nicht beurteilen. Aber eins scheint sich doch immer deutlicher herauszukristallisieren: Tobias scheint India wirklich geliebt zu haben. Diese Manuela hat mir nun ein ganz anderes Bild von India gegeben. Kannst du dir vorstellen, dass sie sich vor uns verstellt hat?"

„Ich habe India nicht gekannt, leider. Aber alle anderen Menschen, außer Manuela, erzählen mir, wie nett und liebenswert India war. Also nehme ich doch ganz stark an, dass sie von Manuela schlecht gemacht wird, weil da eben Eifersucht im Spiel ist."

„Ja, das kann ich mir eben auch so gut vorstellen. Ich habe zwar Frau Kelly nur ganz kurz kennengelernt, aber sie war mir sehr sympathisch, und nichts an ihr wirkte aufgesetzt."

„Morgen will ich es einmal bei Tobias versuchen, und von dir hätte ich ganz gerne noch die Adressen von Ricarda, Linda und Maren, falls es mir nicht gelingt, sie alle drei heute noch zu einem Gespräch zu bewegen."

Der Kommissar sah in sein Handy und schickte mir die gewünschten Adressen umgehend auf mein Telefon.

„Super, danke, Niklas! Da fällt mir gerade noch etwas ein, man hat doch India gefunden und neben ihr ein zerbrochenes Herz aus Glas. Was hat das zu bedeuten?"

„Nun, das Herz ist im Augenblick bei der kriminaltechnischen Untersuchung. Das wird natürlich auf Fingerabdrücke und andere Spuren untersucht."

„Ja, das kann ich mir denken. Aber ich meine, welche Rolle spielte dieses Herz für India und für dieses Stück. Bei der Aufführung mit Ulrike Boppard wurde nämlich kein Glasherz verwendet."

„Der Regisseur dieses Stückes, Simon Hecht, hat alle diese Herzen aus dem Stück verbannt. India sollte es bei der Aufführung über ihrem Kleid tragen, natürlich mehr symbolisch. Auch für die beiden anderen Schwestern war ein solches Glasherz vorgesehen. Simon hielt es jetzt für geschmacklos, diese Herzen noch zu verwenden."

Ich überlegte. „Eigentlich ist diese Geschichte von den Schwestern mit den gläsernen Herzen sehr traurig, da eine von ihnen ja stirbt. Wer kannte denn dieses Märchen überhaupt vorher. Da fällt ja auch eine der Schwestern tot um. Ob dieses Märchen den Täter irgendwie animiert hat?"

„Da musst du schon Simon selbst fragen, Abigail. Er ist übrigens ein Freund von mir. Wenn du mit ihm reden möchtest, kannst du ihm von unserer Freundschaft berichten. Er weiß sicher, wer die Proben besucht hat, vielleicht sogar die Generalprobe gesehen hat, oder wer sich sonst aus irgendeinem Grund näher mit dem Märchen beschäftigt hat. Allerdings war es ja nun schon seit Wochen bekannt, dass man diese beiden Märchen hier aufführt. Genau genommen kann dann der Kreis der Menschen sehr groß sein, die sich davon animieren ließen. Aber du hast schon Recht, der Täter muss natürlich auch ein persönliches Motiv haben und kann dann zusätzlich durch seine Kenntnis des Märchens animiert worden sein."

„Genau so denke ich auch, Niklas. Und die Szene, in der die eine Schwester tot umfällt, ist im Augenblick etwas makaber, selbst wenn man weiß, dass die früheren Märchen oft sehr grausam waren. Könnte das nicht sogar zu einem Mordplan passen?"

„Dann müsste hier das Motiv auch so etwas wie Eifersucht oder Rache sein. Wir müssen uns tatsächlich noch tiefer mit den Motiven auseinandersetzen. Wenn du Simon suchst, der sitzt hinten in der Ecke mit Pollmann, dem Finanzier unseres Spektakels."

Ich grinste. „Das lasse ich mir doch nicht zweimal sagen. Da sitzen dann zwei wichtige Männer gemeinsam am Tisch. Ich bin schon weg."

***

8. Kapitel

Als ich Simon Hecht und Alexander Pollmann gemeinsam am Tisch sitzen sah, hätte ich am liebsten beide gleichzeitig interviewt. Aber während all meiner Arbeiten hatte ich gelernt, ein bisschen Geduld zu haben.

Ich wartete, bis die beiden ihr Gespräch beendet hatten und steuerte dann auf Herrn Hecht zu. „Guten Tag! Ich bin Abigail Mühlberg, eine gute Freundin von Niklas und Jasmin. Haben Sie vielleicht einen Moment für mich Zeit?"

Er sah mich erfreut an. „Eine Freundin von Niklas? Gern, ich bin der Simon."

Der Glasfabrikant war aufgestanden und Simon bot mir Platz an.

„Was kann ich für dich tun, Abigail?"

„Ich habe eine Frage zu einer Szene aus dem Märchen: „Die drei Schwestern mit den gläsernen Herzen. Es geht um die Szene, in der die älteste Schwester tot umfällt. Nach dem Geschehen am heutigen Morgen ist es mir in den Kopf gekommen, dass es da vielleicht eine Verbindung gibt."

„Ach, du denkst an so etwas wie eine Nachahmung, Abigail?"

„Natürlich nicht als Motiv. Aber wenn ich überlege, dass es vielleicht geplant war, dann gäbe das schon einen Sinn. Jemand ist eifersüchtig oder wütend auf India gewesen. Ein gläsernes Herz bedeutet symbolisch ein empfindsames Herz. Physisch, aber auch im übertragenen Sinn. Irgendjemand hatte vielleicht den Wunsch, India das Herz zu brechen. Irgendjemand wollte sie auch so da liegen sehen, und hat ihr irgendetwas in den Weg gestellt. Vielleicht wollte sie der Täter nur verletzen oder sie warnen. Wie war das denn immer bei den Schauspielern während der Proben. Haben sie das immer ganz locker als Spiel angesehen?"

Er sah mich groß an. „Du stellst aber Fragen! Alle Schauspieler, auch hier diese Laien haben den Wunsch, sich ganz stark in ihre Rolle hineinzuversetzen. Sie sind da nicht sie selbst, sie sind ein anderer Mensch. Und wenn die anderen die Laienschauspielerin Hanna hier so liegen sahen, befanden sie sich ganz in dem Märchen. Ich bin sicher, dass keiner von ihnen sich irgendetwas anderes dabei gedacht hat. Schauspieler können diese Welten sehr gut trennen. Wenn das Spiel zu Ende ist, sind sie wieder ganz normale Menschen."

„Und wie war das dann mit Zuschauern? Waren bei den Proben öfter mal Zuschauer dabei? Oder vielleicht bei der Generalprobe?"

„Bei den Proben habe ich keine Zuschauer geduldet, bei der Generalprobe schon. Lass mich aber mal überlegen, wer alles dabei war. Pollmann natürlich, er wollte selbstverständlich wissen, welche Stücke er da finanziert hatte. Tobias, er hat ja mitgespielt, und Manuela war auch mit dabei, denn sie hat uns auch unterstützt durch Flyer und andere Werbemaßnahmen und in der Kaffeeküche natürlich. Ja, und dann waren da noch die beiden Bühnenbauer, die waren selbstredend auch mit dabei. Sie mussten ja auch dafür sorgen, dass sich während der Pausen beim Szenenwechsel auf der Bühne etwas veränderte. Sonst war niemand dabei, die Stücke sollten noch geheim bleiben, damit alle überrascht werden können. Pollmann zeigte sich eben sehr zufrieden mit den Aufführungen. Er hatte sogar einen Kameramann dabei und will die Filmchen jetzt im Internet als seine Glaswerbung veröffentlichen. Eine gute Idee, finde ich. Ganz abgesehen davon, dass für mich auch noch etwas dabei herausspringt. Aber im Moment ist das weniger wichtig für mich. Denn mich beschäftigt der Tod von India sehr. Sie war ein sehr lieber Mensch, und hat sich sehr gut in das Team eingefügt. Es gab nie Probleme mit ihr, und sie war für alle wie ein Engel."

„Das ist gut, dass du mir das jetzt sagst, Simon. Manuela hat mir nämlich einzureden versucht, dass India in Wirklichkeit ein berechnender und unangenehmer Mensch gewesen sei. Das konnte ich ihr bis jetzt auch noch nicht einfach abnehmen. Du hast ja schließlich hier viel Zeit mit ihr verbracht, du wirst mir mehr über sie sagen können."

„Ja, das kann ich. Wir haben viele Stunden miteinander verbracht. Und obwohl sie die Hauptrolle hatte, blieb sie immer dezent im Hintergrund, hat sich nie aufgespielt. Wir haben schon vor vier Monaten mit den Proben begonnen. Und in der letzten Woche haben wir uns jeden Tag hier getroffen, das war schon ein ganz schönes Stückchen Arbeit."

„Es ist ja auch alles sehr schön geworden", lobte ich ihn. „Kannst du dir das vorstellen, was ihr im Weg gestanden hat, über was sie gestolpert sein kann. Ich habe nur gehört, dass sie rückwärts ausgewichen ist. Weißt du darüber mehr, Simon?"

„Leider nicht. Normalerweise hat da sonst nichts gestanden. Aber die Kripo hat diesen Raum noch versiegelt und schon nach den ersten Spuren gesucht. Sicherlich werden sie auch noch herausfinden, über was India gestolpert ist. Vielleicht gibt das weiter Aufschluss. Aber um noch einmal auf deine Idee mit der Imitation zu kommen. Ich wüsste wirklich nicht, wer sich von dieser Szene im Märchen hat inspirieren lassen. Ich spiele mit verschiedenen Gruppen oft viele alte Märchen. Da bedeutet Tod nicht immer einen wirklichen Tod, sondern oft nur Umwandlung und Veränderung. Wenn du dir diese Märchen alle einmal anschaust, sind schon sehr viele grausame dabei. Der Wolf frisst das Rotkäppchen und die Großmutter, ein anderer Wolf die sieben Geißlein. Die Hexe wird am Schluss verbrannt. Diese Bilder sind alle sehr krass, oft aber ganz anders gemeint. Ich glaube nicht, dass die Märchenszene etwas mit Indias Tod zu tun haben kann."

„Und was hältst du von Tobias und Manuela? Sind sie nun ein Liebespaar oder nicht?"

Simon sah mich an, als hätte ich den Verstand verloren. „Um Himmels Willen, nein! Natürlich nicht. Tobias und India waren ein Traumpaar. Sie haben sogar vor allen anderen öfters Zärtlichkeiten ausgetauscht. Sie waren wirklich unzertrennlich, und der junge Mann hat seiner Verlobten jeden Wunsch von den Augen abgelesen. Sie hat sich jedes Mal sehr ausgiebig und zärtlich bei ihm bedankt, wenn er ihr irgendein kleines Geschenk vorbeibrachte, was er häufig tat. Dieses Paar galt für alle als Vorbild, ja vielleicht war der eine oder andere auch etwas neidisch auf sie."

„Wer könnte zum Beispiel neidisch gewesen sein?" bohrte ich weiter.

„Manuela vielleicht? Sie hat zwar selbst einen Freund, aber mit dem ist sie gar nicht glücklich. Er ist immer unterwegs, und behauptet, er sei treu. Aber zuletzt hat sie herausgefunden, dass das gar nicht der Fall ist. Sie hat entdeckt, dass er auch an einem anderen Ort noch eine Freundin hat. Da gibt es eben die Menschen, die so sind, wie die Matrosen. In jedem Hafen eine Braut."

Ich erschrak, und ertappte mich, dass ich an Rolf dachte. Wenn er nun auch irgendwo noch eine Freundin hatte? Wir waren so oft voneinander getrennt, das würde mir überhaupt nicht auffallen. „Sie tut mir echt leid", fand ich. „Sie könnte tatsächlich neidisch gewesen sein. Traust du ihr zu, dass sie India schaden würde?"

„Schwer zu sagen. Eher nicht, aber darauf würde ich mich nicht festlegen wollen. Ehrlich gesagt, ich kenne sie auch nicht sehr gut."

„Hatte sie keine Lust, ebenfalls mitzuspielen, Simon?"

Er schüttelte leicht den Kopf. „Sie hat weder Talent noch Lust dazu. Mir hat sie sogar einmal erzählt, dass sie die Schauspielerei für eine Spielerei hält."

„Weißt du denn, womit sie sich so die Freizeit vertreibt?"

„Sie betreibt mit ihrer Schwester eine Cateringfirma. Da habe ich mich immer schon gewundert, dass sie so viel Zeit hat und sich mit Tobias und India immer nach den Proben treffen konnte, um an den Plänen von der Kampagne zu arbeiten."

Ich sah ihn überrascht an. „Cateringfirma? Pralinen. Die haben bestimmt auch viel mit Pralinen zu tun."

Er betrachtete mich verwundert. „Was haben denn Pralinen mit einer Cateringfirma zu tun? Es gibt bei ihnen warmes Essen, ganze Menüs, aber auch diverse Kuchenbüfetts, die man bestellen kann. Von Pralinen habe ich da noch nichts gehört."

„Nein, stimmt. Pralinen kann jeder überall kaufen", überlegte ich.

„Stehst du auf Pralinen?"

„Manchmal ja. Aber nur auf besondere Sorten. Warum? Weißt du, wo es hier gute zu kaufen gibt?"

„Es gibt da ein Geheimtipp. Soll ich dir den verraten?"

„Unbedingt. Dann hast du etwas gut bei mir, Simon."

„Die Tante von Maren Bellmann hat in Wittentine ein großes Café mit einer Confiserie. Maren stellt dort immer besondere Pralinen her, davon hat sie uns hier oft einige Kostproben mitgebracht. Der eine oder andere hat auch bei ihr etwas privat bestellt. Weißt du, wenn du die einmal probiert hast, dann wirst du das verstehen. Man wird richtig süchtig danach."

„Wie, süchtig? Mit Drogen oder so?"

Er lachte „Nein, natürlich nicht. Sie schmecken einfach zu gut, als dass man aufhören könnte. Du musst sie unbedingt einmal probieren."

„Hast du denn noch welche davon?"

„Ich habe mir eine kleine Reserve angelegt. Natürlich kann man sie im Café auch kaufen. Aber dort sind sie selbstverständlich sehr viel teurer."

„Diese Maren Bellmann, ist das die junge Frau, die eventuell auch die Hauptrolle in dem Märchen „Die drei Schwestern mit den gläsernen Herzen spielen sollte?"

„Ja, genau die. Kennst du sie etwa auch?"

„Noch nicht. Aber Laura Camissoll ist eine sehr gute Freundin von mir, ihren Mann Kevin Braun kenne ich ebenfalls sehr gut. Ab und zu sind die beiden schon einmal auf Talentsuche. Das alles gehört ein bisschen zu meinem Hobby dazu, weil ich auch schon oft Schauspieler und ähnliche Künstler

79

interviewt habe. Vor einiger Zeit habe ich mit allen Schauspielern der Truppe von Jérôme Tessier gesprochen. Sie interessieren mich also beruflich und privat. Und Theresa Meinhardt, die auch bei dir eine Hauptrolle gespielt hat, ist ebenfalls eine Freundin von mir und wurde auch schon von mir interviewt. Da habe ich mir auch die Namen von Indias Mitstreiterinnen geben lassen, um sie einmal kennen zu lernen. Meinst du, das ließe sich einmal machen?"

„Ulrike kannst du heute hier kennenlernen, das ist kein Problem, aber Ricarda, Linda und Maren waren heute nicht anwesend."

„Nicht? Waren sie sauer, dass sie nicht die Hauptrolle bekommen haben? Konntest du sie nicht in einer Nebenrolle unterbringen?"

„Du hast das Märchen gesehen, so viele Nebenrollen gibt es dort gar nicht. Und alle drei Frauen haben Berufe, bei denen sie heute arbeiten mussten."

„Und?" Ich ließ nicht locker.

„Maren arbeitet in dem Café ihrer Tante. Linda ist Krankenschwester und Ricarda fährt Taxi. Da haben sie alle drei besondere Arbeitszeiten."

„Und eine Krankenschwester benutzt Spritzen", sagte ich wieder zu mir selbst.

Er sah mich irritiert an. „Was meinst du jetzt schon wieder?"

„Ach, nichts. Vielleicht hat mich das Ganze auch etwas durcheinander gebracht. Vielleicht kannst du mir doch die Adressen von den drei Frauen geben, Simon?"

„Da habe ich eine viel bessere Idee. Morgen Nachmittag treffen sich alle, die hier irgendwie beteiligt waren, zu einer kleinen privaten Feier, auch die Zweitbesetzungen, und die, die in Reserve vorgesehen waren. Alle drei haben schon zugesagt, denn für morgen konnten sie sich tatsächlich für ein paar Stunden freinehmen. Du kannst sie also gleich alle drei zusammen kennenlernen."

Ich freute mich. „Du lädst mich für morgen ein? Als was wirst du mich vorstellen?"

„Das versteht sich doch von selbst, als die Journalistin Abigail Mühlberg und die Freundin von Laura Camissoll und Kevin Braun. Was braucht es da noch mehr Worte?"

Ich nickte ihm zu. „Richtig. Die Wahrheit ist immer das Beste. Ich werde dich jetzt auch gleich erst mal in Ruhe lassen. Meine Freunde warten sicher auch schon auf mich. Nur noch eine Frage: Ist dir sonst noch irgendetwas Besonderes an India aufgefallen? Wenn du dir noch einmal alle Proben ins Gedächtnis rufst, ist dir da irgendetwas aufgefallen?"

„Nein, wirklich nicht. Wenn man es so ausdrücken darf, sie war wirklich pflegeleicht. Sie hat ihre Rolle brav gelernt, und wenn ich ihr bei den Proben einen Vorschlag zur Verbesserung machte, so ging sie bereitwillig darauf ein und versuchte alles so zu perfektionieren, wie ich es ihr empfahl. Sie war immer sehr hilfsbereit, auch die unangenehmen Arbeiten hat sie freiwillig übernommen. Linda hat einmal eine Flasche mit Limonade fallen lassen, da hat India die Scherben aufgesammelt und das klebrige Zeug wieder aufgewischt. Als es Maren einmal übel war, ist India mit ihr zur Toilette gegangen. Lauter solche Beispiele könnte ich dir nennen. Sie war einfach für jeden da, und blieb dabei immer freundlich."

„Das klingt wirklich fast ein bisschen zu freundlich", überlegte ich, „aber es gibt tatsächlich solche

Menschen, die wie Engel sind. Und bisher habe ich wirklich nur Menschen getroffen, die genauso über India reden, wie du. Die einzige, die dagegen spricht, ist Manuela. Aber da sie die Exfreundin ihres Verlobten ist, kann man gut verstehen, dass da eine ganze Reihe anderer Emotionen eine Rolle spielen."

Er nickte. „Ja, dass ist verständlich. Aber weißt du, was mir jetzt auffällt, so im Nachhinein?"

„Keine Ahnung, Simon."

„Diese Armbanduhr, die hatte schon eine besondere Bedeutung bei ihr."

„Wieso? Kannst du das genauer erklären?"

„Also, dass sie sie während der Proben nicht ausziehen wollte, das konnte ich verstehen. Man hat ja manchmal solch einen Schmuck, den man liebt und wie einen Talisman ständig trägt. Deswegen hatte sie auch ein Kostüm mit langen Ärmeln und Rüschen an den Enden, unter denen die Uhr verborgen blieb. Aber in den Pausen hat sie manchmal den Ärmel etwas zurückgeschoben und die Uhr mit einem merkwürdigen Blick angesehen. Dabei hat sie nicht auf das Zifferblatt geschaut, sondern das ganze Handgelenk ein wenig gedreht und von allen Seiten betrachtet."

„Na ja, ich denke einmal, du weißt es inzwischen, hast es vielleicht auch im Mittagsblatt gelesen, dass die Uhr ziemlich wertvoll ist. Vielleicht wollte sie nachschauen, ob sie noch richtig am Handgelenk sitzt."

„Klar habe ich im Mittagsblatt gelesen, dass die Uhr sehr wertvoll ist. Nein, das war es nicht. Soviel ich weiß, besitzt sie diese Uhr schon länger. Sie hat sie so angeschaut, als hätte sie eine ganz besondere Bedeutung. Ich bin leider nur ein Regisseur, und schreibe selbst keine Stücke. Aber so schaut man Dinge an, die eine besondere Geschichte haben."

„Ich glaube, Kevin hat India diese Uhr geschenkt, und ich habe gehört, dass seine Verwandten ganz wild darauf waren, ihr überall in der Welt diese Sammleruhren zu suchen und zu besorgen. Möglicherweise hat Kevin ihr diese Armbanduhr zur Verlobung geschenkt. Dann hat sie vielleicht jedes Mal an ihren Liebsten gedacht, wenn sie ihr Handgelenk drehte."

„Möglich, aber mein Gefühl sagt mir, dass es etwas anderes ist. Wenn es Tobias wieder besser geht, könnte man ihn fragen. Vielleicht weiß er, was es damit auf sich hat."

„Kein Problem, Simon. Ich werde versuchen, das herauszubekommen. Im Augenblick befindet sich die Uhr im Besitz der Polizei, die sicher noch Untersuchungen anstellen wird, ob jemand an dem Verschluss herumgebastelt hat. Gut, falls dir noch irgendetwas einfällt, ruf mich an!" Ich reichte ihm meine Visitenkarte.

Er zwinkerte mir zu. „Wenn es nichts Wichtiges ist, wir sehen uns ja schon morgen wieder."

***

9. Kapitel

„Da bist du ja endlich", beschwerte sich Laura scherzhaft, als ich mich wieder zu ihr und Kevin gesellte. „Ich wette, du hast schon die ersten Spuren verfolgt." Ihr sonst so hübscher Schmollmund brachte ein breites Grinsen zustande. „Aber jetzt bestehe ich darauf, dass du zuerst einmal etwas isst. Sonst müssen wir dich nachher noch nach Hause tragen."

Ich ließ mich überreden, eine Kleinigkeit zu essen und teilte den beiden mit, was ich bis jetzt erlebt hatte. Wie immer wusste ich, dass beide in diesen Angelegenheiten sehr verschwiegen waren. „Jetzt möchte ich natürlich so schnell wie möglich diesen Pollmann kennenlernen und bald ein Gespräch mit Tobias führen. Morgen spreche ich dann mit Indias drei Konkurrentinnen und übermorgen fahre ich nach Wittentine und schaue mich im Industriegebiet einmal um", schloss ich meinen Bericht.

Kevin lachte laut. „Findest du nicht auch, dass dein Programm ziemlich stramm ist?"

„Wenn man Spuren hat, dann muss man denen schnell nachgehen, damit sie nicht verwischen oder verwischt werden. Das ist eine alte Jägerweisheit", erfand ich diese Redewendung.

„Dazu habe ich eine gute Nachricht für dich", teilte mir Kevin lächelnd mit. „Ich habe morgen einige Gespräche mit Moro Rossini, über den ich sehr wahrscheinlich einen kleinen Film drehen werde. Daher kann ich Laura morgen für ein paar Stunden entbehren. Wenn du also Lust hast, kann sie dich bei deinen Unternehmungen begleiten."

„Sie hat mich schon in die norditalienischen Berge begleitet, warum sollte ich sie hier in Sankt Augustine nicht mitnehmen?! Hast du überhaupt Lust dazu, Laura? Und welche Schuhe willst du dazu anziehen?"

Laura kicherte. „Mit dir wird es mir nie langweilig", gestand sie mir. „In Italien hatten wir zusammen doch auch viel Spaß. Und wenn es dich beruhigt, ich habe auch Stiefeletten, deren Absätze sind nur wenige Zentimeter hoch. Du brauchst mich also morgen nicht zu stützen."

Kevin gähnte. „Ich glaube, es wird jetzt langsam Zeit für uns, den Trubel hier zu verlassen. Die Reise gestern hat doch etwas mehr angestrengt, als wir dachten. Und jetzt, dieses ganze Spektakel, erst der Umzug, dann die beiden Schauspiele und hier nun diese ganze Feierei. Das ist für mich für heute genug. Wie sieht es mit dir aus, Laura? Wollen wir langsam ins Schloss zurück?"

Sie nickte. „Ich habe auch für heute genug. Und draußen ist es auch schon seit einer Weile dunkel. Also Zeit, nach Hause zu gehen." Sie wandte sich an mich. „Und wie sieht es mit dir aus, Abigail?"

„Ihr könnt gern schon nach Hause gehen. Ihr müsst auf keinen Fall auf mich warten. Ich möchte nämlich noch wenigstens ganz kurz einen Kontakt zu Pollmann herstellen."

„Und ich dachte, du wolltest wieder einmal ein gemütliches, langes Abendgespräch mit deinem Verlobten führen", scherzte Kevin.

Ich winkte ab. „Ach, um diese Zeit arbeitet er oft selbst noch. Das kann ich später genauso gut. Richtet euch einfach gar nicht nach mir. Ich komme ein paar Minuten später nach."

„Wenn es wirklich nur ein paar Minuten sind, dann können wir auch auf dich warten, Abigail", schlug Laura vor. „Ich wollte Kevin sowieso noch einmal draußen den Wunderbaum zeigen, den Baum unter dem sich damals vor dem Zweiten Weltkrieg Jette und Ben geküsst haben. Nicht wahr, Darling?" wandte sie sich an ihren Mann.

„Ein bisschen frische Luft wird uns gut tun", stimmte er ihr zu.

Während die Beiden zum Ausgang strebten, bahnte ich mir einen Weg durch die Menschenmenge und machte mich auf die Suche nach Alexander Pollmann. Es dauerte eine ganze Weile, bis ich ihn an der Garderobe fand, an der er sich gerade seinen Mantel anzog. Seine wenigen grauen Haar bedeckte er mit einem Hut.

Ich sprach ihn an, begrüßte ihn und stellte mich vor.

„Sie müssen sich gar nicht vorstellen, Frau Mühlberg. Ich kenne Sie schon seit langer Zeit", meinte er lächelnd.

„Oh, ich wusste gar nicht, dass ich Ihnen schon begegnet bin, Herr Pollmann."

„Wirklich begegnet sind wir uns ja auch noch nicht", erklärte er mir freundlich. „Aber ich habe ihre ganzen Aktivitäten immer in der Zeitung verfolgt. Das hat mir sehr gefallen, dass sie damals so gründlich wegen Konstantin und Wohlfahrt recherchiert haben. Und es hat mir imponiert, wie stark sie sich für das Museum eingesetzt haben. Da habe ich nun auch schon seit langem vor, eine Kleinigkeit zu spenden. Es ist wichtig, dass all diese Grausamkeiten, die damals geschehen sind, den Menschen immer wieder vor Augen geführt werden, damit solche Dinge nicht ein zweites Mal geschehen."

„Richtig, Herr Pollmann. Und deswegen haben wir in Rossinis Schloss die Räume dafür hergerichtet, um diese unrühmliche Zeit Deutschlands nicht in Vergessenheit geraten zu lassen. Ihnen möchte ich aber auch gratulieren zu dem 100-jährigen Bestehen ihres Geschäftes hier in Sankt Augustine." Ich drückte ihm fest die Hand.

Er bedankte sich bei mir und fuhr fort: „Sie müssen mich unbedingt einmal in meinem alten Betrieb hier besuchen. Vermutlich waren Sie schon öfter einmal in einer Glasbläserei, aber hier haben wir den Ruf, fast so schönes Glas herzustellen, wie das auf der Insel Murano bei Venedig."

„Oh, gern. Sagen Sie mir einfach, wann es Ihnen passt, ich bin schon ganz neugierig. So wie mich die Bilder von Rossini begeistern, interessiere ich mich auch für die gläsernen Kunstwerke, Herr Pollmann."

„Dann kommen Sie doch gleich morgen Vormittag zu mir, da führe ich Sie dann selbst durch die ganze Werkstatt. Da geht es noch ganz anders zu als in den Fabriken in Wittentine, in denen mein Sohn Max das Regiment führt. Auch dort sind Sie natürlich ganz herzlich eingeladen, wann auch immer Sie Zeit haben."

„Das ist wirklich sehr nett von Ihnen". Ich freute mich ehrlich. „Ich lerne immer gern wieder etwas dazu. Und es muss bestimmt hochinteressant sein, diese Unterschiede aus den verschiedenen Zeiten zu entdecken. Handarbeit gegen hochintelligente Maschinen, das ist bestimmt faszinierend."

Er nickte. „Richtig. Beides hat seine Berechtigung. Die herrlichen, kunstvollen Gebilde der Handarbeit, diese Unikate zeigen die wahren Künstler. In der Handarbeit ist nichts perfekt, alles wie in der Natur, schön und einzigartig. Die Maschinen perfektionieren, sie produzieren in Mengen, schnell und einwandfrei. Aber gegenüber der Kunst ist es letztendlich Massenware. Nützlich und preiswert."

„Ja, ich freue mich schon sehr, beides kennenzulernen. Dann will ich Sie auch nicht länger aufhalten, Herr Pollmann. Und einen guten Abend noch!"

Er nickte leicht. „Das hoffe ich doch, Frau Mühlberg. Aber so ganz sicher bin ich mir nicht, ich bin nämlich ziemlich spät dran. Und meine Frau wartet schon länger mit dem Abendessen. Hoffentlich wird es dann kein Gewitter geben", scherzte er. „Sie werden sie dann morgen auch in der Werkstatt kennenlernen, denn obwohl wir schon beide im Rentenalter sind, bringen wir es nicht fertig, uns von diesem Handwerk zu lösen."

„Bringen Sie ihr doch einen Zweig vom Wunderbaum mit", schlug ich ihm vor. „Der wird sie versöhnen."

Er entfernte sich lachend und winkte mir noch einmal zu.

Für das erste zufrieden lies auch ich mir an der Garderobe den Mantel reichen und eilte zu Laura und Kevin, die draußen auf mich warteten.

„Das ging ja schnell", lobte mich die schöne Französin. „Du hast bestimmt bei ihm Erfolg gehabt, stimmt's?"

„Natürlich. Und du darfst mich morgen zu Pollmann begleiten und die gläsernen Kunstwerke bestaunen."

„Fein. Zu dumm, dass Glas immer so leicht zerbricht. Ich würde mir sonst gern etwas mit nach Amerika nehmen. Aber wenn Glas zerbricht, hat man ja nicht einmal Glück."

***

10. Kapitel

Während Laura und Kevin sich im Schloss noch zu einem Glas Wein mit Moro Rossini und seiner Frau im Atelier trafen, folgte ich dem Rat meiner Freunde und rief meinen Verlobten an.

„Schön, Deine Stimme zu hören!" begrüßte er mich. „Wir müssen unbedingt etwas daran ändern, dass wir uns so selten sehen. Diese Fernbeziehung geht mir langsam auf den Geist."

„Absolut, das finde ich auch, Rolf. Irgendwie müssen wir uns etwas ausdenken, damit wir etwas verändern können."

„Ich hatte wieder einen mit vielen Terminen angefüllten Tag, mein Schatz. Ich nehme an, dass es dir genauso ergangen ist."

Ich hatte eine ganze Reihe von Erlebnissen zu berichten, und mein Verlobter zeigte sich mehrmals überrascht. „Da bist du ja wieder mittendrin im Kriminalgeschehen", stellte er fest. Ich bin nur froh, dass du bei der Tätersuche nicht in unmittelbare Gefahr geraten kannst, wenn Laura dich überall hin begleitet."

„Ich denke, die Verdächtigen sind alle nicht von Natur aus gewalttätig, so wie es bis jetzt aussieht. Sollte sich aber ein Motiv im Bereich der Umweltkampagne finden, dann könnte ich es doch mit Profis zu tun haben, dann werde ich natürlich Niklas die Hauptarbeit überlassen."

„Eine gute Idee. Und notfalls hast du noch die beiden Detektive, die dir eventuell helfen könnten. Einmal den netten Rüdiger von Ambergs, der glücklicherweise schon in festen Händen ist, und dann noch Ermanno, diesen charmanten Italiener, der dich sicher immer noch um schwärmt, wenn er in deine Nähe kommt. Auf ihn müsste ich natürlich auch wieder eifersüchtig sein", scherzte er.

„Das ist so eine Sache, mit der Eifersucht", fand ich. „Diese verdächtige Manuela führt auch eine Fernbeziehung und hat gerade festgestellt, dass ihr Freund ein Doppelleben führt. Er unterhält anscheinend in zwei Städten gleichzeitig eine Beziehung. Das hat sie durch Zufall entdeckt. Ich glaube, deswegen ist es gut, wenn man sich über die Entfernung hinweg wirklich alles erzählt, ganz ehrlich."

Er räusperte sich. „Bisher haben wir das doch auch immer getan, oder? Es sei denn, wir hatten keine Handyverbindung, wie beim letzten Mal, als es mein Chef, und besonders seine Töchter auf mich abgesehen hatten."

„Ja, das war fatal. Als ich dann die Stimme dieser betrunkenen Frau von deinem Handy aus hörte, spielte meine Fantasie doch etwas verrückt. Und dir war Ermanno auch nicht immer so geheuer."

Er lachte. „Nein, und das ist er mir auch heute noch nicht. Vielleicht ist es gar nicht schlecht, dass wir beide, jeder von uns etwas Angst hat, den anderen zu verlieren. Das zeigt uns doch, wie wichtig wir füreinander sind."

Er hatte mich mit seinem Lachen angesteckt. „Wahrscheinlich hast du Recht. Trotzdem musst du jetzt nicht befürchten, dass ich in den nächsten Tagen angereist komme, um dich zu kontrollieren. Soweit kann ich mich beherrschen."

„Ich hätte gar nichts dagegen, wenn du plötzlich hier vor der Tür stündest, mein Engel. Aber in

Wirklichkeit bist du vermutlich mit Arbeit so vollgestopft, dass du in Wahrheit gar keine Zeit hast, mich zu besuchen. Ich habe dich längst durchschaut", meinte er.

„Ertappt. Aber jetzt noch mal zurück zu India und den Verdächtigen. Wie hat sich das denn für dich jetzt angehört, Rolf? Wen sollte ich einmal näher unter die Lupe nehmen? Wer hat das beste Motiv?"

„Lass mich nachdenken! Da man noch gar nicht so sicher weiß, was der Täter eigentlich beabsichtigt hat, ist es sehr schwer. Die vier Konkurrentinnen hatten natürlich alle den Wunsch, India auszuschalten. Vielleicht wollten sie einfach, dass sie sich zu müde fühlte, um dann am frühen Nachmittag die Rolle zu spielen. Eine von diesen vier Frauen könnte ihr dazu dann das Schlafmittel gereicht haben. Sie hatten vorher Zeit genug, alles dazu vorzubereiten. Tobias schließe ich eigentlich aus, denn er wusste ja nicht vorher, dass er sich mit India zanken würde. Woher sollte er dann also so schnell das Schlafmittel in Form einer präparierten Praline bekommen haben? Und warum sollte er sie am Spielen hindern, wenn er sie so liebte und sonst alles für sie tat? Manuela dagegen hatte sowohl Gelegenheiten, als auch das Eifersuchts-Motiv, um diese Tat zu begehen. So, wie du sie mir beschreibst, traue ich ihr das schon zu. Die Bühnenarbeiter sind bis jetzt noch nicht auffällig geworden, und du hast auch noch keinen Zusammenhang mit der Tat gefunden. Warum sollten sie India ausschalten? Sie hatten doch selbst Interesse, dass das Schauspiel reibungslos verlaufen würde. Schließlich haben sie auch dafür gesorgt, dass alles klappte. Aber jetzt kommen wir noch zu den großen Unbekannten. Das sind all diejenigen

Personen, denen India mit ihrer Kampagne hätte schaden können. Und das könnten all diejenigen gewesen sein, die India kontrollieren wollte. Die Liste dieser Fabrikanten musst du dir also unbedingt besorgen und mit Laura zusammen abklappern. Und wenn der Täter dort zu finden ist, sollte es vermutlich doch ein Mord werden, und war nur als Unfall getarnt. Dann wird es wieder gefährlich für dich, und du solltest lieber Niklas und diesen uncharmanten Kommissar aus Wittentine weitermachen lassen."

„Du bist großartig!" lobte ich ihn. „Ich könnte dich doch hier sehr gut als Hobbydetektiv an meiner Seite gebrauchen. Hast du sonst noch einen Außenseiter-Tipp?"

„Was mich interessiert ist, was es mit dieser teuren Uhr auf sich hat. Wenn diesem Regisseur aufgefallen ist, dass India diese Uhr dauernd betrachtet hat, könntest du dich vielleicht doch auch einmal um ihre Herkunft kümmern. Ich finde es nämlich sehr seltsam, dass jemand ein solch teures Schmuckstück täglich am Handgelenk trägt, obwohl sie alle anderen Uhren im Museum ihres Onkels gut verschlossen aufbewahrt. Wie viel ist diese Uhr denn nun eigentlich wert? Hast du das schon herausbekommen? Auch kommt es mir etwas komisch vor, dass sie sonst so bescheiden ist, aber dann doch mit dieser teuren Uhr am Handgelenk herumläuft, und die Aufmerksamkeit darauf lenkt, indem sie die Uhr sichtbar macht und sie länger anschaut. Das Ganze klingt irgendwie nicht ganz zusammengereimt", fand er.

„Hm", machte ich. „Darüber habe ich noch gar nicht nachgedacht. Bis jetzt nahm ich an, dass sie die Uhr liebt, weil sie von Tobias ist, dem Mann, den sie liebt."

„Das kann natürlich auch sein. Wer weiß, vielleicht hat India auch nur so in Gedanken mit der Uhr herumgespielt, und es hat gar nichts zu bedeuten. Aber das ist ja für dich ein Leichtes, herauszufinden, wenn du mit Tobias sprichst."

„Richtig, Schatz! Bestimmt habe ich dir morgen schon viel mehr zu erzählen. Du hast mir noch gar nicht so viel von dir erzählt. Fotografierst du momentan eher wieder Landschaften und Gebäude, oder geht es wie neulich um Personen und Porträts?"

„Bis heute waren es noch die Fotos für den nächsten Kalender mit Bauwerken. Im Sommer gibt es einen Auftrag, da widme ich mich ganz den historischen Gebäuden von Dresden, darauf freue ich mich schon sehr. Aber ab morgen geht es wieder um Menschen, und zwar für eine ganz besondere Reihe."

„Aber doch nicht schon wieder die Töchter deines Chefs", scherzte ich.

„Nein. Dieses Mal hat sich mein Chef etwas ganz Besonderes ausgedacht. Diese Fotolinie heißt: „Für mich bist du schön".

„Das hört sich für mich an wie ein Liebesgedicht oder der Titel eines Songs", fand ich.

„Vielleicht wird es das für den einen oder anderen Menschen, Abigail. Mein Chef hat sich dazu Menschen ausgesucht, die nicht nach dem Modegeschmack schön sind, sondern einfach nur ein ganz besonderes Gesicht haben. Es soll keinen Kalender, sondern einen kleinen Bildband geben. Die Personen hat er alle selbst ausgesucht."

Ich staunte. „Das ist ja mal eine ganz andere Idee. Und diese Personen haben sich alle dazu bereit erklärt, obwohl sie keine Models sind? Die kommen dann einfach so ins Studio angetanzt?"

„Nein, das werden keine Studioaufnahmen. Ich suche die einzelnen Personen in ihrer Arbeitsumgebung auf. Dort wo sie sich auch ganz natürlich verhalten. Und ja, sie haben sich dazu bereit erklärt, obwohl es nur gerade ein Taschengeld dafür gibt, keine große Gage."

„Das nenne ich einmal eine ganz interessante Arbeit. Wenigstens hast du jetzt etwas Abwechslung. Weißt du schon, um welche Menschen es sich handelt, und in welchen Berufen sie arbeiten?"

„Nein, noch nicht alle. Mein Chef gibt mir die Aufträge so nach und nach, damit ich mich besser auf die einzelnen Personen konzentriere. Morgen fange ich auf einem Bauernhof an, dort fotografiere ich einen jungen Bauern, der Rinder züchtet und Hühner hat. Und übermorgen fotografiere ich eine junge Frau, die Heilkräuter anbaut. Ich habe schon von Beiden ein Passfoto gesehen. Sie haben sehr ausdrucksvolle Gesichter, sehen aber auf den ersten Blick beide nicht wirklich schön aus, nur eben interessant. Das ist für mich eine faszinierende Herausforderung."

„Ja, das stelle ich mir auch sehr spannend vor. Da wünsche ich dir auch viel Erfolg und viel Freude daran, Rolf!"

Es klopfte an meiner Tür. „Wenn du einen Augenblick Zeit hast? Ich muss gerade einmal nachschauen, wer da etwas von mir will. Wartest du solange, Rolf?"

„Natürlich! Nun geh schon!" forderte er mich auf. Ich legte das Handy auf den Tisch und öffnete die Wohnungstür. Adelaide hielt einen Teller mit

Pralinen in der Hand und fragte mich, ob ich ein paar Minuten Zeit für sie hätte.

Ich bat sie herein und ließ sie auf dem Sofa Platz nehmen. „Wenn du vielleicht einen Augenblick wartest, Ada? Ich will mich nur gerade noch von Rolf verabschieden."

Sie stand wieder auf. „Ach, nein. Ich will dich doch nicht stören. Wenn du mit deinem Verlobten telefonierst, komme ich lieber morgen noch einmal wieder."

„Nein! Bleib bitte sitzen! Wir hatten wirklich ein gutes, ausgiebiges Telefonat. Und wir haben uns auch alles erzählt, was wichtig war."

Ich nahm mein Handy auf. „Hallo Rolf! Bist du noch da?"

„Natürlich mein Schatz! Ich hätte auch bis morgen auf dich gewartet", scherzte er.

„Nein, das brauchst du nicht. Adelaide besucht mich gerade und hat feine Pralinen mitgebracht. Was hältst du davon?"

Er lachte. „Ich denke, wenn sie dir erzählt, woher sie stammen, kannst du sie ruhig essen. Und, ob mit oder ohne Praline, ich wünsche dir jetzt noch einen schönen Abend und später einen erholsamen Schlaf. Den kannst du bestimmt jetzt gut gebrauchen nach all den Aufregungen. Ich kenne dich doch, dir lässt das alles jetzt keine Ruhe, bis du alles aufgeklärt hast. Wenn ich jetzt bei dir wäre, bekämest du jetzt von mir einen schönen heißen Kakao, so wie ich ihn dir immer zubereite. Ich hoffe, du kannst dich noch daran erinnern."

„Und ob, mein Schatz! Schlaf du auch gut, Rolf! Und für morgen einen schönen Tag auf dem Bauernhof!"

Nach den üblichen Telefonküsschen drückte ich auf das kleine Hörersymbol und beendete das Gespräch.

„Ach, Abigail, ich wollte euch doch nicht stören. Ihr habt so wenig voneinander, ihr seht euch so selten, und könnt auch gar nicht oft miteinander telefonieren. Da musst du doch jetzt meinetwegen keine Zeit opfern."

Ich lachte. „Das tue ich doch gar nicht, liebe Ada. Wir haben jetzt wirklich lange genug telefoniert und uns alles gesagt, was es zu sagen gibt." Ich setzte mich neben sie. „Aber woher sind denn diese Pralinen? Du weißt doch bestimmt, dass man India das Schlafmittel mit einer Praline gegeben hat."

„Ja, Niklas hat mir davon erzählt. Aber inzwischen weiß man, dass es bei India eine der handelsüblichen Cognackirschen war, die man verpackt in den Läden kaufen kann. Sogar die Herstellerfirma ist bekannt. Diese Pralinen hier aber sind aus Wittentine. Cordula hat eine ganze Menge davon mitgebracht."

Ich war neugierig geworden. „Und warum?"

„Aus der Confiserie, in der auch Maren Bellmann arbeitet. Da waren die Leute nämlich heute alle skeptisch, als der Regionalsender berichtete, dass India das Schlafmittel in einer Praline zu sich genommen hat. Frau Leutersdorf hat deswegen heute die frischen Pralinen zu Sonderpreisen verkauft."

„Dann war diese Praline also nicht aus der Confiserie von Wittentine", registrierte ich. „Aber das wäre wohl auch zu auffällig gewesen, wenn Maren als Täterin eine Praline aus der Herstellung ihrer Tante benutzt hätte."

„Maren? Was soll denn Maren damit zu tun haben, Abigail?" Ada sah mich erstaunt an.

„Maren Bellmann war immerhin scharf auf Indias Rolle. Das ist ein Grund, um die Konkurrentin auszuschalten. Ich habe sie im Kreis der Verdächtigen."

„Nein, die kannst du abschreiben", schlug sie mir vor. „Die ist total lieb, und kann keiner Fliege etwas zuleide tun. Ich kenne sie sehr gut, noch aus der Zeit, als ich im Rosenturm wohnte. Da hat sie mir manchmal Kuchen und Gebäck, und zwischendurch auch manchmal Pralinen mitgebracht. Und ich habe ihr zwischendurch ein paar Ratschläge gegen ihren Liebeskummer gegeben."

„Und jetzt? Hat sie immer noch Liebeskummer und ist vielleicht neidisch auf India gewesen, auf diese große Liebe?"

Adelaide lachte. „Nein. Auch da muss ich dich enttäuschen. Sie war damals unglücklich verliebt, in den jungen Konditor, der gerade in dem Café ihrer Tante eingestellt worden war. Der war aber gerade geschieden und noch gar nicht bereit für eine neue Partnerschaft. Ich habe Maren damals zu viel Geduld geraten. Es schien mir richtig, dass sie sich damals nur als gute Freundin anbot, und sich in allem anderen sehr zurückhielt. Tatsächlich hat sie das dann ein ganzes Jahr durchgehalten, bis der Konditor seinen ganzen Scheidungskram hinter sich gebracht und verarbeitet hatte. Und bei einem großen Fest in der Konditorei hat es dann schließlich auch bei Tim gefunkt, er hat sich in sie verliebt, und heute sind sie verlobt. Sie passen sehr gut zusammen, so gut, dass es ihnen nicht einmal schadet, dass sie den ganzen Tag zusammen arbeiten müssen."

„Oh weh! Ich weiß gar nicht, wie das mit Rolf und mir wäre, wenn wir den ganzen Tag zusammenarbeiteten. Aber, bist du jetzt wegen der Pralinen gekommen, oder hast du noch irgendetwas anderes auf dem Herzen?"

Wir bedienten uns beide an den Süßigkeiten und stellten fest, dass sie außergewöhnlich köstlich schmeckten.

„Zum einen dachte ich natürlich, etwas Schokolade ist gut für deine Nerven, Abigail. Aber ich wollte dir auch mitteilen, dass es Moro heute sehr gut geht. Es tut ihm wirklich gut, sich mit einem kultivierten Menschen wie Kevin Braun zu unterhalten. Weißt du, so Männer unter sich, das ist manchmal eine gute Sache. Auch wenn wir uns sehr lieben, Moro und ich, und wir auch jede Minute miteinander genießen, er ist doch sehr weit von seiner italienischen Heimat entfernt und hat bestimmt manches Mal Sehnsucht. Am Anfang, als dein Rolf hier noch ständig wohnte und auch Alexis noch nicht seine Cordula kannte, da konnte er öfter einmal ein richtiges Männergespräch führen. Und heute? Ja wir haben ein paar Mitbewohner mehr. Da ist jetzt Nicky mit seiner Mutter Beate und die kleine Lena, ebenfalls mit ihrer Mutter. Aber wir brauchen wieder einmal einen Mann im Haus."

„Aber was willst du jetzt tun, Ada?"

Sie lächelte geheimnisvoll. „Es sollte eigentlich eine Überraschung für dich sein. Aber dann dachte ich, es ist besser, wenn du Bescheid weißt, damit du dich seelisch ein bisschen darauf einrichten kannst."

„Mach es bitte nicht so spannend!" bat ich sie.

„Also gut, meine Kleine! Während ihr heute Nachmittag diese großartigen Märchen gesehen habt, hatten Moro und ich ein langes Gespräch mit einem guten alten Bekannten.

„Ada!" drängte ich sie.

Sie amüsierte sich. „Hier an der Hochschule in Wittentine wurde ein Platz frei für einen Austauschlehrer in den Fächern Biologie und Geologie ..."

Ich unterbrach sie. „... Ermanno! Ermanno will hierher kommen, stimmt's?"

Sie lachte laut und freute sich, dass ihr die Überraschung gelungen war. „Genau, das war jetzt nicht schwer zu erraten. Er hat die Stelle natürlich angenommen und heute Moro gefragt, ob er wüsste, wo man hier gut wohnen könnte. Du kannst dir natürlich vorstellen, wie sehr sich mein Liebster gefreut hat, als er hörte, dass sein Freund und Landsmann aus Italien ein Jahr lang nach Deutschland kommt. Und du kannst dir wahrscheinlich auch vorstellen, was mein Moro ihm vorgeschlagen hat."

Ich nickte. „Das ist jetzt wirklich nicht schwer zu erraten, er soll hier wohnen, im Schloss. Stimmt's?

„Natürlich. Und jetzt freuen wir uns natürlich sehr darauf, denn ich bin auch glücklich, dass Moro endlich eine andere gute Gesellschaft hat außer mir. Ich glaube, auch deswegen ging es ihm heute Abend so gut. Natürlich auch wegen Kevin, die beiden sind schon richtig gute Freunde geworden. Aber dieses Vergnügen ist ja nur von kurzer Dauer, dann geht es für den Regisseur wieder ab nach Amerika."

„Ja, und wenn ich bedenke, wie sehr sich in der ganzen Zeit Laura zu einer richtig angenehmen Freundin entwickelt hat, dann muss man wirklich daran glauben, dass sich Menschen auch ändern können."

Adelaide überlegte. „Ich glaube ganz bestimmt, dass bei Laura die schwierige Kindheit eine große Rolle gespielt hat. Sie hat ihre Mutter und ihren Stiefvater viel zu früh verloren und musste sich durchbeißen. Dabei ist sie dann so egoistisch und egozentrisch geworden, so wie wir sie am Anfang kennen gelernt haben. Aber jetzt sind wir ganz schön vom Thema abgekommen, und ich sehe gar nicht, dass du dich über Ermannos Kommen freust. Was ist los mit dir, Abigail?"

„Na klar, das ist doch selbstverständlich, dass ich mich freue. Aber ich habe eben noch mit Rolfs über ihn gesprochen. Und er hat zugegeben, dass er auf Ermanno eifersüchtig ist. Deswegen freue ich mich nicht nur, weil ich ihn wirklich gern mag, sondern habe auch leichte Bedenken wegen meiner Beziehung."

Meine ältere Freundin sah mir in die Augen. „Ich habe immer gewusst, dass es bei dir auch ernstere Gefühle waren, mein Mädchen. Und ich glaube, dass du alleine Rolf zuliebe damals bei Ermannos Heiratsantrag „Nein" gesagt hast. Ist es nicht so?"

„Ich gebe zu, dass ich mich damals auch ein bisschen in ihn verliebt habe. Aber ich habe ihn ganz schnell aus meinen Gedanken verbannt, weil ich zu Rolf gehöre, bei dem ich mich immer wohlgefühlt habe."

„Wohlfühlen? Manchmal reicht das nicht, Abigail. Da gibt es doch noch mehr."

„Ja, vielleicht. Aber ist es nicht Liebe, wenn man sich bei dem anderen wohlfühlt. Alles andere, die Verliebtheit und die Schmetterlinge, das vergeht doch."

Adelaide schüttelte energisch den Kopf. „Nein, meine Liebe, und das weiß ich ganz genau aus eigener Erfahrung. Wir sind jetzt beide so alt, Moro und ich, und wir kennen uns schon so viele Jahrzehnte. Auch wenn wir noch nicht so lange verheiratet sind, bei uns taucht dieses Herzklopfen immer wieder auf, immer wieder neu. Und besonders jedes Mal, wenn wir uns in die Augen sehen. Das war damals schon so, als ich 17 war, und dass ist heute noch so, obwohl ich schon über 70 bin und Moro schon über 80 Jahre alt ist. Ich kann es auch nicht begreifen, warum das so ist. Du weißt ja, dass sowohl er, als auch ich zwischendurch verheiratet waren mit anderen Partnern. Aber dabei haben wir niemals so etwas erlebt. Niemals dieses Feuerwerk der Gefühle. Und ich glaube, dass du diese besonderen Sternstunden mit Rolf bisher auch noch nicht erlebt hast."

„Natürlich nicht. Nicht so, wie du es beschreibst. Wir haben schon wunderschöne Stunden miteinander verbracht, auch bei unserer Reise nach Venedig, wo wir uns verlobt haben. Aber es sind ruhige, friedliche Gefühle, die wir für einander haben. So etwas, wie bei dir und Moro, das ist eben etwas Besonderes. So etwas gibt es eben in Jahrhunderten nur einmal."

Adelaide lächelte. „Jetzt übertreibst du aber. Wir waren eben nur bereit an unserem Traum festzuhalten. Das ist wahrscheinlich das ganze Geheimnis. Viele Menschen erleben einmal diese eine, große Liebe. Aber wenn sie zerbricht, und das war bei uns ja auch erst einmal der Fall, so schien es wenigstens, dann muss man trotzdem daran festhalten, an sie glauben und etwas dafür tun, damit dieser Traum wahr wird. Ja, vielleicht wird es dann trotzdem nicht jedem geschenkt, dass solch ein Traum wahr werden kann. Und deswegen sind wir auch besonders dankbar für diese Tage gemeinsam, jetzt im Alter."

„Ermanno ist aber nicht mein Traummann", behauptete ich.

„Frag einfach nur dein Herz, wenn er kommt. Dann wirst du es schon herausfinden."

***

11. Kapitel

Der nächste Tag brachte April-Wetter, es hagelte und stürmte, als Laura und ich die Glasbläserei Pollmann erreichten. Eine rundliche, grauhaarige Frau öffnete uns die Tür zur Werkstatt. Überall in den Regalen und Vitrinen glänzte und glitzerte zartes Glas in allen Farben. Da gab es Vasen und Lampen, Gläser und Christbaumschmuck, Schalen und Figuren, alles in liebevoller Handausführung.

Sie führte uns zu Alexander Pollmann, der uns freudig begrüßte und voller Stolz durch die Verkaufsräume bis hin in die Werkstätten führte, wo mehrere Glasbläser damit beschäftigt waren, aus dem heißen Glas verschiedene Formen und Figuren zu zaubern. Eine Weile schauten wir fasziniert zu, dann wurde es uns etwas zu heiß.

Laura knöpfte ihren Mantel auf. „Ich glaube, ich habe mich falsch angezogen", verkündete sie fröhlich.

„Dann lade ich Sie jetzt ein, mit mir zu meiner Frau zu kommen", beeilte sich Herr Pollmann zu sagen. Wir haben hier gleich nebenan ein gemütliches Büro, indem Sie sich beide etwas erfrischen können. Sie hat nämlich schon Kaffee gekocht, und extra heute Morgen schon einen Kuchen gebacken." Er führte uns durch mehrere Flure hindurch in einen gemütlich eingerichteten Raum, in dem sich außer einer geräumigen Polsterecke noch zwei große Schreibtische und einige Schränke befanden.

Frau Pollmann, eine zarte, weißhaarige Frau, zeigte sich über unseren Besuch erfreut. „Schön, dass ich Sie beide einmal persönlich kennenlernen darf. Sie,

Frau Camissoll habe ich schon damals aus der Ferne bewundert, als Sie noch für Jérôme Tessier gespielt haben. Alles, was über Sie in der Zeitung stand, habe ich gelesen." Sie bot uns Platz an. „Und Ihnen, Frau Mühlberg, wollte ich auch einmal danken, weil Sie dieses Museum im Schloss mit initiiert haben. Unsere Eltern haben diese schreckliche Zeit vor dem Zweiten Weltkrieg hier in Sankt Augustine selbst miterlebt. Was für ein Glück, dass es damals dieses Blumenviertel außerhalb der Stadt gab, wo sich die beiden verfolgten Schriftsteller verstecken konnten. Aber wie grausam, dass man sie dann damals doch noch festgenommen hat, als sie auf dem Weg nach Amerika waren. Schrecklich, dass sie ermordet wurden. Da ist es wirklich unbedingt nötig, dass man sie und ihre Werke nun wieder zu Ehren kommen lässt. Wir gehören zu den wenigen Überlebenden einer damaligen Widerstandsgruppe, die gemeinsame Sache mit dem Besitzer der früheren Druckerei gemacht hat." Sie schenkte uns Kaffee in die zarten Tassen und legte jedem von uns ein Stück Sahnetorte auf den Teller. „Mein Mann und ich, wir sind sehr glücklich, dass wir noch gesund genug sind, diese Werkstatt hier aufrechterhalten zu können. Wir sind etwas traurig, weil wir noch keinen Nachfolger gefunden haben."

Herr Pollmann lachte bitter. „Natürlich gönne ich meinem Sohn den Erfolg, den Stefan jetzt mit seinen Fabriken hat, aber im Grunde genommen bin ich doch traurig, dass er diese alte Werkstatt hier nicht ernst nimmt, weil sie in seinen Augen nicht rentabel genug ist."

Laura sah erstaunt auf. „Das verstehe ich aber nicht. Solche Kunstwerke aus Glas sind doch sehr beliebt und begehrt. Wissen Sie, wieviele Touristen extra nach Murano fahren, um sich dort von dem begehrten Glas etwas zu holen?! Dass sind doch alles kostbare Schätze."

„Unser Sohn sieht das nicht so", erzählte uns Herr Pollmann. „Das sind für ihn alles Peanuts. Mit solchen kleinen Beträgen gibt er sich gar nicht ab. Natürlich steckt hier viel Fleiß dahinter und Engagement. Und wir finden immer weniger gute Glasbläser, die Lust haben, unter diesen Bedingungen, also in dieser Hitze zu arbeiten."

„Wir haben gerade keine gute Kommunikation mit unserem Sohn", verriet uns Frau Pollmann. „Es ging nämlich um kleinere Werbekampagnen. Aber davon will Stefan überhaupt nichts wissen. Er sagt immer, unsere veraltete Kunst würde sowieso aussterben."

„Der Kuchen ist sehr gut", lobte ich die freundliche Frau. „Hoffentlich hat ihr Sohn Unrecht! Als ich mit meinem Verlobten in Venedig war, haben wir uns auch an den herrlichen Glasartikeln erfreut und uns ein paar Andenken mitgenommen."

„Stefan geht seinen eigenen Weg", erklärte Herr Pollmann grollend. „Er lässt sich auch gar nicht auf die Finger gucken. Ich wollte ihm immer einmal mit Rat und Tat zur Seite stehen, aber das verbietet er mir."

„Nun, damit hat er aber Recht", nahm seine Frau ihren Sohn in Schutz. „Davon verstehen wir wirklich nichts. Das alles läuft auf einer völlig anderen Schiene. Glas ist eben nicht gleich Glas. Bei ihm läuft alles im großen Stil. Seine Fabriken stellen sowohl Glasgeschirr und Vasen, als auch Fenster und sogar Hauswände aus Glas her. Das sind ganz andere

Dimensionen. Davon haben wir wirklich keine Ahnung."

„Aber er war von eh und je her kein guter Geschäftsmann", behauptete Herr Pollmann. „Da hätte ich ihm manch einen Tipp geben können. Es ist nämlich noch gar nicht solange her, da stand es um die Firmen meines Sohnes so schlecht, dass er sie fast schließen musste."

„Aber Glas wird doch immer gebraucht", wunderte sich Laura.

„Ja aber Stefan hat mit dem Geld nicht gut gewirtschaftet. Er hatte zu viele Firmen auf einmal ins Leben gerufen, und da nicht so viele Abnehmer gefunden. Er ist ja nicht der einzige auf der Welt. Und auch im Ausland gibt es preiswertes Glas. Inzwischen hat er sich aber wieder gefangen, und ist auf dem Weg nach oben."

„Trotzdem nehme ich es ihm aber übel, dass er nicht etwas für dieses Fest gestiftet hat, schließlich ist er ja auch in Sankt Augustine groß geworden, und hat zuerst das Glasbläser-Handwerk in unserer Werkstatt gelernt. Es besteht gar kein Grund, warum er das alles vergessen und hinter sich lassen will."

„Das kann ich wiederum verstehen", teilte uns Laura mit. „Ich hatte auch eine noch unrühmlichere Jugend und habe sie erst einmal verschwiegen, weil ich hoch hinaus wollte. Irgendwann kam dann doch der Tag, an dem ich wusste, auch dieser Teil meines Lebens war wichtig. Vielleicht kann Ihr Sohn nur große Träume haben, wenn er erst einmal seine Vergangenheit hinter sich lässt."

„So habe ich das ja noch gar nicht gesehen", Frau Pollmann sah Laura nachdenklich an. „Ja, von dieser Seite sollten wir das auch einmal betrachten. Es ist schon manchmal ein Kreuz mit den verschiedenen Generationen. Wenn sich beide verschließen, dann gibt es keine Brücke mehr."

Herr Pollmann nickte. „Das ist schon schwierig. Wenn man eine ganze Weile so von seinem Sohn vor den Kopf gestoßen wird, dann fängt man auch an, sich zurückzuziehen. Er ist ein ganz schöner Sturkopf."

Seine Frau sah ihn liebevoll an. „Das hat er von dir geerbt, Alexander."

„Ich glaube, daran ist seine Frau schuld", entgegnete Herr Pollmann. „Sie ist so hochnäsig und arrogant. Und sie schaut auch auf uns herab. Ja, wir sind Handwerker, Stefan stammt aus einer Handwerkerfamilie, aber in ihrer Familie, da gibt es nur Studierte. Sie ist Rechtsanwältin, ich weiß wirklich gar nicht, wie das zu unserem Sohn passt."

„Warum sich zwei Menschen lieben, das wird man nicht so schnell herausfinden", vermutete ich. „Viele meinen, es seien die Hormone und irgendwelche anderen Stoffe. Aber ich bin mir ganz sicher, dass da noch irgendetwas anderes mit im Spiel sein muss. Unterschiedliche Berufe müssen kein Hinderungsgrund für die Liebe sein."

„Wenn es einfach nur der Unterschied der Berufe wäre!" klagte Frau Pollmann. „Aber seine Frau denkt wirklich, dass sie etwas Besseres ist. Und sie hat unseren Sohn auch sehr damit angesteckt mit dieser Hochmäßigkeit. Natürlich, im Augenblick scheinen sie im Geld zu schwimmen. Aber ist das denn ein Grund, sich von uns und dem schönen alten Handwerk abzuwenden?"

„Ganz bestimmt nicht", entschied Laura. „Das kann natürlich verschiedene, versteckte Gründe haben.

Wenn Sie es fertig bringen, dass sich Abigail und ich einmal die Fabrik ihres Sohnes anschauen dürfen, dann könnten wir vielleicht bei Ihrem Sohn einmal ein bisschen nachfühlen. Abigail ist in dieser Hinsicht ganz prima, sie bringt jeden Tag die stummsten Leute zum Reden."

Frau Pollmann lächelte. „Das kann ich mir schon vorstellen, so, wie sie sich für das Museum eingesetzt hat. Aber auf solch eine Einladung haben wir leider gar keinen Einfluss. Dann müssten Sie sich schon direkt an die Firma meines Sohnes wenden und nach einer Führung fragen. Wie gesagt, unsere Kommunikation ist im Moment nicht gut."

„Gestern hat mir eine junge Frau erzählt, dass die Kampagne wegen der Umweltverschmutzung erst einmal aufs Eis gelegt wurde", fiel mir ein. „Könnte ich das nicht als Anlass nehmen, Ihren Sohn zu besuchen?"

„Nein. Das geht gar nicht", fand Herr Pollmann. „Ich fand diese Idee von India Kelly wirklich sehr gut und wollte sie auch unterstützen. Aber mein Sohn ist total dagegen. Da rennen Sie nicht nur gegen eine Wand, dann werden Sie überhaupt keinen Zugang mehr zu ihm finden", orakelte er.

„Dann müssen wir uns etwas anderes überlegen, wie wir an Ihren Sohn oder Ihre Schwiegertochter herankommen können", überlegte Laura. „Hat er denn irgendeine Beziehung zu India gehabt? Hatte sie schon mit ihm Kontakt wegen ihrer Kampagne aufgenommen? Denn wenn das so ist, könnten wir ihn einfach im Mordfall als Zeugen befragen."

„Das weiß ich gar nicht so genau." Herr Pollmann sah grübelnd in die Runde. „Frau Kelly hatte mit ihrer Kampagne erst gerade begonnen. Aber sie war in der einen oder anderen Firma persönlich und hat vorab Informationsmaterial eingereicht. Dabei könnten sie dann rein theoretisch Frau Kelly kennen gelernt haben. Aber ich glaube nicht, dass es mit Ihnen und meinem Sohn zu einem privaten Gespräch kommen kann, wenn Sie ihn über den Mordfall als Zeuge ausfragen. Wie ich schon sagte, er ist auch nicht gut auf India Kelly zu sprechen gewesen."

Ich überlegte. „Aber woher wissen Sie das, wenn Sie keinen Kontakt zu ihm haben?"

„Wir kennen seine Sekretärin gut. Sie ist mit ihm zur Schule gegangen, und die beiden waren immer sehr gut befreundet. Für Henrike war es immer mehr als nur Freundschaft, sie hat unseren Sohn geliebt. Aber er hat sich leider für diese Rechtsanwältin entschieden. Wir haben immer noch sehr guten Kontakt mit Henrike, und sie verrät uns oft, wie es unserem Sohn geht."

„Und diese Henrike kann Ihnen nicht sagen, warum Ihr Sohn solch eine Distanz zu Ihnen hält?" erkundigte sich Laura.

Frau Pollmann schüttelte den Kopf. „Das weiß sie leider auch nicht. Sie versteht sich zwar immer noch gut mit Stefan, aber diese beiden Frauen, sie und diese Rechtsanwältin sind sich nicht grün und begegnen sich mit kalter Höflichkeit."

„Das kann man gut verstehen", fand Laura. „Dann müssen wir uns irgendetwas überlegen, wie man sich an Ilona oder Stefan herantasten kann."

Frau Pollmann schenkte noch einmal Kaffee ein. „Es ist kaum zu glauben. Heute haben wir Sie gerade erst persönlich kennen gelernt, und schon sind Sie informiert über all unsere privaten Probleme. Das kann ich gar nicht fassen."

Laura lächelte verschmitzt. „Ich sagte es Ihnen ja, Frau Pollmann, wenn man mit Abigail auch nur eine halbe Stunde gemeinsam in einem Zimmer sitzt, hat man ihr schon das halbe Leben gebeichtet."
„Dann will ich Ihnen auch jetzt einiges aus meinem Leben erzählen", versprach die schöne Französin.
Während wir den Kaffee tranken und uns die köstliche Torte schmecken ließen, begann meine Freundin, dem Ehepaar Pollmann ihre Biografie mit vielen Details zu schildern.
Erst zur Mittagszeit verließen wir unsere Gastgeber nach einer freundschaftlichen Abschiedszeremonie, so, als würden wir uns schon viele Jahre kennen.

***

12. Kapitel

Bevor wir uns am frühen Nachmittag zu Tobias Körner aufmachten, der uns einen kurzen Termin genehmigt hatte, erreichte mich eine Nachricht von Niklas. Die Kriminalpolizei hatte festgestellt, dass die alte Armbanduhr einen ungefähren Wert von 35.000 Euro besaß.

„Das ist doch wohl nicht wahr!" rief Laura aus, als ich es ihr mitteilte. „Wie kann sie dann solch eine Uhr am Handgelenk tragen?!"

Ich schüttelte leicht den Kopf. „Das kann ich jetzt auch nicht verstehen. Und solch eine Uhr hat ihr Tobias einfach so geschenkt? Da stellen sich aber doch jetzt einige Fragen."

Eilig zogen wir unsere Mäntel über, wir nahmen das Auto, nicht nur wegen des unfreundlichen Aprilwetters, sondern auch weil wir unsere Neugier nicht mehr bezähmen konnten.

Die geschmackvolle Villa der Familie Körner gefiel uns. Über den weißen Wänden mit zahlreichen Butzenscheiben leuchtete ein dunkelblaues, weit herabhängendes Dach.

Wir durchquerten den gepflegten Garten und läuteten an der Türglocke. Ein junges Mädchen im schwarzen Kleid mit einer weißen Schürze öffnete uns die Tür. Sie begrüßte uns, nahm uns die Mäntel ab und hängte sie an der Garderobe auf.

„Der junge Herr wartet schon im Schreibzimmer", verriet sie uns und führte uns in einen halb abgedunkelten Raum. Aus einem Sessel erhob sich schwerfällig ein junger Mann und kam uns mit langsamen Schritten entgegen.

Er begrüßte uns mit einer matten Geste.

„Setzen Sie sich bitte", forderte uns auf und wies auf das Sofa. Mein Blick fiel auf eine dunkle Kommode, auf der ein großes Foto von India stand. Davor leuchteten etliche Kerzen, Blumensträuße in verschiedenen Vasen umrahmten das Bild.

„Eigentlich möchte ich mit niemandem reden", begann er erneut. „Aber es geht wohl darum, den Täter zu finden, denjenigen, der India getötet hat."

„Wir versuchen dabei, den Kommissaren zu helfen", teilte ich ihm mit. „Leider habe ich ihre Verlobte nur sehr kurz und flüchtig gekannt. Aber sie war mir sehr sympathisch, und es ist mir ein großes Anliegen, zur Aufklärung beizutragen."

Er nickte leicht. „Ich werde nicht lange mit Ihnen sprechen können, der Arzt hat mir ein Beruhigungsmittel gegeben, und davon bin ich sehr müde. Fragen Sie mich bitte, wenn Sie etwas wissen möchten."

„Haben Sie selbst irgendeinen Verdacht?"

„Nein, überhaupt nicht. Ich habe schon so viel überlegt. Aber ich kann mir gar nicht vorstellen, dass irgendjemand etwas gegen meine Verlobte hatte. Ich liebe sie so sehr. Ich weiß gar nicht, wie ich jetzt ohne sie leben soll."

„Halten Sie Eifersucht für ein mögliches Motiv, oder vielleicht Konkurrenzkampf, oder könnte ihr vielleicht jemand, dem die Kampagne nicht recht war, etwas angetan haben?" fragte ich direkt.

„Das kann ich mir alles nicht wirklich vorstellen, Frau Mühlberg. Das sind doch alles Lappalien, deswegen schadet man doch keinem."

„Selten", gab ich zu. „Aber es kommt leider vor. In Ihrem Umkreis ist also niemand, denn Sie verdächtigen?" wiederholte ich mich.

Er schüttelte leicht den Kopf „Nein, das hat mich die Polizei auch schon alles gefragt. Sie hat mich über Manuela und Indias Konkurrentinnen und auch über die Fabrikanten im Industriegebiet ausgefragt. Aber da ist wirklich niemand, dem ich so etwas zutraue."

„Kann es nicht irgendetwas mit der Uhr zu tun haben?" fragte ich ihn unvermittelt. „Sie war doch immerhin furchtbar wertvoll."

„Ach nein, so wertvoll war die doch auch nicht. Vielleicht so 1000 oder 2000 Euro, aber ich habe sie für 300 Euro bekommen."

„Da sind sie falsch informiert", klärte ich ihn auf. „Die Polizei hat uns eben mitgeteilt, dass diese Uhr ca. 35.000 Euro wert ist."

Er sprang erschrocken auf. „Was? Das kann doch gar nicht sein. Ich habe sie vor über einem Jahr hier bei dem Pfandleiher in dem kleinen Antiquitätenladen hier in Sankt Augustine für 300 Euro gekauft. Das kann doch nicht wahr sein! Das muss ein Irrtum sein."

„Nein, Herr Körner! Ich scherze nicht, die Polizei hat uns eben informiert und sagt ganz bestimmt die Wahrheit. Sie haben diese Uhr also von Herrn Kuhlmann im Antiquitätenlädchen gekauft? Ich dachte, sie sei vom Trödelmarkt?"

„Nein, nicht vom Trödelmarkt und nicht von Herrn Kuhlmann. Im Antiquitätenlädchen schon, aber nicht von Herrn Kuhlmann selbst. Er hat doch immer Studenten zur Aushilfe. Er selbst war nämlich sowieso gerade in Urlaub, und der junge Mann wollte mir die Uhr eigentlich gar nicht geben."

„Warum denn nicht?"

„Weil er das Geschäft ohne den Herrn Kuhlmann machen wollte, ohne den Chef zu fragen. Irgendjemand hatte sich wohl auf die Uhr hin etwas Geld geliehen. Das hat er ihm auch, ohne Herrn Kuhlmann zu benachrichtigen, gegeben. Und die Frist war nun auch schon abgelaufen. Der vorherige Besitzer hatte diese Uhr nicht rechtzeitig abgeholt. Insofern wäre sie in den Besitz von Herrn Kuhlmann übergegangen. Der aber wusste ja nichts von der Uhr. Aber irgendwie war es diesem jungen Verkäufer nicht ganz wohl bei der Geschichte, und er zögerte eine ganze Weile, bevor er mir dann die Uhr für 300 Euro überließ.

Ich sagte ihm, dass diese Uhr doch bestimmt etwas mehr wert sei, und ob ich ihm nicht auch etwas mehr dafür geben solle, aber der junge Mann schüttelte den Kopf und sagte: „Das kann ich nicht machen, das wäre nicht recht. Ich will nämlich nichts an der Uhr verdienen. Ich habe dem Mann, dem sie gehörte, auch nur 300 Euro dafür gegeben." Und so haben wir dann dieses Geschäft gemacht. Ich war natürlich glücklich, für India eine so schöne Uhr zu bekommen, und dazu noch so preiswert. Aber ich hätte mir niemals träumen lassen, dass sie so viel wert ist. Und ich glaube, das hat dieser Verkäufer auch nicht gewusst. Ja, wenn der Herr Kuhlmann selbst da gewesen wäre, der ist ein Kunstkenner. Der hätte sicher ihren wahren Wert gewusst."

„Und India?" fragte ich. „Sie ist doch Expertin für diese Uhren? Hat sie denn nicht gewusst, was die Uhr wert ist?"

„Das kann ich mir nicht vorstellen. Sonst hätte sie mir doch sicher etwas gesagt. Sie hat sich über die

Uhr riesig gefreut, und sie hat sie jeden Tag getragen. Ja, dann hat sie sich noch diese Sicherheitskette daran machen lassen. Aber das ist ja nichts Besonderes, das machen viele bei einer teuren Uhr. Aber diese Summe! Nein, das hat sie bestimmt nicht gewusst. Wir hatten nämlich keine Geheimnisse voreinander. Sie war ein ehrlicher Mensch, und hat mir immer alles erzählt."

„Vermutlich geht Ihnen das alles noch viel zu nah, aber manchmal tut es gut, mit jemanden darüber zu sprechen. Wir haben Sie sich kennengelernt, India und Sie?"

„Wir haben uns vor drei Jahren kennengelernt in einem Park an der Universität in London. Es war Sommer, und sie aß auf einer Bank ein Butterbrot. Irgendwie fand ich das komisch, denn wer isst schon noch auf einer Bank ein Butterbrot, wo es überall Imbissbuden gibt. Sie fütterte mit ein paar Krümeln davon die Vögel, die herankamen, und dieses Bild fand direkt in mein Herz hinein. Wenn ich ein Maler gewesen wäre, ich hätte sie sofort gemalt. Da habe ich sie ganz höflich gefragt, ob ich mich neben sie setzen könnte. Und sie hat gelacht und gesagt, Sie haben in der Uni schon oft neben mir gesessen, ohne es zu merken. Ich habe mich bei ihr entschuldigt, mit den Worten, dass ich eben sehr oft in Gedanken sei, und manches um mich herum gar nicht sähe. Und das fand sie sehr lustig und fragte mich, ob ich auch ein Butterbrot haben wollte. Ich wollte sie kennenlernen und sagte natürlich „Ja". So saßen wir dann eine Weile nebeneinander, futterten ihre Brote und fütterten dabei die Vögel."

„Ein sehr ungewöhnliches Kennenlernen", bemerkte Laura. „Ich glaube, in einer Beziehung ist es wichtig, wie man sich kennenlernt. Ich hatte mich bei meinem Mann als Schauspielerin vorgestellt und wollte eine Rolle von ihm haben. Da habe ich mich in ihn verliebt, aber es auch nicht sofort gemerkt, ich wollte es nicht wirklich wahrhaben, weil ich damals meinte, dass es einen Menschen schwach und verletzlich macht, wenn man sich in die Liebe wagt."

Er nickte. „So ähnlich hat es India damals auch ausgedrückt. Sie war wohl schon einmal in der Liebe verletzt worden und hatte nun Angst, dass es wieder so kommen könnte. Sie war damals noch ziemlich arm gewesen, denn sie stammt aus bescheidenen Verhältnissen. Kurz nachdem wir uns kennenlernten, erbte sie von ihrem Onkel eine kleine Uhrensammlung, und das war dann der Anfang für ihre Sammelleidenschaft."

„Wenn sie mittellos war, kam es dann für sie nicht infrage, diese Uhren zu verkaufen?" erkundigte ich mich.

„Nein. In diesem Bereich war India sehr ehrgeizig. Sie wollte alles selbst und mit eigenen Kräften schaffen. Sie erzählte mir dazu das Märchen mit dem Wunschring, und sie lebte auch danach."

Laura sah ihn fragend an. „Das kenne ich nicht. Wovon handelt es?"

Von einem Ehepaar, bei dem der Mann einen Wunschring geschenkt bekommt auf einer Reise. Dieser Ring soll aber nur einen einzigen Wunsch erfüllen. In einer Herberge stiehlt ihm der Wirt diesen Ring, steckt ihm aber einen anderen an den Finger, der genauso aussieht, aber kein Wunschring ist. Am anderen Tag eilt der Mann nach Hause und berichtet seiner Frau freudig, dass nun das Glück zu ihnen kommen könnte und berichtet von der

Eigenschaft des Wunschringes. Die beiden überlegen, was sie sich wünschen können. Aber jedes Mal, wenn sie sich einen Wunsch überlegen, meint der Mann, man solle vielleicht versuchen, dieses Ziel zu verfolgen, ohne den Wunschring in Anspruch nehmen, da ja nur ein einziger Wunsch in Erfüllung ginge, und man vielleicht später noch einen anderen Wunsch hätte, zu dem der Wunschring die Erfüllung bringen könnte. Zuerst denken sie an eine Kuh, sie bemühen sich nun fleißig mit ihrer Arbeit, sodass sie tatsächlich nach einem Jahr diese Kuh kaufen können, ohne den Wunschring in Anspruch genommen zu haben. Und so geht es dann weiter, jedes Jahr überlegen sie sich einen Wunsch, den sie sich aber dann selbst erfüllen durch Arbeit und Optimismus, bis sie eines Tages ein kleines Häuschen haben und einen schönen Garten und alles, was sie brauchen. So leben sie dann glücklich bis ans Ende ihrer Tage, ohne den Wunschring, der in Wirklichkeit keiner war, jemals benutzt zu haben. Nach dem Spruch: Schlechtes Ding in guter Hand! Das war auch Indias Devise, sie wollte immer alles selbst schaffen, ohne Hilfe, ohne Beziehungen. Da war sie ganz bescheiden."

„Aber die Uhren waren doch bestimmt nicht alle billig. Solche Uhren zu sammeln ist für mich schon eine Luxusangelegenheit", widersprach Laura.

„Ja, die Uhren, das war schon so eine Trauma-Angelegenheit bei ihr. Da hätte sie wohl wirklich immer weiter gesammelt, nach denen war sie verrückt."

„Eine Trauma-Angelegenheit?" erkundigte sich die schöne Französin. „Was gab es denn da bei ihr, das dieses Trauma ausgelöst hat?"

„Das war in ihrer Kindheit. Die Eltern waren, wie gesagt, nicht reich. Aber sie hatte eine reiche Patentante. India wusste, dass alle ihre Freundinnen zur Konfirmation eine Uhr geschenkt bekamen, meist auch von ihren Patenonkeln oder Patentanten. Ihre Patentante versprach ihr ebenfalls eine Uhr, eine Armbanduhr, die sehr teuer sein würde. Und als dann der Tag der Konfirmation gekommen war, reichte ihr die Patentante ein wunderschön eingepacktes Geschenkpäckchen. Als sie es öffnete, war zwar eine Uhr darin, aber eine Spielzeugarmbanduhr, wie man sie kleinen Kindern schenkt, eine Armbanduhr, an der man die Zeiger selbst so einstellen konnte, wie man sich die Uhrzeit gerade wünschte. Die Tante lachte sehr über diesen Scherz und schenkte ihr dann noch zwei Garnituren Bettwäsche.

In den nächsten Tagen zeigten sich alle Freundinnen gegenseitig ihre schönen, neuen Armbanduhren. Nur India traute sich nicht, ihr Handgelenk zu zeigen, da sie die Spielzeuguhr natürlich nicht am Arm trug. Als sie von den anderen gefragt wurde, warum sie die Uhr ihrer Patentante nicht angelegt hatte, schwindelte sie den anderen vor, diese Uhr sei zu kostbar, sie müsse in einem Safe aufbewahrt werden. Tatsächlich glaubten ihr das die Mitschülerinnen, denn sie wussten von dem enormen Vermögen der Patentante."

Seltsam, diese Geschichte klang ganz anders als die von India. Hatte sie uns nicht etwas vom Big Ben erzählt? Sicher hatte sie sich geschämt, uns die wahre Geschichte zu erzählen.

Aber merkwürdig war es doch!

Ich seufzte. „Jetzt kann ich verstehen, warum Simon gemeint hat, dass India häufig ihre schöne

Armbanduhr angesehen hat. Vermutlich hat sie dann immer dabei an die Spielzeuguhr ihrer Patentante gedacht."

„Was glauben Sie?" wandte sich Tobias an mich. „Hat diese Uhr etwas mit der ganzen Sache zu tun?"

„Ich kann es wirklich noch nicht sagen. Aber jetzt, nachdem ihr Wert bekannt ist, sollte man doch diese Möglichkeit in Betracht ziehen und besonders in dieser Richtung weiter ermitteln. Man muss herausfinden, wer alles Interesse an dieser Uhr haben konnte. Vielleicht jemand der India damit schaden und sie ärgern wollte, oder jemand der den Wert dieser Uhr kannte, und sie zu Geld machen wollte."

„Wenn es um das Geld geht, sollte man vielleicht sich doch einmal die beiden Bühnenbildner mit anschauen, sicherlich haben sie die Uhr auch bemerkt, und wenn einer von ihnen in Geldschwierigkeiten ist, hätten wir da schon ein Motiv", fand Laura.

„Es ist wirklich schrecklich", stellte Tobias fest. „Ich kann das alles noch gar nicht begreifen. Das wird wohl alles noch sehr lange dauern. Aber wenn Sie sich tatsächlich inzwischen darum kümmern, dass bald alles aufgeklärt wird, dann wäre ich Ihnen sehr dankbar."

„Können Ihnen Ihre Eltern vielleicht etwas helfen?" erkundigte ich mich bei ihm.

„Meine Eltern können verstehen, wie ich mich fühle. Auch wenn sie in letzter Zeit etwas Schwierigkeiten mit India hatten. Aber das war rein geschäftlich, ansonsten haben sie India abgöttisch geliebt, und ihr auch einige Uhren für die Sammlung geschenkt."

Laura hob die Augenbrauen. „Geschäftliche Schwierigkeiten?"

„Ja, sie hatte es sich in den Kopf gesetzt, diese Untersuchungen auch in der Fabrik meiner Eltern durchzuführen. Dabei wird ja nun dort wirklich nichts produziert, also kann es auch keine Umweltverschmutzung geben. Mein Bruder leitet diese Schuhfirma dort, und er macht das sehr gut. Er kauft italienische Schuhe sehr preiswert ein und verkauft sie hier an Boutiquen und andere Abnehmer. Meine Eltern haben sie gebeten, die Untersuchungen zu stornieren, aber sie bestand darauf, weil sie alle gleich behandeln wollte. Das fanden meine Eltern nun etwas undankbar, weil sie doch schon so viele Geschenke von meinen Eltern angenommen hat, so viele teure Uhren, seit wir uns kennen."

„Und Ihr Bruder? Wie stand der zu Ihrer Verlobten?" fragte ich.

„Richard mag sie sehr, aber natürlich war er auch gegen diese Kampagne. Er meinte, in seiner Firma gehe es so zu wie in einer Familie, und solche Untersuchungen könnten das Betriebsklima ganz erheblich stören."

„Finden Sie das auch?" fragte Laura.

„Nein. Aber ich habe auch gar keine Ahnung von der Firma, deswegen kann ich da nicht gut mitreden."

„Ja, das kann ich mir vorstellen, wenn sie mit Kunstgeschichte etwas zu tun haben. Das ist etwas völlig anderes. Jetzt werden wir sie auch ganz schnell allein lassen. Der Regisseur der Laienspielgruppe hat uns eingeladen, mit ihm haben wir noch einen Termin. Da werden wir hoffentlich auch wieder ein kleines Stück weiterkommen."

Wir bedankten uns bei ihm, wünschten ihm viel Kraft in dieser schweren Zeit und verabschiedeten uns von ihm.

Draußen schien die Sonne mit den Wärmestrahlen des Frühlings, die Wolken hatten sich verzogen.

„Und?" Laura sah mich von der Seite an. „Was hältst du jetzt von ihm? Glaubst du ihm alles? Hältst du ihn für unschuldig?"

„Wenn mich meine Menschenkenntnis nicht ganz täuscht, dann ist er wirklich ganz verzweifelt und hat nichts mit ihrem Unfall zu tun. Aber man kann nie wissen."

***

13. Kapitel

In der nächsten Stunde hatten wir Gelegenheit Maren, Linda und Ricarda kennen zu lernen.

Zuerst setzte ich mich neben Maren. „Gestern Abend hatte ich die Gelegenheit, Pralinen aus Ihrem Café zu probieren, sie sind wirklich einzigartig", begann ich.

Die junge Frau mit den schulterlangen, braunen Haaren sah mich erfreut an. „Wirklich? Mittlerweile bin ich ganz allein dafür zuständig. Aber es macht mir auch eine Riesenfreude. Sie müssen einmal zu uns ins Café kommen und unsere vorzüglichen Torten probieren. Die kann ich Ihnen nur empfehlen."

„Gern. Ich mag gern Kuchen und Süßes. Schön, dass Sie wenigstens heute hier ein bisschen feiern können. Ich habe gehört, dass Sie beinahe eine Hauptrolle bekommen hätten. Vielleicht werden Sie ja beim nächsten Mal eine Rolle bekommen."

Sie lächelte verlegen. „Ja, wissen Sie, wir werden alle wieder irgendeine Rolle hier im Laientheater bekommen, aber wir wussten auch alle, dass Kevin Braun mit seiner Frau hier ist, der bekannte Regisseur aus Amerika. Und wir wissen auch alle, dass der bekannteste Regisseur von Amerika, Johnny Deep der Vater von Laura Camissoll ist. Es war natürlich ziemlich dumm von uns, zu denken, dass er ausgerechnet auf uns Laien hier aufmerksam wird. Aber wenn man so einen Traum hat, dann hat man auch Illusionen, und wünscht sich bei so einer Gelegenheit immer eine Chance."

Da kann ich sie schon gut verstehen, Maren. Ich kenne meine Freundin Laura gut, und wenn sie nicht an ihre Träume geglaubt hätte, wäre sie sicherlich auch nicht so weit gekommen. Ich kann auch verstehen, dass Sie alle vier dann traurig waren, dass Sie Kevin Braun nicht vorspielen durften."

„Natürlich haben wir uns für India gefreut, denn sie war wirklich ganz besonders gut. Ich glaube, wir waren gute Verlierer. Wir haben India alle noch gratuliert, am Abend vorher. Und ich glaube, für sie war das noch wichtiger, sie war wohl noch ehrgeiziger als wir. Ich habe ja noch meinen anderen Traum, denn ich liebe meinen Beruf im Café. Und ich habe das seltene Glück, dort mit meinem Verlobten zusammen arbeiten zu können. Wissen Sie, bei mir ist es wohl nicht ganz so ernst. Ich würde niemals von hier weg gehen, auch nicht, wenn Hollywood mich riefe, denn meine Beziehung würde ich deswegen nicht opfern. Die ist mir wichtiger."

„Wirklich nicht?" bohrte ich weiter. „Und wenn ich nun mit Laura und Kevin spreche, und einen kleines privates Vorsprechen für Sie organisieren könnte?"

„Das wäre natürlich sehr super. Ich würde auch dorthin gehen. Und ich wäre auch vermutlich wahnsinnig stolz, wenn mein Spiel Mr. Braun gefallen würde. Mein Selbstbewusstsein würde vermutlich um ein großes Stück wachsen. Aber letztendlich, wenn es hart auf hart käme, würde ich doch hier bei meinem Verlobten bleiben."

„Daran sieht man wohl, ob man sich wirklich liebt. Ich werde einmal schauen, was ich machen kann. Danke für das nette Gespräch! Es war schön, Sie kennenzulernen, und spätestens im Café werden wir uns wieder sehen. Wer von den beiden anderen ist denn Ricarda, die Taxifahrerin?"

Maren zeigte auf eine junge Frau mit kurzen blonden Haaren, die ein langes dunkelgrünes, eng anliegendes Kleid trug. „Sie ist ein Universalgenie", klärte mich Maren auf. Sie fährt Taxi, leitet ein Nagelstudio, und ist nebenbei noch Model."

„Das hört sich ja interessant an", fand ich. „Sie hat mir bestimmt auch etwas zu erzählen." Ich steuerte auf Ricarda zu, die sich gerade am Kuchenbuffet ein Stück Torte auf den Teller lud.

Da mich Simon Hecht gleich zu Anfang vorgestellt hatte, bestand jetzt keine Notwendigkeit, das noch einmal zu wiederholen. Trotzdem fehlte mir im Augenblick die Fantasie. „Mit Ihrer Figur können Sie sich diese Torte ohne Gewissensbisse leisten", behauptete ich, während ich zu ihr trat. Sie sah mich neugierig an und ging nicht auf meinen dummen Spruch ein. „Sie sind also die Journalistin, die sich auch in ebenso vielen Berufen versucht wie ich, stimmt's, Frau Mühlberg?"

Ich lachte. „Ich weiß ja nicht, wie viele Berufe Sie ausüben, aber es stimmt schon, im Beruf, da liebe ich die Abwechslung, besonders das Kennenlernen neuer Menschen, die etwas Interessantes zu erzählen haben."

„Damit kann ich allerdings nicht dienen", bedauerte sie. „Die Geschichten, die ich im Nagelstudio oder im Taxi höre, sind bestimmt nicht halb so interessant, wie die, die man Ihnen erzählt. Und im Studio, wo ich als Model arbeite, da wird noch weniger geredet, und wenn überhaupt, dann noch mehr dummes Zeug. Aber trotzdem macht es mir Spaß, und ich verdiene mir ein gutes Geld damit. Da bin ich auch von niemandem abhängig. Ich bin solo und ich lebe gern solo."

Ich wunderte mich. „Bisher habe ich immer gehört, dass man mit dem Taxifahren nicht so viel Geld verdienen kann."

„Das stimmt. Aber das Taxiunternehmen habe ich von meinem Vater übernommen, gewissermaßen aus Pietät. Das macht ab und zu Spaß, dass Nagelstudio läuft von selbst, und meine Arbeit als Model, die muss ich einfach tun."

„Sie müssen? Wer verlangt das von Ihnen?"

„Mein Körper. Wie sie eben gesehen und wohl auch richtig bemerkt haben, kann ich Kuchen und andere Kalorien essen, ohne meiner Figur zu schaden. Ich bin in meiner Branche das einzige Model, das nicht hungert. Und damit verdiene ich richtig Geld."

Ich sah sie anerkennend an. „Das glaube ich Ihnen aufs Wort. Und welche Bedeutung hat bei Ihnen die Schauspielerei?"

„Das ist noch so ein Spaß nebenbei", teilte sie mir mit. „Dabei kann ich alle meine Erfahrungen verwenden und zeigen. Aber das würde ich niemals beruflich machen. Solchen Ehrgeiz und solche Träume, wie India, Maren, Ulrike und Linda sie haben, sind bei mir nicht drin. Da bin ich viel zu realistisch. Um die Nummer eins, ein Star dort zu werden, muss man genial sein wie Laura und Beziehungen haben wie Laura, dann kann das alles klappen. Aber so weit geht das bei mir nicht.

Ich bin sehr zufrieden mit dem Erfolg bei meiner Arbeit, das bedeutet aber nicht, dass ich nicht offen bleibe für weitere Möglichkeiten, die meinen Talenten entsprechen."

„Ich habe den Eindruck, dass Ihr Vater wusste, warum er Ihnen das Taxiunternehmen vererbte. Sie sind eine patente Frau, die ihr Leben gut im Griff hat."

Sie lachte. „Ihr Beruf als Hobbydetektivin, für den sie ja in Sankt Augustine schon ziemlich bekannt sind, gefällt mir allerdings auch. Ich habe schon gehört, dass Sie damals viel mit Rüdiger von Ambergs zusammengearbeitet haben, und auch von dem attraktiven Italiener, der ihnen zweimal das Leben gerettet hat. Aber wenn Sie einmal dabei eine Frau statt eines Mannes brauchen, dann können Sie gerne auf mich zurückkommen. Ich nehme an, Sie haben sich auch schon ein bisschen um den Fall von India gekümmert?"

„Sagen wir mal so, ich würde gern dabei helfen, herauszufinden, was passiert ist. Ja, und wenn ich dabei Hilfe brauche in irgendeiner Weise, wende ich mich gern an Sie. Schließlich kennen Sie auch viele Menschen durch Ihr Taxifahren und vermutlich auch von Ihrem Nagelstudio her, das kann nur von Nutzen sein bei so einem Fall. Haben Sie denn India auch manchmal mit dem Taxi gefahren oder vielleicht Ihre Nägel von einer Angestellten machen lassen?"

Sie schüttelte den Kopf. „Nein, sie hat sich immer von ihrem Verlobten fahren lassen, hier in Deutschland. Ansonsten mietete sie auch Leihwagen. Und die Nägel? Nein, sie hat die Maniküre selbst gemacht, sie mochte keine künstlichen Nägel. Da war sie ganz eigen. Zum Model taugte sie irgendwie nicht, sie war etwas blass. Wen ich da sofort vermitteln könnte, das wäre die schöne Theresa aus Italien. Aber diese Künstlerin will ja lieber weiter malen und irgendwelche Skulpturen formen. So versteckt sie ihren schönen Körper meist. Es ist eine Schande!"

Ich lachte. „Haben Sie etwa schon versucht, sie abzuwerben?"

„Natürlich. Wir haben uns doch bei den Proben hier öfters getroffen und auch näher kennengelernt."

„Sie waren bei den Proben hier?" fragte ich erstaunt. „Obwohl Sie keine Rolle hatten?"

„Ich habe meistens eine Reihe von Komparsen in meinem Taxi hierhin gefahren. Und dann bin ich gleich etwas geblieben, wenn ich Zeit hatte, da habe ich zum Beispiel Flyer verteilt von meinem Nagelstudio oder Visitenkarten von meinem Taxi, und bei der Gelegenheit immer ein bisschen mit Theresa gequatscht und mit ihr einen Kaffee getrunken. Wir haben uns nämlich etwas miteinander befreundet. Und ihren Vater, den Giovanni, den finde ich auch Klasse. Den würde ich glatt adoptieren."

Ich sah sie amüsiert an. „Ich habe ihn auch ganz gut kennen gelernt, als ich mich in Catania mit Theresa und der Aufklärung des scheinbaren Mordes beschäftigt habe. Er ist nicht nur ein großer Künstler, sondern auch ein besonderer Mensch. Ich hoffe, Theresa bleibt noch ein Weilchen mit ihrem Vater bei uns zu Gast. Und wenn ich demnächst ein Taxi brauche, dann rufe ich Sie, Ricarda."

„Lassen wir doch das blöde „Sie"! So wie es aussieht, sind wir aus dem gleichen Holz geschaffen. Wir sehen uns bestimmt später noch, und dann erst einmal viel Erfolg bei den Recherchen!"

„Dankeschön, Ricarda! Und wo ist jetzt hier die Vierte im Bunde. Jetzt suche ich noch Linda, die auch für heute hier eingeladen ist."

Sie nickte. „Ja, ich habe sie vorhin auch schon hier gesehen. Aber im Moment kann ich sie nirgends finden. Du erkennst sie aber ganz leicht, man hatte sie nämlich auch schon wegen ihres Aussehens als Schneewittchen vorgeschlagen. Lange, pechschwarze Haare und ein süßes Gesicht. Ich will ja über niemanden schlecht reden, aber manchmal kam es mir vor, als hätte sie ein Alkohol- oder Drogenproblem."

„Als Krankenschwester?" fragte ich erstaunt. „Das wäre aber fatal."

„Oh, davon sind viele Ärzte und Krankenschwestern betroffen", wusste Ricarda. „Es ist ja auch nur so eine Vermutung, weil sie manchmal auf mich etwas abwesend, und manchmal etwas übernervös wirkte, beides in kurzen Abständen. Aber mach du dir lieber selber ein Bild davon, ich wollte dich nur schon einmal vorbereiten. Bilde dir aber lieber deine eigene Meinung darüber!"

„Gut, danke! Dann mache ich mich mal auf die Suche nach dem Schneewittchen."

In diesem Moment hörte ich eine bekannte Stimme neben mir. „Das ist aber schön, dass ich Sie hier wieder treffe", behauptete Bernhard Schmidt, der Reporter des Mittagsblattes von Sankt Augustine und des Regionalsenders.

Ich begrüßte ihn höflich. „Ich wusste gar nicht, dass Sie auch hier eingeladen sind zu dieser Nachfeier des Theaters."

„Das wusste ich bis vor einer Stunde auch noch nicht", teilte er mir mit. „Simon wollte damit alle diejenigen ehren, die bisher noch nicht so in den Vordergrund getreten sind, auch die Schauspieler in der zweiten Reihe, die Ersatzschauspieler. Und deswegen soll ich am Ende von allen ein schönes Gruppenfoto aufnehmen, das dann natürlich auch morgen im Mittagsblatt erscheinen soll. Er meinte, darüber würden sich alle sehr freuen."

„Das ist gar keine schlechte Idee", fand ich. „Schließlich waren sie auch alle bereit, etwas für das Gelingen des großen Festes zu tun, das ja nun doch sehr überschattet war."

„Ja, nicht wahr, Frau Mühlberg? Das alles ist schrecklich gelaufen. Es sollte doch so ein schönes historisches Fest werden. Wissen Sie denn schon etwas mehr? Haben Sie schon alle Verdächtigen einmal aufgesucht?"

„Leider komme ich nicht so schnell voran, wie ich es mir erhofft habe. Aber das Gute ist, dass die Polizei ganz unabhängig von mir natürlich eigenständig sehr kompetent weiter ermittelt. Und wie sieht es bei Ihnen aus? Sind Sie schon etwas weiter gekommen? Haben Sie schon etwas gehört oder einen Verdächtigen?"

„Leider weiß ich auch noch nichts Genaues. Es kann eine Beziehungstat sein, aber es kann natürlich auch um die Uhr gehen, nachdem sich jetzt herausgestellt hat, wie wertvoll sie ist. Wenn Sie mich fragen, ich halte immer noch Tobias, und vielleicht auch Manuela für mehr als verdächtig. Er hatte nachweisbar einen Streit mit India Kelly, und Manuela hatte allen Grund eifersüchtig zu sein, da sie meiner Meinung nach immer noch in Tobias verliebt ist."

„Ich will mich wirklich noch nicht festlegen. Es gibt noch zu wenige Fakten", wandte ich ein. „Aber was sagen Sie denn nun dazu, dass die Uhr so wertvoll ist? Das hätte doch keiner vermutet, Herr Schmidt."

„Ich habe es geahnt, nachdem mir India gestern im Interview gesagt hat, dass sie sehr, sehr wertvoll ist.

Und das habe ich dann auch in meinem Interview über sie so geschrieben, weil sie das so wollte. Den genauen Wert habe ich natürlich nicht geahnt. Nur, dass es eine immense Summe war."

„Ich weiß gar nicht, warum sie Ihnen das erzählt hat? Und warum sie damit plötzlich an die Öffentlichkeit gegangen ist. Sie war doch so ein bescheidener Mensch. Was wollte sie denn damit bezwecken? Können Sie sich da etwas denken?"

„Nein, ich habe es auch nur so dahin geschrieben, weil sie es wollte. In Wirklichkeit habe ich ihr das Ganze nämlich nicht geglaubt. Ich dachte, sie will mich ein bisschen beschwindeln, weil ich von der Presse bin. Ich habe nicht gedacht, dass sie eine so wertvolle Uhr ständig am Handgelenk trägt, das macht doch keiner. Selbst mit dieser dummen Sicherheitskette, die sie mir gezeigt hat, ist sie doch nicht sicher vor Dieben. Ich dachte, das ist nur ein Scherz, und habe es dann auch so ein bisschen geschrieben, als ob es nicht ganz ernst zu nehmen sei. Natürlich habe ich mir jetzt auch Gedanken darüber gemacht, warum sie es mir verraten hat, da es doch offensichtlich stimmt. Vielleicht wollte sie damit sagen, dass ihr Verlobter ihr große Geschenke macht. Oder war diese Uhr gar nicht von ihrem Verlobten, sondern von ihren Schwiegereltern, die ihr auch oft Uhren geschenkt haben?"

„Hat Sie Ihnen das nicht verraten, Herr Schmidt? Tobias hat uns erzählt, dass er die Uhr bei einem Pfandleiher erworben hat. Er selbst hat sie ihr geschenkt, mit sehr viel Liebe wohl."

„Eine sehr verworrene Geschichte. Ich eigne mich wirklich nicht als Detektiv. Ich vertraue hier auch der kompetenten Polizei, sie wird den Fall schon lösen.

Alles das, was man hört, verwirrt den Fall nur noch mehr."

„Schade, ich dachte, sie sitzen doch an der Quelle, wo sie mit so vielen Leuten sprechen."

Er sah mich groß an. „Mir fehlt eben ganz schlicht die Fantasie", bedauerte er. „Und in meinen Berichten halte ich mich dann eben ganz genau an die Fakten. Dafür bin ich auch bekannt. Ich will mich nicht selbst loben, aber ich habe mir hier in Sankt Augustine schon einen Namen gemacht, jedenfalls behauptet das meine Frau Britta ganz stolz."

„Wenn es mir in den nächsten Tagen die Zeit erlaubt, werde ich einmal einen Artikel von Ihnen lesen", versprach ich ihm. „Schließlich sind wir so etwas wie Kollegen. „Aber jetzt entschuldigen Sie mich bitte! Ich suche noch das Schneewittchen. Oh, Entschuldigung! Ich meine natürlich die Laienschauspielerin Linda."

„Ich habe sie eben in die Waschräume gehen sehen. Vielleicht macht sie sich dort ein bisschen frisch. Nach den schönen Torten ziehen sich doch die hübschen Frauen gern den Lippenstift etwas nach, oder?"

„Na klar. Das muss sein", gab ich zu. „Trotzdem, falls Ihnen etwas zu Ohren kommt, mittlerweile bin ich auf jedes kleinste Detail angewiesen."

„Gern, Frau Mühlberg. Ich bin jederzeit für Sie da."

Ich eilte an ihm vorbei zu den Waschräumen, in denen ich die junge, schwarzhaarige Frau vorfand, als sie sich neue Wimperntusche auftrug.

„Sie sind Linda?"

Die junge Frau nickte und reichte mir die Hand. „Hallo Frau Mühlberg! Ich habe schon eine ganze Menge von Ihnen gehört hier im Städtchen. Das war so manches Mal ganz schön aufregend. Ich hoffe, Sie bringen sich dieses Mal nicht wieder so in Gefahr wie vor einem Jahr."

„Das hoffe ich auch nicht. Aber man kann nie wissen. Momentan gehen die meisten davon aus, dass es entweder eine Beziehungstat war, möglicherweise etwas mit Eifersucht zu tun hatte, oder, dass es um die Uhr ging, die sie am Handgelenk trug."

„Ja, vielleicht. Vielleicht haben sich aber da auch nur zwei Personen, um das gläserne Herz gestritten, das dann am Boden lag, und über das vielleicht India ausgerutscht ist. Wissen Sie was mich an der ganzen Sache stört?"

Ich schüttelte leicht den Kopf. „Nein, ich habe wirklich keine Ahnung."

„Es war ja nun erwiesenermaßen kein echter Mord, sondern ein Unfall. Das hat die Polizei sogar heute im Radio bekannt gegeben. Warum meldet sich derjenige nicht, der diesen Unfall verursacht hat. Er hat doch jetzt nichts Schlimmes zu befürchten. Das ist mir wirklich ein Rätsel."

Ich dachte einen Moment lang nach. „Richtig, soweit habe ich noch gar nicht nachgedacht. Aber vielleicht hat derjenige einfach noch einen Schock. Oder er hat ein schlechtes Gewissen, und es tut ihm wahnsinnig leid. Und dann muss er natürlich auch damit rechnen, dass ihm vermutlich einige Menschen sehr böse sind. Zum Beispiel Tobias, der bestimmt erst einmal ganz schön wütend auf denjenigen ist."

„Wenn er es nicht sogar selber war. Und vielleicht verdrängt er jetzt das ganze Geschehen, weil er nicht will, dass ihm so etwas passiert ist."

Ich lächelte. „Da merkt man doch gleich, dass Sie mit kranken Menschen zu tun haben. Sie können sich wahrscheinlich sehr gut in andere hineinversetzen. Ich habe den Eindruck, dass sich die Kranken bei Ihnen sehr gut aufgehoben fühlen."

Sie lächelte zurück „Ja, der Beruf ist für mich eine Berufung. Aber wie alles im Leben hat auch er eine sehr harte Seite. Es ist nicht einfach, die unheilbaren Fälle zu sehen, oder sich mit dem Tod auseinanderzusetzen. Manchmal muss man auch sehr starke Nerven haben."

„Das glaube ich gern. Kannten sie India näher?"

„Nein, ich habe sie nur an diesem einen Tag, an dem das Casting war, gesehen, und dann nie wieder. Sie hat auch bei mir keinen positiven Eindruck hinterlassen, nicht so wie Theresa oder Laura Camissoll."

„Ja, wenn Sie nur beim Casting mit ihr in einem Raum gesessen haben, und nicht einmal mit ihr reden konnten, dann kann sie auch kaum einen wichtigen Eindruck bei Ihnen hinterlassen haben", bemerkte ich lapidar.

„Oh, nein. So war das nicht. Irgendwie hat sie gemerkt, dass ich ein bisschen enttäuscht war, als man mich nicht genommen hat. Da hat sie mich dann hinterher noch zu einem Kaffee eingeladen, und sie hat mir auch sehr viel von sich erzählt, so, als würden wir uns schon sehr, sehr lange kennen. So ein paar Erlebnisse aus der Kindheit, als sie ziemlich arm war."

Ich lächelte leicht. „Sie sind eben doch eine gute Krankenschwester. Zu Ihnen haben die Leute Vertrauen. Sie haben sich mit ihr unterhalten, aber sie hat trotzdem keinen guten Eindruck auf Sie gemacht?"

Sie nickte. „Ja, so etwas gibt es. Erst ging es eine Weile um die Kindheit Alles, das was sie sagte, schien mir so wie auswendig gelernt. Es kam nichts Echtes herüber. Aber dann hat sie sich plötzlich völlig verändert. Ich habe sie nämlich über ihre Kampagne ausgefragt, weil ich dachte, das macht sie mit Herzblut. Ich dachte, sie liebt die Kunstwerke, die schönen alten Bauwerke und will sie wirklich schützen. Aber sie sprach nur von geheimnisvollen Firmenbesitzern und verschlagenen Direktoren, denen sie schon auf die Schliche kommen würde, wenn sie gegen die Umweltgesetze verstießen. Und während sie darüber sprach, hatte sie sogar etwas Lauerndes im Blick. Da dachte ich mir, mit diesem Blick, will man nichts Gutes. Und weil ich in meinem Beruf eine große Fantasie haben muss, um mich in die Kranken hinein zu versetzen, da habe ich gedacht: vielleicht will sie gar keinen Umweltskandal aufdecken, so wie sie es vorgibt, vielleicht will sie einfach nur jemanden finden, den sie erpressen kann."

Ich sah sie entsetzt an. „Da haben Sie aber wirklich jetzt eine sehr ausschweifende Fantasie! Alle Leute sprechen sehr gut von India, und Sie trauen ihr eine kriminelle Handlung zu?"

„Das habe ich nicht gesagt, Frau Mühlberg. Es war lediglich meine große Fantasie, die mir plötzlich so etwas vorgaukelte. Wahrscheinlich würde ihr das sonst kein Mensch zutrauen."

Ich nickte. „Das würde ich ihr auch nicht zutrauen. Vielleicht hat sie in diesem Moment lediglich einmal an ein schlechtes Erlebnis gedacht, als irgendjemand sehr unfreundlich zu ihr war. Das kann doch auch einmal vorkommen. Und es gibt auch wirklich viele

Umweltsünder. Wer weiß? Vielleicht ist ihr da der Eine oder Andere auch schon begegnet. Hat sie denn darüber etwas Genaues gesagt?"

Sie versuchte sich zu erinnern. „Sie hat gesprochen von Firmenbesitzern mit weißen Westen, die undurchsichtig sind, obwohl sie doch als durchsichtig gelten wollen. So eine dumme Phrase."

Der Satz machte mich hellhörig. Glas ist durchsichtig, und im Industriepark von Wittentine gab es die neuen Glasfabriken, Pollmanns Sohn. Die würde ich mir doch noch einmal genauer ansehen müssen. Dem Vater Pollmann mit seiner Glasbläserei traute ich keine krummen Wege zu. Aber seinen Sohn kannte ich noch nicht. Wer weiß, was ihm zu dem neuen Auftrieb seiner Firmen verholfen hatte.

„Hat sie da sonst noch etwas gesagt?"

„Ja, sie hat in lauter solchen Rätseln gesprochen, wenn es um das Industriegebiet ging. Zum Beispiel auch, „So mancher lebt auf großem Fuß, will sich aber **den** Schuh nicht anziehen". Alles so blöde Phrasen!"

Dazu fiel mir die Schuhfirma von den Körners ein. Leitete die nicht der Bruder von Tobias, ein Richard Körner?

Da taten sich doch ganz neue Verdachtsmöglichkeiten auf. Möglicherweise steckte doch mehr dahinter, als nur ein harmloser Unfall. Vielleicht war er nur vorgetäuscht, um von irgendeinem Profitäter abzulenken. Schließlich wollte Tobias Bruder unbedingt genauere Untersuchungen verhindern. Was steckte dahinter? Ich musste das unbedingt herausfinden. Aber wenn es sich dabei nun tatsächlich um Profis handelte, würde ich das nicht allein machen können, dann würde ich Rüdigers oder Ermannos Hilfe brauchen. Ermanno! Sicher würde er bald hier eintreffen.

„Vielleicht steckt hinter den Phrasen doch etwas mehr", teilte ich Linda mit. „Vielleicht schreiben Sie mir doch einmal alles auf, was Ihnen dazu noch einfällt."

„Das werde ich gern tun", versprach sie mir. „Obwohl ich denke, dass India sich einfach nur durch solch nichtssagende Phrasen etwas wichtig machen wollte. Aber jetzt muss ich wieder zu den anderen, der Mann von der Presse, Herr Schmidt, will uns alle noch fotografieren. Den Spaß muss ich unbedingt mitmachen."

„Oh ja, natürlich", beeilte ich mich zu sagen. „Es war auf jeden Fall nett, Sie kennen gelernt zu haben. Wir bleiben in Verbindung, nicht wahr?"

Sie nickte eifrig. „Natürlich! Wenn ich Ihnen helfen kann, immer gern."

Wir traten aus dem Waschraum, und ich eilte auf Bernhard Schmidt zu. „Haben Sie noch eine Minute Zeit, bevor Sie die Fotos von den Gästen hier machen?"

„Aber natürlich, für Sie doch immer, Frau Mühlberg!" Es klang nicht wie ein Scherz.

Seine überfreundliche Art gefiel mir nicht. Hoffentlich würde er nicht einmal mein Kollege werden, so wie er es hoffte. Und wenn doch, dann wollte ich möglichst nicht übermäßig viel mit ihm zu tun haben. Aber im Augenblick schien er mir leider auch für die weiteren Recherchen wichtig zu werden.

„Glauben Sie, dass India irgendjemanden erpresst hat?"

Er erschrak, wurde ganz blass im Gesicht. „Um Himmels Willen! Wie können Sie so etwas von Frau Kelly denken?!"

„Oh, das tut mir leid, dass ich Sie jetzt so erschreckt habe. Ich dachte nur, in Bezug auf die Umweltkampagne könnte sie ja auch jemandem auf die Schliche gekommen sein."

Er sah mich empört an. „Fragen Sie nur alle Leute, die Frau Kelly gekannt haben. Zu so etwas wäre sie niemals fähig gewesen. Wer hat denn so etwas behauptet?"

„Niemand, wirklich nicht. Es war einfach nur so eine Theorie. Man muss doch alles einmal durchspielen. Und wenn Sie das einmal ganz sachlich betrachten, so gibt es bestimmt eine ganze Reihe von Menschen, die es mit der Umweltverschmutzung nicht so genau nehmen, oder?"

Er hatte sich wieder gefasst. „Wir sollten der Polizei wirklich einmal diesen Tipp geben, da kann etwas Wahres dran sein", stimmte er mir jetzt zu. „Also, nicht, dass sie irgendjemanden erpresst hat. Das schließe ich natürlich aus. Aber dass sie irgendwo in einem Wespennest herumgestochen hat, dass ist doch möglich. Ich habe sowieso gleich noch einen Termin mit Niklas Meyer. Der will mir die neuesten Ergebnisse für das Mittagsblatt mitteilen. Ich werde mich jetzt mit den Fotos beeilen und dann zum Kommissar gehen."

„Warten Sie bitte noch zwei Minuten mit den Fotos", bat ich ihn. „Ich würde ganz gern noch kurz mit Ricarda ein paar Worte wechseln. Danach können Sie gleich nach Herzenslust mit den Mädels hier Aufnahmen machen."

„Gut, den Moment gebe ich Ihnen noch. Aber dann müssen wir voran machen, Frau Mühlberg."

Ich suchte die Taxifahrerin und fand sie an der kleinen Bar, wo sie einen Cappuccino trank.

„Hast du noch einen Augenblick für mich?"

Die schöne junge Frau nickte zustimmend.

„Natürlich, gern. Was hast du noch auf dem Herzen?"

„Du sagtest, dass man über Linda so einiges spricht, auch wegen eventueller Drogen oder auch Alkohol. Glaubst du, dass sie dadurch eine zu große Fantasie hat? Mir hat einmal jemand gesagt, dass Leute, die diese Dinge missbrauchen, auch Lügen erzählen können."

„So etwas ist schon möglich. Und ich denke, auch eine gewisse Veranlagung ist erblich. Lindas Vater war Alkoholiker und die Mutter war tablettensüchtig."

„Danke, dass du mich aufgeklärt hast. Für meine Recherchen ist das immer wichtig. Natürlich behandle ich das mit der angemessenen Verschwiegenheit."

Sie lachte. „Warum denn so förmlich, Abigail? Ich weiß doch, dass du den Mund hältst. Sonst würden dich der Meyer und der Kommissar von Wittentine gar nicht so viel hantieren lassen. War das jetzt alles, oder hast jetzt noch mehr in petto?"

„Nein, für heute war das wohl alles, danke dir."

Herr Schmidt rief die Schauspieler und Komparsen zusammen und zeigte ihnen, wie sie sich am besten für ein Gruppenfoto aufstellen konnten.

Ich suchte Laura, die sich mit einem jungen Laienschauspieler unterhielt.

„Du kannst ruhig noch etwas bleiben, wenn du magst", schlug ich ihr vor. „Für heute ist mein Bedarf hier gedeckt. Ich habe so viel Infos und Input, dass ich alles erst mal sortieren und verdauen muss."

„Nein, warte auf mich. Ich habe mich hier sehr gut mit dem jungen Mann, mit Max unterhalten, aber jetzt will ich auch wieder zurück zum Schloss, weil ich Sehnsucht nach meinem Kevin habe."

Wir verabschiedeten uns von der Gesellschaft und verließen den Saal.

***

14. Kapitel

Im Schloss erwartete mich eine Überraschung. Adelaide eilte freudig auf mich zu. „Schau mal, wer da ist!"

Ich blickte neugierig auf die Tür. „Rolf vielleicht?"

Sie lachte. „Oh nein! Ganz kalt! Rate weiter!"

„Ich habe wirklich nicht die geringste Ahnung, Adelaide." Ich seufzte. „Aber spann mich nicht so lange auf die Folter!"

Sie öffnete die Tür, und ich erkannte den Mann, der mit festem Schritt hereintrat.

„Ermanno!" rief ich freudig aus.

Er schloss mich fest in die Arme. „Wie schön, dich wieder zu sehen", begrüßte er mich. „Mir kommt es vor wie eine Ewigkeit, seit wir zusammen in Catania waren."

„Tatsächlich, wir haben uns lange nicht mehr gesehen. Und trotzdem ist inzwischen schon wieder so viel passiert, dabei läuft einem die Zeit schon manchmal fort. Gab es bei dir noch wichtige Aufträge?"

„Nein, Abigail. Tatsächlich hatte ich in der Zwischenzeit keinen einzigen Fall mehr als Hobbydetektiv, dafür war ich aber hauptberuflich an der Hochschule sehr engagiert. Man hatte mich gebeten, etliche Seminare zu halten. Nun freue ich mich hier auf dieses Jahr an der Universität. Aber Adelaide hat mir schon erzählt, dass du hier in einem neuen Fall ermittelst. So wie ich dich kenne, steckst du schon wieder mittendrin", meinte er lächelnd.

Ich schmunzelte. „Du kennst mich ziemlich gut. Ich habe schon eine ganze Reihe von Verdächtigen im Visier und die Bekanntschaften angeleiert."

Ich berichtete ihm ausführlich von Tobias und Manuela, von Ricarda, Ulrike, Linda und Maren, aber auch von den Fabriken im Industrieviertel.

„Das hört sich wirklich sehr kompliziert an", fand er. „Wenn du magst, stehe ich dir dabei gern zur Seite. Ich denke, besonders im Industrieviertel wird es von Vorteil sein, wenn du von einem Mann begleitet wirst."

„Ja, das glaube ich auch, Ermanno. Bis jetzt hatte ich Laura, aber ich denke, ab und zu möchte sie auch mit ihrem frischgebackenen Ehemann zusammensein. Ricarda, die taffe Taxifahrerin hat mir auch ihre Hilfe angeboten. Aber, obwohl ich sie sehr sympathisch finde, sollte ich meinen Blick dadurch nicht trüben lassen. Stell dir vor, wenn sie sich nur verstellt, und dadurch immer an den aktuellen Stand der Ermittlungen kommen möchte, dann schneide ich mich ganz schön ins eigene Fleisch."

„Richtig, wir haben es ja wieder einmal mit Schauspielertypen zu tun. Und ich erinnere mich immer noch gut daran, wie wir uns damals in Theresa getäuscht haben, als sie sich so von der Tat distanzierte."

Ich nickte. „Oh ja, dass alles weiß ich noch sehr genau. Aber ich glaube sie hat sich nur so verstellt, weil sie sich in einer Art Schockzustand befand. Sie wollte das Ganze nicht wahrhaben, und es war ja auch kein Mord sondern nur ein Unfall."

„Vermutlich war es jetzt auch nur ein Unfall mit Todesfolge", stellte er fest. „Deswegen dürfen wir auch die harmlosen Verdächtigen nicht ausschließen.

Auch nicht die, die uns ganz lieb und sympathisch erscheinen. Aber jetzt einmal etwas ganz anderes, Amore. Weiß dein Schatz schon, dass ich jetzt ein Jahr lang in deiner unmittelbaren Nähe bin?"

„Nein, woher auch? Ich konnte mit ihm noch gar nicht darüber sprechen. Ganz abgesehen davon ist er auch augenblicklich sehr beschäftigt mit seiner Arbeit als Fotograf. Momentan muss er besondere Menschen porträtieren. Menschen, die interessant aussehen, aber nicht unbedingt schön. Das ist bestimmt sehr erlebnisreich für ihn. Ich bin schon gespannt, was er mir heute Abend darüber erzählen wird."

„Das hört sich sehr interessant an. Es ist ein schöner Beruf, so als Fotograf. Glücklicherweise habe ich damit auch viel zu tun, wenn ich meine Pflanzen in den Bergen verewige. Menschen fotografiere ich weniger gern, es sei denn, ganz Besondere!" Er sah mir tief in die Augen.

Ich lächelte. „Du darfst mich ruhig fotografieren", scherzte ich. „Es ist besser, als wenn du mich malen möchtest. Dann musst du mich so lange ansehen, und das würde uns Beiden nicht gut tun. Übrigens heißt die Serie von Rolf: „Für mich bist du schön"."

„Das bist du für mich auch", meinte er charmant lächelnd. „Aber ich würde dich auch dabei schon lange ansehen. Glaubst du vielleicht, mir würde ein einziges Foto von dir genügen?"

Ich atmete tief. „Es ist einfach schön, mal mit dir wieder zu lachen. Die letzten Tage waren doch nun etwas bedrückend."

„Sollen wir einmal gemeinsam einen schönen Spaziergang machen?" schlug er mir vor. „Vielleicht ein bisschen am Fluss oder weit draußen im

Blumenviertel, wo die Natur noch so unberührt scheint?"

„Gern. Im Augenblick warte ich nämlich auf eine Entscheidung von Wieland, ob ich den Artikel über India schon so wie er ist, zu ihm schicken soll, oder ob wir erst einmal die Ergebnisse der Ermittlungen abwarten und auch über die Todesursache schreiben sollen. Falls du nicht so gut zu Fuß bist, kannst du auch ein Spaziergang durch den Märchenpark planen, er ist jetzt die neue Attraktion von Sankt Augustine."

Er lachte. „Dass ich gut zu Fuß bin, das weißt du doch noch von unseren Wanderungen in den italienischen Bergregionen. Erinnerst du dich noch an den Wanderfalken?"

Ich nickte. „Daran kann ich mich noch sehr gut erinnern und auch an die herrliche Natur ringsumher. Warst du inzwischen noch einmal dort gewesen, in Mühlwald?"

„Nein, leider auch nicht mehr. Sollen wir gleich losgehen, Amore?"

„Ja, die Luft ist heute schon wie im Frühling, und ich kann mir vorstellen, dass wir dort schon einige Bäume und Büsche mit Knospen finden werden. Ganz abgesehen davon, kommen mir beim Spazierengehen immer die besten Ideen."

Adelaide wünschte uns einen angenehmen Tag, begleitete uns bis zum Schlosstor und winkte uns nach.

Wir wählten den Feldweg, der uns um das Schloss herum südlich von Sankt Augustine in das Naturschutzgebiet führte.

„Hast du eine Idee, wie wir jetzt am besten vorgehen können?" Ich sah Ermanno erwartungsvoll an.

„Vielleicht beginnen wir zuerst einmal, eine Liste mit den Verdächtigen anzulegen, so wie es dir dein Gefühl sagt, mit der oder dem Hauptverdächtigen zuerst. Wer hat das stärkste Motiv?"

„Ich bin ein bisschen ratlos im Moment. Ich müsste wissen, wie man den einzelnen eine Falle stellen kann, damit sie sich verraten. Fangen wir doch einmal bei Manuela an. Sie mochte India nicht, war sicher eifersüchtig auf sie, und wollte bestimmt den Tobias wieder für sich erobern. Wie könnte ich sie dazu bringen, mehr darüber zu erzählen?"

„Idealerweise könntest du dich da mit Tobias verbünden, aber ich fürchte, er ist noch zu sehr in Trauer. Er könnte zum Beispiel Manuela vormachen, dass er sie doch noch liebt. Aber im Moment, in dieser tragischen Situation, würde sie ihm das sicher nicht glauben, Abigail."

„Nein, das kann ich mir auch nicht vorstellen. Die Idee an sich ist nicht schlecht. Aber vielleicht können wir Kevin Braun und das Filmteam mit einbeziehen. Was hältst du davon, wenn wir uns mit dem Regisseur verbünden. Ich habe heute Morgen mitbekommen, dass er mit den Filmszenen im Schloss schon ganz gut vorangekommen ist. Er hat sogar morgens noch gedreht, bevor der große Märchenumzug losging."

Ich stolperte leicht, aber er fing mich auf. „Du kannst dich ruhig bei mir einhaken", meinte er grinsend. „Du weißt doch, dass du mir vertrauen kannst. Ich werde dir nicht zu nahe kommen, wenn du das nicht selber willst." Seine glänzenden, dunklen Augen sahen mich verführerisch an, und ich spürte wieder den Zauber, den er jedes Mal auf mich ausübte, wenn wir uns begegneten.

„Na schön", gab ich nach. „Wenn du den Kavalier spielen willst. Immerhin ist es besser, als zu fallen. Also, ich hatte folgende Idee. Wir fragen Kevin, ob er mit all denen, die bei den Märchen nicht zum Zuge gekommen sind, im Schloss nicht ein Ersatzstück verfilmen möchte, dann könnten wir auf jeden Fall schon einmal die vier Verdächtigen engagieren und sie näher kennenlernen."

„Das klingt einleuchtend", fand Ermanno. „Ich denke, Kevin kennt bestimmt einige solch kleiner Stücke, die er dann für seine Castings verwendet. Soviel ich von Adelaide weiß, ist heute Abend im Schlosssaal ein Kostümball. Sie hat sehr bedauert, dass er nicht mehr abgesagt werden konnte, denn sie persönlich findet es schon etwas geschmacklos, nach diesem schrecklichen Unfall so fröhlich zu feiern. Leider war der Bürgermeister nicht dazu zu bewegen, diese Festlichkeit zu verschieben, da angeblich auch sehr viel Prominenz eingeladen ist."

„Welche Prominenz ist das denn? Sind das etwa auch alle Fabrikanten vom Industrieviertel aus Wittentine, Ermanno? Das würde mir vielleicht einige Wege ersparen."

„Das weiß ich leider auch nicht. Und ich glaube auch nicht, dass heute Abend jemand dazu bereit ist, geschäftliche Gespräche zu führen", befürchtete Ermanno.

„Richtig, ich bin wieder einmal zu ungeduldig und will alles auf einmal. „Vermutlich müsste ich wie eine Spinne in der Ecke eines Netzes sitzen und warten, bis meine Opfer auf mich zukommen."

Ermanno lächelte mich an. „Ich habe mich schon lange in deinem Netz gefangen. Nur leider hast du keinen Appetit auf mich. Gut, aber wenn du eine

Spinne sein möchtest, dann müssen wir uns überlegen, welchen Köder du auslegst, damit dich die Fliegen auch interessant finden, in deine Nähe zu kommen. In der Regel blufft man damit, dass man vorgibst, irgendetwas Wichtiges zu wissen. Das kann den Täter dann anlocken."

Wir waren am Fluss angekommen, genau an der Stelle, wo der kleine Bach Vinigrette in den Strom mündete. In den Zweigen der alten Obstbäume saßen fröhlich zwitschernde Vögel und hüpften zwischen den Ästen einher.

„Wenn ich hierhergehe, werde ich immer wieder traurig", teilte ich Ermanno mit. „Hier in diesen kleinen Häusern, die auf Pfählen stehen, versteckten sich damals die beiden Dichter Wohlfarth und Konstantin, bevor sie auswandern wollten und dann doch noch den Nazis in die Hände fielen. Und ich muss immer an die traurige Liebesgeschichte von Jette und Benjamin denken, die auf dieser Erde nicht zusammen glücklich werden durften. Und jedes Mal wenn ich daran denke, hoffe ich, dass sich solche Zustände in Deutschland nie wieder einfinden."

Er nahm mich in den Arm. „Das ist wirklich sehr traurig. Und ich kann dich gut verstehen. Bei uns in Italien gibt es auch noch die Menschen, die damals für Mussolini waren, und die, die dagegen gekämpft haben. Und auch dort wird noch sehr getrauert. Können wir einmal in das Museum, in das alte Haus von Konstantin hinein?"

„Leider nicht. Es macht nur an besonderen Tagen im Winter auf. Es liegt hier sehr weit draußen, und es ist noch nicht bekannt genug, um täglich von Besuchern gefunden zu werden. Lediglich Schulklassen oder andere Gruppen melden sich ab und an einmal bei unserem Bürgermeister, um hier durchgeführt zu werden."

Wir sahen auf den Fluss, der von den Schneefällen der vergangenen Tage viel Wasser mit sich führte. Auf manchen Wellen schwammen kleine Äste oder Zweige.

„Es ist immer wieder faszinierend, die Wellen im Fluss zu beobachten", fand Ermanno. „Man fühlt sich so mitgenommen in den Strom der Zeit. Ein unheimlich beruhigendes Gefühl."

Ich lächelte. „Ja, wir beide haben schon andere Gegenden zusammen gesehen. Die faszinierend schroffen Felswände in den Alpen und den glutgeladenen Ätna über der Stadt Catania. Selbst das Meer dort bei den Äolischen Inseln brodelt rebellisch unter der Wasseroberfläche."

Ermanno nickte. „Was für eine Spannung herrschte dort", stimmte er mir zu. „Am Fuß des Ätna waren wir wie elektrisiert. Und dann diese Hitze … Angespannt, aber prickelnd wie Sekt."

„Richtig", und dann war ich ausgerechnet mit ihm dort. „Übrigens, da wir gerade beim Thema sind, die Szenen, die der Regisseur hier im Schloss im Moment dreht, das sind alles Liebesszenen. Und wieder einmal für historische und Kostümfilme. Wahrscheinlich hätte ich mir manche Szene einmal angeschaut, wenn nicht gerade dieser schreckliche Unfall passiert wäre."

Er sah mich vergnügt an. „Was für eine gute Idee! Ich werde Kevin direkt vorschlagen, dass er dich und mich für eine Szene aussuchen soll. Aber nicht Romeo und Julia, vielleicht eher ein paar leidenschaftliche aus dem Leben von Rossini und

Adelaide, oder aus dem sinnlichen Liebesleben von Theresa und ihrem Giorgio."

Seine Augen lachten dabei schalkhaft.

Wir näherten uns dem Gutshof der Schirmer Zwillinge, der in der hereinbrechen Dunkelheit kaum noch zu erkennen war.

„Untersteh dich!" schimpfte ich gespielt. „Ich kann mir schon vorstellen, dass du ein sehr guter Schauspieler bist. Und deine Filmküsse sind vermutlich die besten von Hollywood. Wenn du mich jetzt wieder gesund und wohlbehalten nach Hause bringst, dann verspreche ich dir auch heute Abend einen Tanz."

„Fürs erste bin ich damit einverstanden", gab er sich zufrieden. „Schließlich haben wir uns auch gerade erst heute wieder gesehen. Kannst du dir vorstellen, dass ich ein ganzes Jahr lang in deiner Nähe bin?"

Bevor ich ihm antworten konnte, trafen wir auf Niklas Meyer, der gerade aus der Tür trat. Er begrüßte Ermanno überrascht und freute sich, meinen einstigen Lebensretter wiederzusehen.

„Hallo Abigail! Entschuldige, dass ich deinen Partner jetzt zuerst begrüßt habe, aber ich hatte nicht erwartet, ihn jetzt hier zu sehen. Nimm es mir nicht übel! Du weißt, ich sehe dich immer gern. Und Jasmin lässt sich auch schön grüßen. Ich gehe gerade zum Dienst", teilte er uns mit. „Es gibt übrigens Neuigkeiten. Der Kommissar von Wittentine beabsichtigte schon wieder, Tobias festnehmen zu lassen."

„Warum denn das?" fragte ich entsetzt.

„Man hat bei ihm in der Wohnung eine angebrochene Packung Cognackirschen gefunden. Das sah natürlich auf den ersten Blick verdächtig aus. Aber ich habe Tobias interviewt, und er verriet mir, dass India laufend Cognackirschen aß. Selbstverständlich habe ich sofort die übrige Familie Körner befragt und alle wussten es: ja, jeder einzelne von ihnen hatte ihr schon einmal solches Konfekt geschenkt. Und meine Argumente haben dann den Kommissar von Wittentine überzeugt: Tobias ist sehr intelligent. Er würde niemals den Rest der Packung einfach so in seinem Schlafzimmer herumstehen lassen, wenn er mit einer von diesen Pralinen India betäubt hätte. Ich habe auch sofort eine Untersuchung in Auftrag gegeben, um festzustellen, ob die Cognackirschen tatsächlich von demselben Hersteller sind. Eine Chemikerin hat den Schnelltest gemacht, und jetzt werdet ihr euch freuen. Tatsächlich konnte man feststellen, dass die Kirschen in Tobias Zimmer von einem anderen Hersteller sind.

Die gute Frau Hamacher hat nun entdeckt, dass die Kirsche, die India gegessen hat, aus einer bestimmten Packung stammt, die als Riegel verkauft wird. Und in diesem Riegel befinden sich immer sechs Pralinen. Natürlich weiß jetzt kein Mensch, was der Täter mit den restlichen fünf gemacht hat, ob er sie noch aufbewahrt, selbst gegessen oder fortgeschmissen hat."

„Das ist aber spannend", fand Ermanno. „Ein Hoch auf die Chemie! Allerdings ist damit Tobias immer noch nicht ganz raus. Das Ganze könnte auch ein Ablenkungsmanöver sein.

Jedenfalls muss der Täter gewusst haben, dass India diese Pralinen besonders gern mag. Und das schränkt doch den Täterkreis enorm ein. Die Fabrikbesitzer im Industrieviertel können wir doch dann ausschließen."

Ich schüttelte energisch den Kopf. „Oh nein! Auch dort könnte sie einmal im Gespräch irgendetwas davon erwähnt haben. Der Täterkreis wird dadurch nicht viel kleiner. Allenfalls fremde Diebe können wir jetzt ausschließen. Es war also keiner, der die Uhr zufällig gesehen hat und stehlen wollte. Es war jemand, der entweder schon einmal mit ihr gesprochen hat, und daher ihre Vorliebe für diese Pralinen kennt, oder jemand, der sie beim Futtern dieser Süßigkeiten gesehen hat."

„Das Letztere kannst du auch ausschließen, Abigail", meinte Niklas. „Einfach jemand, der gesehen hat, wie sie eine solche Kirsche isst, der konnte noch nicht wissen, dass es ihr Lieblingskonfekt ist, dem sie nicht widerstehen kann."

„Gut. Dann weiß ich schon, was ich heute Abend beim Ball mit Indias Konkurrentinnen tun kann", überlegte ich.

„Was hast du vor?" fragte der Kommissar.

„Du musst keine Angst haben", beruhigte ich ihn. „Ich werde nicht mit der Tür ins Haus fallen und sie nach den Cognackirschen fragen. Ich werde sie nur ein bisschen interviewen und herausfinden, was sie über eine Vorliebe dieser Art von India wissen."

„Wenn die Täterin dabei ist, wird sie mit Sicherheit bestreiten, etwas davon zu wissen. Die anderen könnten es vermutlich zugeben, weil es in der Presse noch nicht bekannt gegeben wurde. Lediglich dem Journalisten Schmidt gegenüber habe ich eine Andeutung gemacht, weil er uns nämlich auch sehr behilflich ist."

„Wie denn das?" fragte ich, nicht sonderlich begeistert.

„Er setzt mit uns gemeinsam die Artikel auf, mit der wir die Bevölkerung um spezielle Mithilfe bitten. Und das nicht nur für das Mittagsblatt, sondern auch für andere Zeitungen ringsumher, zu denen er Kontakte pflegt. Auch im Regionalsender betätigt er sich in unserem Namen. Er ist doch auch ein Kollege von dir, Abigail."

„Na ja, vielleicht weil er im selben Beruf arbeitet. Aber noch hat ihn Wieland nicht angestellt. Das wüsste ich doch bestimmt."

„Fürchtest du etwa seine Konkurrenz?" neckte mich Niklas.

„Ganz bestimmt nicht. Er hat mit den Tagesnachrichten zu tun, und ich doch weitgehend mit der Kultur. Manchmal überschneiden sich diese Kreise, aber Konkurrenz ist er auf keinen Fall für mich. Und ich denke, Wieland weiß schon, was er an mir hat. Bisher habe ich mich überall von ihm hinschicken lassen, sogar bis nach Italien."

Ermanno lächelte mich an. „Wofür ich ihm sehr dankbar bin."

„Gut." Niklas verabschiedete sich von uns. „Wir sehen uns dann heute Abend. Aber bitte sei vorsichtig, Abigail. Wir haben es sicherlich nicht mit einem dummen Täter zu tun."

„Bestimmt nicht. Wer die Idee mit einem Betäubungsmittel in einer Cognacpraline hat, der hat meines Erachtens Fantasie. Aber zum Glück habe ich die auch und werde mich ganz dumm stellen."

„Ich verlasse mich auf dich, Abby!" Der Kommissar winkte uns beim Davongehen noch einmal zu.

„Dieser Kommissar!" schimpfte Ermanno. „Was denkt der eigentlich von dir?! Du hast bisher immer

Fingerspitzengefühl bewiesen. Und bisher hast du ihm schon geholfen, so viele Fälle zu lösen."

Ich lächelte ihn dankbar an. „Schön, dass du mich so verteidigst! Du bist eben ein echter Freund."

„Mehr willst du ja nicht", bedauerte er. „Aber immerhin. Ich freue mich einfach, endlich wieder in deiner Nähe zu sein."

***

15. Kapitel

Im Schloss wurden gerade die letzten Vorbereitungen für den Ball getroffen. Nachdem ich kurz mit Adelaide in der Schlossküche einen kleinen Abendimbiss zu mir genommen hatte, stieg ich rasch hinauf in Rolfs kleine Dachwohnung und zog mich für den Kostümball um, während Ermanno ins Atelier ging, um Rossini einen kleinen Besuch abzustatten.

Ich fand Laura in meinem Badezimmer, die sich gerade schminkte.

Sie hatte sich als Seejungfrau verkleidet, und trug ein enganliegendes Schuppenkostüm aus hellgrüner Seide, das ihre makellose Figur zur Geltung brachte.

„Du hast doch nichts dagegen, dass ich mich hier fertig mache, Abigail? Das erinnert mich so an unsere alten Zeiten, in denen wir hier so manche Stunde unsere Sorgen geteilt haben."

„Natürlich nicht, Laura", beruhigte ich sie. „Als du noch nicht mit Kevin zusammen warst, hast du auch oft hier geschlafen, wenn Rolf unterwegs war. Fühl dich hier ganz wie zu Hause! Allerdings mit der kleinen Einschränkung, dass ich nach dem Duschen auch den Spiegel benutzen kann."

Sie lachte. „Als was willst du dich verkleiden? Als Polizeikommissarin vielleicht?"

Ich überhörte die letzte Bemerkung „Die Prinzessinnen haben mich so inspiriert. Nina hat mir vor ein paar Wochen einen weißen Traum genäht, mit dem man fast zur Hochzeit gehen könnte. Ich bin gleich gespannt, was du dazu sagst. Sie ist wirklich unheimlich begabt mit ihrer Näherei, unsere Nina. Sie könnte wirklich für ein großes Theater arbeiten."

„Ich bin gespannt auf dein Kleid, dann mach mal, dass du in die Puschen kommst. Du hast wieder einmal viel zu lange gearbeitet. Der Ball beginnt schon bald, und die Eröffnung von dem Jubilar Pollmann will ich ganz bestimmt nicht verpassen."

„Ich habe nicht gearbeitet" widersprach ich ihr. „Ich war mit Ermanno spazieren, und dabei haben wir ein bisschen nachgedacht."

„Oh! Mit Ermanno!" Ihr schöner Schmollmund verzog sich zu einem breiten Grinsen. „Er ist schon da! Adelaide hat mir verraten, dass er für ein ganzes Jahr hierbleiben wird. Wirst du ihm so lange widerstehen können, wenn dein Verlobter in der Welt herumreist?"

„Genau. Du erinnerst mich gerade an Rolf. Den muss ich unbedingt noch anrufen, bevor ich zum Ball gehe. Also, stürzte dich schon einmal in den Trubel, Laura. Ich komme dann etwas später nach."

Laura betrachtete sich noch einmal im Spiegel. „Bin ich so schön genug? Meinst du, dass ich Kevin immer noch zwischen all diesen schönen Frauen hier auffalle?"

„Du bist wunderschön", sagte ich ehrlich. „Das warst du auch schon, als wir uns kennenlernten. Aber ehrlich gesagt, gefällst du mir jetzt noch besser, seitdem du dich selbst gefunden hast."

Sie nahm mich in den Arm und drückte mich fest. „Gut, dann glaube ich dir, meine Süße." Sie hob den Kopf und stolzierte königlich aus dem Zimmer.

Wie gut wir uns jetzt verstanden, Laura und ich. Manchmal lohnt es sich eben, einer Freundschaft Zeit zu geben.

Ich tippte die Nummernfolge von Rolfs Handyanschluss auf meinem Display. Es dauerte eine ganze Weile, bis meine Wählversuche von Erfolg gekrönt waren.

„Hallo Abby", meldete er sich. „Entschuldige, dass du so lange warten musstest!"

Ich wunderte mich. Seit wir uns kannten, hatte er noch nie „Abby" zu mir gesagt, und das aus dem Grund, weil er die Abkürzung normalerweise für despektierlich hielt. Ich erinnerte mich gut daran, wie er damals zu mir gesagt hatte: „Dein Name ist etwas ganz Besonderes. Er heißt übersetzt die „Prophetin". Diesen Auftrag scheinst du in der Welt zu haben. Wie mochte er bloß jetzt so plötzlich auf „Abby" kommen?

„Kein Problem, Rolf. Wir warten doch öfters einmal gegenseitig aufeinander und bisher hat es uns jetzt noch nichts ausgemacht."

„Natürlich", beeilte er sich zu sagen, „und ich warte auch immer gern auf dich. Hauptsache, es lohnt sich. Es ist zwar schon spät, aber ich arbeite immer noch mit Vera, das ist ein sehr interessantes Fotoshooting."

„Ach, ja", ich erinnerte mich. „Ist das nicht diese Kräuterfrau?"

„So würde ich das nicht nennen", berichtigte er mich. „Sie betreibt das alles ganz wissenschaftlich. Während ich fotografiere, kann ich mich tatsächlich weiterbilden. Man sollte gar nicht ahnen, wie interessant diese Beschäftigung mit Pflanzen sein kann."

„Oh doch!" entgegnete ich belustigt. „Und das ahne ich nicht nur, das weiß ich auch. Meine Bergwanderung in der Nähe der Dolomiten war seinerzeit mit Ermanno, der ja auch, wie du weißt,

Biologe ist, mehr als nur interessant. Er ist übrigens heute gekommen, und während wir uns über den aktuellen Fall ausgetauscht haben, konnten wir einen Blick in die frühlingshafte Natur werfen."

Einen Augenblick lang hörte ich am andern Ende nichts.

„Ach so. Ermanno ist da. Hattest du mir schon etwas davon erzählt?"

„Ehrlich gesagt, ich weiß auch nicht so genau. Es war so viel los hier in den letzten Tagen, und es gibt ständig etwas Neues wegen der unglücklichen India. Alle Ermittlungen laufen auf Hochtouren, da bin ich natürlich froh, dass mir Ermanno jetzt dabei helfen kann, wie zuletzt auf Sizilien, als wir sehr erfolgreich waren."

„Hattest du ihn zur Hilfe gerufen, oder was macht er gerade sonst in Sankt Augustine?"

„Nein, das hätte ich nie gewagt, ihn von so weit her extra hierhin zu rufen. Er ist hier für ein Jahr lang an eine Hochschule eingeladen worden. Das ist eine gute Chance für ihn."

„Was? Ein ganzes Jahr bleibt er hier? Das kann man ja kaum glauben. Und wie meinst du das mit der Chance?"

Ich begann zu lachen. „Oh, nicht, dass du mich falsch verstehst! Das meinte ich natürlich beruflich. Bei mir hat er keine Chancen. Das weißt du doch! Solange wir beide, du und ich, uns so gut verstehen wie bisher, muss er sich mit einer harmlosen Freundschaft begnügen."

„Natürlich verstehen wir uns gut", beeilte er sich zu sagen. „Zweifelst du etwa daran? Ich vermisse dich jeden Tag. Auch wenn wir beide viel zu viel zu tun haben, um uns den ganzen Tag Herzen und Küsschen

157

zu schicken, so wie das andere auf ihren Handys den ganzen lieben langen Tag lang tun."

„Nein, ich zweifele überhaupt nicht daran. Ich denke oft an unsere schönen gemeinsamen Zeiten, besonders an unsere Verlobungsreise, die Zeit die wir in Venedig zusammen verbracht haben. Es war einfach zauberhaft mit dir. Davon zehre ich immer noch. Und was machst du heute Abend? Weiter arbeiten mit dieser … Vera?"

„Ja, wir haben noch eine ganze Weile zu tun. Das wird auch noch bis spät in die Nacht so gehen. Aber wie gesagt, durch die Anreicherung von Wissen wird es auch nicht langweilig. Und was machst du so heute Abend?"

„Hier bleibt es spannend. Wir suchen einen Täter, auch heute Abend bei dem großen Kostümball, der natürlich etwas weniger ausgelassen ausfallen wird, als es geplant war."

„Mit Ermanno auf dem Kostümball!" Seine Stimme klang etwas kratzig. „Da musst du sicherlich auch mit ihm tanzen, um den Täter eher zu finden."

Ich konnte mir ein Lachen nicht verkneifen.

„Es gibt mehrere Verdächtige, davon hatte ich dir schon berichtet. Und ich glaube, ich brauche für jeden eine ganz individuelle Taktik. Über Tanzen hatte ich da aber noch nicht nachgedacht, es sei denn, ich müsste jemanden eifersüchtig machen. Da käme aber nur Manuela infrage, denn sie wünscht sich wahrscheinlich immer noch Tobias als Partner. Der aber wird mit Sicherheit heute Abend nicht aufkreuzen, denn mit seiner Trauer hat er sich ganz zurückgezogen. Oder

meintest du etwa dich, wenn es um Eifersucht geht?"

„Es kommt ganz darauf an, ob du mir Grund dazu gibst, Abigail. Normalerweise bin ich nicht eifersüchtig, wenn du mit irgendjemandem tanzt. Aber immerhin kenne ich diesen charmanten Ermanno, und weiß, dass er eine unwiderstehliche Ausstrahlung hat. Da könnte ich doch auch schon ein bisschen eifersüchtig sein, oder?"

„Das musst du für dich entscheiden, Rolf. Sollte ich denn eifersüchtig sein auf die lehrreichen Stunden mit Vera heute Abend?"

„Nein. Das brauchst du überhaupt nicht. Sie ist eine sehr interessante Frau, aber ich habe überhaupt keine Gefühle für sie. Das liegt natürlich auch daran, dass ich mich vollkommen auf die Arbeit konzentriere, und dabei jede Art von Gefühl ausschalte."

Ich lachte. „Ich glaube, da bist du ein Genie. Das können bestimmt nicht viele andere Menschen so wie du. Jetzt muss ich mich auch beeilen, damit ich meine Strategien alle anwenden kann. Dann wünsche ich dir noch viel Erfolg!"

„Danke! Und du kannst Ermanno von mir grüßen, und du kannst ihm auch ausrichten, dass ich immer noch gut bin beim Kampfsport, den ich vor Jahren einmal ausgeübt habe. Boxen habe ich nicht gelernt, aber im Zweifelsfall könnte ich das auch."

Damit hatte er die gespannte Stimmung zwischen uns gelöst, wir lachten beide und verabschiedeten uns mit den üblichen Telefonküssen.

Nachdem ich fertig umgezogen, gestylt und geschminkt war, stieg ich die Treppen hinunter und fragte nach Adelaide, die ich schließlich in der Schlossküche fand, wo sie das Buffet kontrollierte, dass Pollmann gestiftet hatte. Neben ihr stand der Journalist Schmidt, der sich sofort auf mich stürzte.

„Sie dürfen mir gratulieren, Frau Mühlberg! Dank des schnellen Internets von heute hat mich Herr Wieland eingestellt. Wir sind also von heute an Kollegen. Aber, wie schon einmal gesagt, von mir haben Sie keine Konkurrenz zu befürchten. Mit dem Gebiet Kultur habe ich nur grenzweise etwas zu tun. Ich nehme Ihnen also keine Arbeit weg."

„Herzlichen Glückwunsch!" sagte ich leichthin. „Dann wünsche ich Ihnen viel Erfolg, Herr Kollege! Haben Sie auch für heute Abend schon eine Weisung bekommen?"

„Von Wieland noch nicht. Aber vom Mittagsblatt und auch vom Regionalsender, dem ich heute um Mitternacht noch ein kleines Statement abgebe. Trinken Sie darauf ein Gläschen Sekt mit mir?"

„Später vielleicht", wich ich ihm aus. „Ich habe noch viel vor heute Abend, dazu brauche ich erst einmal jede Gelegenheit. Sind sie schon über die neuesten Erkenntnisse wegen der Pralinen informiert?"

Er nickte. „Ja, man kennt inzwischen die Herstellerfirma, und man weiß, dass es diese Praline im Sechserpack in Riegeln gibt. Doch der Kommissar teilte mir auch mit, dass sie auch mit dieser Erkenntnis bisher noch nicht weitergekommen sind. Der Kommissar von Wittentine wollte wieder einmal Tobias ins Kreuzverhör nehmen, aber Herr Meyer hat das verhindert. So wird dieser junge Mann wenigstens nicht noch mehr belastet."

„Oh, Sie verdächtigen Tobias nicht mehr? Wie kamen Sie denn zu dieser lobenswerten Einsicht, Herr Schmidt?"

„Ich verdächtige ihn immer noch genauso wie die anderen", klärte er mich auf. „Aber im Moment geht es ihm wirklich schon schlecht genug. Denn falls er diesen Unfall hervorgerufen hat, tut es ihm bestimmt mächtig leid, und sein Gewissen wird ihn heftig quälen. Da muss man einfach Geduld haben. Und welche Pläne haben Sie heute Abend?"

„Ich beobachte die kulturelle Szene", redete ich mich heraus. „Und wenn mir dabei etwas Verdächtiges vorkommt, dann werde ich diese Spuren verfolgen." Ich hatte keine Lust, ihm Genaueres mitzuteilen.

„Kann ich Ihnen irgendwie behilflich sein?" bot er sich an.

„Danke, aber nein. Momentan habe ich die ideale Hilfe, den hier in Sankt Augustine schon bekannten Hobbydetektiv Ermanno aus Italien."

Sein Gesicht verzog sich. „Oh, diese attraktive Italiener? Da wird Ihr Freund aber eifersüchtig sein."

„Keine Sorge! Das haben wir eben telefonisch geklärt, mein Verlobter und ich. Nachdem mir Ermanno mehrere Male das Leben gerettet hat, ist Rolf froh, dass er mich so gut beschützt."

„Na dann!" Der Journalist verzog das Gesicht zu einem resignierten, schiefen Lächeln. Bis später! Wir sehen uns!"

Wird wohl nicht zu vermeiden sein, dachte ich, wurde aber gleich darauf abgelenkt, da mir Manuela in einem Schornsteinfegerkostüm entgegenkam.

„Das steht Ihnen gut", behauptete ich. „Wie sind Sie auf diese tolle Idee gekommen?"

Sie musterte mich herablassend. „Zwischen all diesem Zuckerzeug muss es doch auch ein bisschen Kontrast geben. All diese Frauen hier, die sich hier als sanfte und süße Elfen und Feen und Prinzessinnen geben, die sind doch in Wirklichkeit zänkische Zicken, die jammern und sich anstellen. Die stehen doch nicht wirklich mit den Füßen im Leben. Die meisten sind doch nur Püppchen."

„Ach, da kann ich Ihnen nicht zustimmen", verteidigte ich meine Artgenossinnen. „Es mag schon ein paar davon geben. Aber die meisten, die ich kenne, sind sehr selbstständige und fleißige Frauen mit einem guten Geschmack, die sich durch das Leben zu kämpfen versuchen. Warum sollen die sich nicht hier einmal ein bisschen hübsch machen? Wir leben nun mal leider in einer Zeit, in der man nicht immer so einfach Prinzessinnenkleider tragen kann. Warum sind Sie vom Beruf her nicht Schornsteinfeger geworden?"

„Ich bin leider nicht schwindelfrei. Und Sie tappen mit Ihren Recherchen immer noch so im Dunkeln wie die Farbe meiner Kleidung?"

Ich sah ihr in die Augen. „Es ist nicht leicht, die Wahrheit herauszufinden bei all den vielen schauspielernden Menschen, egal, ob Sie das nun beruflich tun oder privat. Ein Täter präsentiert sich leider nicht auf dem Silbertablett. Im Gegenteil, er versucht sich in der Dunkelheit unkenntlich zu machen. Wie gut kannten Sie eigentlich India?"

„Das habe ich Ihnen doch bereits gesagt. Wir waren miteinander befreundet und haben diese Kampagne vorbereitet und uns auch schon in der einen oder anderen Fabrik gemeinsam angekündigt. Während der Arbeiten im Märchen habe ich mich angeboten, die Cafeteria zu bedienen, da war ich dann auch ab und zu mit India zusammen, wenn sie sich einen Cappuccino geholt hat. Sie trank am liebsten Cappuccino, dazu nahm sie dann ein Croissant."

„Ach ja, sie aß wohl gern süße Sachen. Diese Leidenschaft hatte sie bestimmt aus London mitgebracht", warf ich ein.

„Keine Ahnung!" erwiderte Manuela. „Ich weiß nur, dass ihr Tobias oft diese Cognacpralinen mitgebracht hat, um ihr eine Freude zu machen. Aber wenn Sie mich fragen, fand sie die gar nicht so besonders. Sie hat sie nur gegessen, um Tobias einen Gefallen zu tun. Manchmal hat sie sich eben extra auch Liebkind gemacht, damit ihre Launen nicht ganz unerträglich waren."

Ich sah sie aufmerksam an. „Und wie erklären Sie sich dann, dass India kurz vor ihrem Tod eine solche Praline gegessen hat?"

Sie riss die Augen auf. „Das kann ich mir auch nicht erklären. Dann muss sie wohl einer dazu genötigt haben. Sie hat einmal von ihren Schwiegereltern einen Riesenkarton davon geschenkt bekommen. Den hat sie dann mir weiter vererbt, weil sie diese Dinger nicht mehr sehen konnte. Also freiwillig hat sie diese Praline nicht gegessen."

Ich staunte. „Wirklich nicht? Aber überall weiß man doch, dass das ihre Lieblingspralinen waren. Das war ein offenes Geheimnis."

„Ja, haben sie alle gedacht. Und deshalb hat sie auch zu viel von diesen Dingern bekommen, und konnte sie irgendwann nicht mehr sehen. Da ist was faul an der ganzen Sache, das können Sie mir glauben."

Ich zog die Augenbrauen hoch. „Merkwürdig. Sie sind die Einzige, die mir darüber so etwas berichtet. Warum wussten Sie davon und die anderen nicht?"

„Sehen Sie, die anderen haben India immer hofiert, aber die waren nicht ehrlich zu ihr. Bei uns war das anders, ich habe ihr immer meine Meinung gesagt, auch wenn sie etwas falsch machte. Und deswegen hat sie mir auch solche Dinge anvertraut."

„Aber als wir miteinander gesprochen haben, hatte ich nicht den Eindruck, dass sie beide Freundinnen waren. Sie haben ziemlich schlecht über India geredet", wandte ich ein.

„Das tu ich heute auch immer noch. Sie war eingebildet und anspruchsvoll und hat den armen Tobias zum Narren gehalten und ihn ausgenutzt. Auch wenn sich das bei Ihnen jetzt nicht zusammenreimt. Nein, Freundinnen waren wir nicht. So würde ich das auch nicht nennen, wir waren Kumpel mit gleichen Interessen."

„Meinen Sie damit Tobias", provozierte ich sie.

Sie sah mich wütend an. „Sie können es nicht lassen! Nein, mit dem habe ich abgeschlossen. Also können Sie Mord aus Eifersucht absolut streichen. Denn das denken Sie doch so bei mir, stimmt's?"

Ich sah sie lauernd an. „Na ja, es könnte ein bisschen verworrener sein. Vielleicht gönnten Sie India nicht das Glück mit Tobias. Es ist oft schwer zu sehen, dass andere das besitzen, was man selbst nicht haben kann."

„Steigern Sie sich nur in solche Hirngespinste hinein! Wenn Sie sich so verrennen, finden Sie den Tätern nie", prophezeite sie mir. „Ich habe mit dem Thema Tobias abgeschlossen. Er hatte mal diese Chance, aber er hat sie vertan, und jetzt will ich ihn nicht mehr. Will diese logische Entwicklung nicht in ihren Kopf hinein?"

„Das ist die eine Möglichkeit, ja, und doch, meine Theorie ist auch nicht schlecht. Aber trösten Sie sich, Sie sind nicht die Einzige, die ich im Visier habe."

Sie sah mich abschätzend an. „Bisher hatte ich immer von Ihnen gehört, dass Sie die Fälle intelligent lösen, und damit hatten Sie ja auch einigen Erfolg. Aber diesmal sind Sie irgendwie vernagelt. Möglicherweise hängen da auch irgendwelche Emotionen bei Ihnen drin. Vielleicht mögen Sie mich nicht, weil ich immer so krass die Wahrheit sage?"

Ich lächelte leicht. „Ich mag im Allgemeinen Leute, die die Wahrheit sagen. Aber ich habe es mir nun mal in den Kopf gesetzt, im Wespennest herumzustochern. Da muss ich dann auch manchmal damit rechnen, dass es ein bisschen piekst."

„Machen Sie doch, was Sie wollen", empfahl sie mir. „Ich werde mich jetzt amüsieren gehen. Solch einen Ball gibt es nicht alle Tage und das Buffet in der Schlossküche ist ausgesprochen schmackhaft."

„Guten Appetit!" wünschte ich ihr und wandte mich an Adelaide, die an den Servietten herumzupfte.

Die ältere Dame sah mich freudig erregt an. „Stell dir nur vor, Abigail. Moro geht es heute Abend so gut, dass er auch ein, zwei Stunden am Fest teilnehmen will. Diese Sternstunden, in denen es ihm so gut geht, gibt es leider immer seltener. Aber heute ist es wieder mal soweit, und ich freue mich so sehr für ihn."

„Das ist fantastisch", fand ich. „Das ist heute auch ein besonderes Fest, Karneval, Jubiläum, Kostümball, zwischendurch der Regisseur mit seinen romantischen Liebesszenen. Was für ein Ereignis!"

„Gut dass du mich jetzt daran erinnerst, Abigail! Da hat sich dein hübscher Verehrer, der Ermanno etwas ganz Besonderes für dich ausgedacht. Und Kevin hat schon zugestimmt."

Ich sah sie irritiert an. „Was meinst du denn damit?"

„Na, wegen der Filmszenen. Ermanno hat das alles mit dem Regisseur besprochen. Weil doch die Gelegenheit so günstig ist, und alle heute ihre Kostüme anhaben. Moro hat ihnen schon einen Raum zur Verfügung gestellt, wo diese romantischen Szenen gedreht werden können, und er hatte auch die Idee mit dem Wettbewerb."

„Jetzt machst du mich aber ganz neugierig, Ada. Was für einen Wettbewerb? Erklär mir doch einmal alles bitte von Anfang an!"

„Als wir vorhin zusammen mit Moro, Laura und Kevin ein Gläschen Sekt zu Beginn des Kostümballes getrunken haben, gesellte sich Ermanno zu uns und hatte diese wundervolle Idee mit den Filmszenen. Er vermutete nämlich, dass Kevin seinen Computer mit dem Zugang zu all seinen Finalszenen bei sich führt, und genauso ist es. Jetzt wird er allen Paaren, die gleich im Saal tanzen, eine Szene anbieten. Keine große Sache zum Auswendiglernen. Nur für jede Dame und jeden Herren den Schlusssatz des jeweiligen Films. Die Szenen werden natürlich gerechterweise verlost und nicht ausgesucht, damit sich keiner benachteiligt fühlen kann. Dann können die Paare während der Tänze ihre Sätze auswendig lernen und sich miteinander besprechen, wie sie die Szene umsetzen wollen. Nacheinander ruft dann Kevin die Paare zum Set und dreht mit ihnen die jeweilige Schlussszene.

Moro, Laura, Kevin und ich sind die Jury und wählen dann die besten Darsteller aus, das machen wir natürlich dann in Ruhe morgen. Und morgen Abend werden alle Szenen hier im Schloss vorgeführt. Für die beste Filmszene stiftet Kevin Braun eine Reise nach Hollywood."

166

„Eine Reise nach Hollywood? Das ist aber großzügig von ihm. Den Flug und den Aufenthalt?"

„Ja, für zwei Personen den Flug, und eine Woche Hollywood, damit es sich auch lohnt. Dort haben nämlich Verwandte von ihm auch ein Hotel, in dem das Paar dann einquartiert wird. Das ist doch sehr verlockend. Oder willst du dich etwa davor drücken."

„Du weißt doch, Ada, ich habe überhaupt kein Schauspieltalent. Und um mich herum gibt es lauter Profis. Oder zumindest auch Halbprofis, diese vielen Laienschauspieler. Vor denen werde ich mich total blamieren", vermutete ich.

„Kneifen gibt es nicht", drohte mir Adelaide lächelnd. „Jeder muss heute Abend mitmachen, jedes Paar. Und Ermanno hat euch beide schon angemeldet. Oder möchtest du lieber mit einem anderen an dem Wettbewerb teilnehmen?"

Ich schüttelte energisch den Kopf. „Nein, bloß nicht. Wenn es schon Pflicht ist, daran teilzunehmen, dann auf jeden Fall mit Ermanno. Stell dir nur einmal vor, ich müsste eine romantische Szene mit dem Bürgermeister oder meinem neuen Kollegen, dem Bernhard Schmidt drehen! Das wäre ja eine Katastrophe!"

Adelaide lachte. „Ich würde auch nur mit meinem Moro drehen, aber für ihn ist das zu anstrengend, deshalb macht Kevin für uns eine Ausnahme. Für das Herz meines Liebsten sind solche Aufregungen nichts. Schließlich wünsche ich mir, dass es hier noch sehr lange neben mir schlägt. Aber ihr beide, du und Ermanno, ihr seid doch auch optisch ein tolles Paar. Das kann ich mir gut in einer Filmszene vorstellen."

Ich überlegte. „Vielleicht so die Schlussszene von dem Film „Vom Winde verweht". Die endet jedenfalls nicht in einem Kuss."

„Da muss ich dich leider enttäuschen, Abigail. Es gibt keine Szenen aus diesen schönen alten Filmen. Die Szenen sind alle aus den Filmen, die Kevin Braun selbst gedreht hat, und in vielen von ihnen führt er sogar nicht nur Regie, sondern ist auch Produzent und hat an den Drehbüchern mitgearbeitet. Und damit bei der Verteilung der Rollen nicht geschummelt wird, haben wir gleich zu Anfang der Festlichkeit unter Aufsicht aller die Namen schon gezogen, die den Filmszenen zugeteilt werden. Ermanno wird es dir sicherlich gleich mitteilen. Ihr beide spielt in einem der letzten Filme die Schlussszene."

„Ich glaube, ich kenne kaum Filme von Kevin", bedauerte ich. „Ich habe bis jetzt noch kaum Zeit gehabt, mir viele davon anzusehen. Zwei oder drei habe ich mir einmal mit Laura angeschaut, als sie zuletzt einmal ihre Tante Katharina hier besucht hat. Und wie heißt dieser Film, weißt du das zufällig auch, Ada?"

„Ja natürlich. Das habe ich mir extra gemerkt, weil ich wusste, dass du bestimmt neugierig bist. Dieser Film ist total romantisch und heißt: „Rosen sterben nie". Ich habe ihn zwar auch erst einmal angeschaut, aber er hat mich so bewegt, dass er sich in mein Gedächtnis eingebrannt hat."

„Oh, dann erzähle mir doch schnell etwas darüber", bat ich sie.

Adelaide schüttelte energisch den Kopf und lächelte. „Nein, das kommt gar nicht infrage. Ihr bekommt gleich von Kevin eine Kurzbeschreibung, und dann die beiden Sätze, die ihr auswendiglernen müsst. Da will ich jetzt ganz bestimmt nichts verraten."

„Wir müssen uns da doch nicht etwa küssen?!" fragte ich erschrocken.

„Und wenn, dann sind es doch nur Filmküsse", beruhigte mich meine ältere Freundin. „Und jetzt beeil dich! Kevin wartet schon auf dich im Ballsaal. Deine Detektivarbeiten haben noch ein bisschen Zeit. Lass der Polizei auch noch etwas Arbeit übrig", scherzte sie.

Ich umarmte sie. „Du bist wie immer ein Schatz!"

Während sie sich auf die Suche nach Moro machte, eilte ich in den Ballsaal und versuchte, die kostümierten Personen zu erkennen.

An der Tür traf ich Niklas und Jasmin, verkleidet als Caesar und Kleopatra. Da sie keine Maske trugen wie viele anderen hier, waren sie leicht zu erkennen.

Jasmin betrachtete mein Kleid. „Das ist ein Traum", fand sie. „Ich kann mir schon denken wer dafür verantwortlich ist. Bestimmt unsere große Künstlerin Nina."

Sie reichte mir ein Glas Sekt.

„Absolut. Da ist sie immer noch im Gasthof Zimmermädchen und Bedienung, obwohl sie längst ein Modeatelier haben könnte. Seit ihrer unglücklichen Liebe mit Roberto kommt sie mir manchmal etwas resigniert vor. Hoffentlich ändert sich das bald. Ihr seht aber auch fantastisch aus, so als Paar aus alten Zeiten, obwohl ich mir den Caesar bisher immer ein bisschen glatzköpfig vorgestellt habe."

Jasmin lachte. „Ich habe es ihm nicht gestattet, dass er sich dafür kahl rasierte. Du hast übrigens allerhand verpasst, die Begrüßungsreden, die Ankündigung des

Wettbewerbs mit der Rollenverteilung und das Gebot der Festleitung, dass wir heute hier alle Du zueinander sagen. Wir sind ganz glücklich über unsere Filmszene, Niklas und ich."

„Wen spielt ihr denn?" fragte ich neugierig.

„Wir spielen tatsächlich einen Filmstreifen, in dem Caesar und Kleopatra vorkommen. Die Schlussszene hat allerdings Kevin ganz neu für uns geschrieben, weil sie im Film nicht vorkam. Wir nehmen Abschied voneinander mit zwei dramatischen und sehnsüchtigen Sätzen. Und anstelle eines Kusses, sehen wir uns in die Augen und berühren uns mit den Fingerspitzen."

Ich horchte auf. „Oh, können wir nicht tauschen? Das könnte ich gut mit Ermanno spielen. Die Kostüme müssen doch auch etwa passen, wenn wir sie tauschen. Du, Jasmin, hast in etwa meine Größe, und du, Niklas, die von Ermanno."

Ich erntete ein großes Gelächter. „Das könnte dir so passen", meinte Jasmin grinsend. „Wir sind so perfekt geschminkt. Das ist ja alles auf die Kostüme abgestimmt. Sicher wirst du mit Ermanno auch eine gute Szene bekommen haben, die spielbar ist. Dafür hat Kevin schon gesorgt. Beeil dich ein bisschen, Ermanno wartet schon auf dich."

„Du bist jetzt schon die zweite, die mir das sagt. Was habt ihr nur alle damit? Ihr amüsiert euch wohl königlich, dass ich mit Ermanno eine Liebesszene drehen muss, oder?"

Jasmin nickte schadenfroh. „Wir wissen doch alle, dass er dein Lebensretter und hoffnungslos in dich verliebt ist. Vielleicht habt ihr eine Szene bekommen, bei der du herausfinden kannst, wie deine Gefühle zu ihm sind."

„Das könnte dir so passen. Hast du schon mal etwas von einem Filmkuss gehört? Ich werde mich vorher von Laura instruieren lassen. Aber vielleicht habe ich auch eine ganz harmlose, unverfängliche Szene. Ich hoffe, es hat bei der Verlosung keiner gepfuscht, oder?"

Die beiden antworteten mit einem unschuldigen Gesicht. „Nein. Das war doch alles öffentlich unter Zeugen. Aber jetzt geh endlich!" Jasmin gab mir einen kleinen Stups.

Ich entdeckte Maren, die sich als Blumenmädchen Eliza Doolittle verkleidet hatte, in der Hand trug sie einen Korb mit winzigen Blumensträußen.

„Hast du auch einen Professor Higgins?" erkundigte ich mich bei ihr.

„Man hat mir einen Schauspieler aus Kevins Team zugeteilt. Eine Frau von der Maske hat sich bereit erklärt, ihn noch ein bisschen so herzurichten, damit er besser zu mir passt. Wir dürfen tatsächlich die Schlussszene aus „My fair Lady" spielen. Gut dass ich mich umentschieden habe, ich wollte nämlich erst das Rotkäppchen sein."

Ich lachte. „Oh ja, dann müssten sie dir jetzt einen Schauspieler als Wolf umschminken. Aber der Kopf von Rotkäppchen, der wäre auch interessant gewesen. Vermutlich zu der Flasche Wein einen schönen Kuchen aus eurem Café. Das wärst du bestimmt hier losgeworden."

„Ja, und es ist merkwürdig, dass ich täglich in einem Café arbeite, aber selbst immer noch süße Sachen essen kann, Abigail."

„Das ist sehr selten. Irgendjemand hat mir jetzt erzählt, dass India gar keine Pralinen mehr mochte, weil sie zu viel davon gegessen hat. Kannst du dir das vorstellen?"

„Das kann ich mir gut vorstellen. So etwas ist mir einmal mit Lakritz passiert. Als ich davon zu viel gegessen habe, konnte ich es nachher nicht mehr sehen. Warum fragst du das, ist das irgendwie wichtig für die Aufklärung des Falles?"

„Ich weiß es nicht, Maren. Ich frage auch nur so, weil du dich mit süßen Sachen auskennst, aber vielleicht hat es auch gar keine Bedeutung."

Ich hatte sie genau beobachtet, aber ihr Gesicht hatte nicht die geringste Reaktion bei dem Wort Pralinen gezeigt.

„Hoffentlich findet man den Täter bald", wünschte sie. „Wenn solche Verdächtigungen im Raum stehen, herrscht immer eine angespannte Stimmung. Zum Glück ist das heute Abend hier nicht so. Alle wollen sich etwas erfreuen und abschalten von dem Alltag, der immer genug Arbeit mit sich bringt."

„Du hast Recht, Maren. Dann wünsche ich dir für heute Abend mit deinem Professor Higgins noch viel Spaß. Dann hast du ja doch noch die Möglichkeit, Kevin von deinem guten Spiel zu überzeugen."

Sie lächelte. „Ja das ist wirklich ein netter Trost, aber ich hatte dir schon gesagt, dass ich mich niemals gegen meinen Verlobten entscheiden würde. Für mich ist das alles wirklich nur ein Spaß."

Gleich neben ihr fand ich Linda, die Krankenschwester.

Sie trug ein Badekostüm aus dem 19. Jahrhundert mit langen Hosen und Rüschen und wartete offensichtlich ebenfalls auf ihren Partner, während sich einige Paare auf der Tanzfläche bereits munter drehten.

„Das sieht aber hübsch aus!" bewunderte ich ihr Kostüm. „Zwischen den vielen Feen und Elfen und Königinnen und Prinzessinnen fällst du richtig angenehm auf."

„Na ja, man tut was man kann. Dir steht dieser Traum in Weiß auch ganz gut. Denkst du daran, demnächst zu heiraten?"

„So etwas steht demnächst bei uns nicht an", antwortete ich wahrheitsgemäß. „Irgendwann vielleicht, aber vermutlich nicht in Weiß. Ich war ja schon einmal verheiratet."

„Na und? Das macht doch nichts, Abigail. Da gibt es doch heute keine Vorschriften mehr. Manche heiraten auch noch beim fünften Mal in Weiß. Ich kann das Weiß selbstverständlich nicht mehr sehen, weil es bei uns im Krankenhaus die gängige Farbe ist."

„Ja, das kann ich gut verstehen. Ich trage nicht so oft Weiß bei meiner Arbeit, Nina hatte gerade diesen Stoff übrig, als sie für Jérôme Tessiers Truppe ein Kostüm genäht hat. Aber für heute finde ich es ganz passend. Schön, dass ihr jetzt alle noch einmal die Gelegenheit habt, vor Kevin Braun zu spielen. Hast du eine interessante Filmszene bekommen?"

„Die meisten sind ja hier einfach mit Kostümen aus dem Mittelalter gekommen, so wie es auch für die Filme von Mister Brown erforderlich war. Die haben dann die fertigen Filmszenen bekommen. Aber für ein paar, zum Beispiel auch für Niklas und Jasmin hat der Regisseur eigens ein paar Sätze geschrieben, das ist schon eine besondere Ehre."

„Ach, du kennst die beiden auch?" fragte ich verwundert.

„Wer kennt ihn nicht, den bekannten Kommissar von Sankt Augustine. Ich war bei ihm auch zum Verhör, und Jasmin war schon bei uns im Krankenhaus, als sie sich einmal die Hand gebrochen hatte. Hier ist die Welt klein, hier kennt sich jeder."

„Und wer ist dein Tanzpartner? Mit wem drehst du diese schöne Badeszene?"

„Mit Simon Hecht, der die Laienspielgruppen geleitet hat. Der wird gerade als Fischer verkleidet."

„Als Fischer? Wie passt denn das zu einer Badenixe?" wunderte ich mich.

„Ganz einfach. Das wird eine sehr lustige Szene. Der Fischer sitzt am Strand und will einen Fisch angeln. Aber stattdessen zieht er mich an Land. Diese Idee hatte der amerikanische Regisseur, und ich finde sie einfach super."

„Das hört sich wirklich sehr lustig an. Und mit Simon als Partner macht das bestimmt Spaß. Ich finde ihn sehr sympathisch, und in seinem Fach ist er auch sehr kompetent. Ach, da fällt mir gerade noch etwas ein. Vielleicht könntest du mir da weiterhelfen. Ich nehme an, als Krankenschwester kennst du dich ein bisschen aus mit den Gewohnheiten der Menschen."

„Ein bisschen schon, das ist auch nötig in meinem Beruf. Um was geht es denn?"

„Du hast sicher viel mit Medikamenten zu tun und mit Menschen, die sich weigern, diese Medikamente einzunehmen. Das geht mir da immer noch um India. Wahrscheinlich hast du es auch noch einmal heute im Mittagsblatt gelesen. India wurde mit einer Cognac-Kirsche in Pralinenform betäubt. Viele Leute haben mir erzählt, dass sie damit oft beschenkt wurde, weil es ihre Lieblings-Süßigkeit war. Aber nun hat mich jemand irritiert und behauptet, India hätte diese Praline mittlerweile gehasst und abgelehnt. Könnte ihr die jemand auch gewaltsam in den Mund gesteckt haben?"

„Natürlich! Ein starker Mann könnte ihr eine solche Praline in den Mund schieben, auch wenn sie sich weigert. Aber dann kommt da noch das Runterschlucken. Natürlich, die Schokolade löst sich im Mund auf, der Cognac wird auch mit dem Speichel hinuntergespült. Aber die Kirsche? Nein. In diesen teuren Kirschpralinen, von denen in der Zeitung die Rede ist, sind das nämlich keine labbrigen Früchte, sondern richtig schön knackige, bissfeste Kirschen. Die lösen sich nicht einfach so im Mund auf."

Ich hatte jetzt auch sie genau beobachtet, welche Mimik auf ihrem Gesicht entstand, während sie über die Praline sprach. Es war ihr jedoch nichts Auffälliges anzumerken. Sie schien meine Frage als sachlich und normal zu empfinden.

„Ja, es reimt sich alles irgendwie nicht zusammen, Linda. Da war diese Person sicherlich falsch informiert."

Sie sah mich ruhig an. „Bestimmt. Manchmal legt man da Gewohnheiten für eine Zeit lang ab. Vielleicht hat sie dann doch wieder einmal Appetit auf ihre ehemalige Lieblingspraline bekommen."

In diesem Moment erschien Simon mit Gummistiefeln und Hut, seine langen Fischer-Hosen hinderten ihn ein wenig beim Gehen, und wir mussten uns ein Lachen verkneifen, als er uns entgegenwatschelte."

„Da kommt schon dein Film- und Tanzpartner. Ich denke ihr solltet Kevin bitten, diese Szene vorzuziehen. Denn mit diesen Hosen und Stiefeln wird er keinen Walzer mit dir tanzen können."

Linda lachte. „Das hatte ich auch schon befürchtet. Dann werde ich mal gleich mit Simon zu Kevin watscheln, damit er sich gleich danach wieder umziehen kann. Sonst wäre uns ja der ganze Ball verdorben, und das ist diese Filmszene nun doch nicht wert. Schließlich sind wir zum Tanzen hierher gekommen und nicht zum Watscheln."

Sie eilte auf Simon zu und winkte mir noch einmal nach.

Aufmerksam spähte ich in der Runde umher, um Ermanno zu entdecken. Wo mochte er sich nur versteckt haben. Vermutlich fand ich ihn in einem der altertümlichen Kostüme mit Maske, vielleicht in einem venezianischen, deren Masken das Gesicht gut verdeckten.

Ein fürstlicher Jäger trat auf mich zu, und beim Näherkommen erkannte ich meinen neuen Kollegen Schmidt.

Er sah mich lächelnd an. „Schade, dass du schon einem anderen Tänzer versprochen bist, ich hätte gern mit dir eine Filmszene gedreht."

Ach ja, wir waren ja jetzt leider per Du. Diese Schranke hätte ich ganz gern zwischen uns behalten, aber hier bei diesem Ball war es nun einmal nicht mehr zu ändern.

„Du bist aber auch gar nicht zufrieden", tadelte ich ihn scherzhaft. „Gerade ist dir der erste Wunsch erfüllt worden, das wir Kollegen sind. Alles kann man eben nicht haben."

„Eigentlich war ich auch mit meiner Frau hier eingeladen", teilte er mir mit. „Aber sie fühlt sich nicht wohl in einer so großen Menschenmenge. Da ich aber hier auch berichten muss für unsere Zeitung, musste ich sie dann doch leider allein lassen. Aber mittlerweile, nach so vielen Jahren Ehe, kennt sie das schon und hat sich damit abgefunden, dass ich viel unterwegs bin."

„Das ist bei uns auch ein Kreuz, bei Rolf und mir. Aber es ist nun einmal nicht zu ändern, und wir müssen das Beste daraus machen. Ich bin nur froh, dass er kein Matrose ist, kein Seemann wie mein Sohn. Mir passiert es immer wieder, dass mein Verlobter ganz unerwartet bei mir auftaucht. Glücklicherweise gibt es ja auch heute schon Flugzeuge, mit denen man große Entfernungen überbrücken kann."

„Wie lange seid ihr jetzt verlobt, du und Rolf?"

„Wir kennen uns jetzt ungefähr zwei Jahre, aber verlobt sind wir noch nicht so lange. Ich glaube, wir können die Tage zählen, die wir gemeinsam verbracht haben."

„Oh ja, dann seid ihr ja noch quasi frisch verliebt. Dann ist das zu verstehen, dass ihr noch den Mut habt, eine Beziehung über solche Entfernungen hinweg zu führen."

„Wir versuchen es", sagte ich schlicht. „Weißt du schon irgendetwas Neues über den Fall India?"

„Eigentlich wollte ich heute nicht über diese traurige Angelegenheit sprechen. Aber da du es schon einmal ansprichst, nein, ich weiß nichts Neues. Ich habe auch eben mit Niklas gesprochen, es gibt auch nichts Neues."

„Es gibt tatsächlich eine Person, die behauptet, dass India die Praline nicht freiwillig genommen hat. Was sagst du dazu?"

Er sah mich unwillig an. „Ach, Unsinn! Wie soll denn so etwas funktionieren? So eine Praline ist doch groß und stabil. Wenn jemand den Mund zukneift, dann kann man doch keine so große Praline hineinstopfen."

„Das Hineinstopfen ist vielleicht gar kein Problem", überlegte ich. „Man muss jemandem nur die Nase zuhalten, dann macht er den Mund von selbst auf. Aber die Kirsche als Kern in der Schokolade, ist wohl zu fest, als dass man sie einfach so runterrutschen lassen kann."

„Nun ja, doch, so groß sind diese glatten, kleinen Kirschen ja nun auch wieder nicht. Ich denke schon, dass sie hinuntergleiten, ohne dass man sich daran verschluckt. Aber was für ein Blödsinn, warum sollte man sie denn dazu gezwungen haben? Ich sehe da gar keinen Sinn? Warum hat sie sie nicht freiwillig gegessen? Alle Leute sagen doch, dass das ihre Lieblingspralinen waren."

„Eben nicht mehr. Sie soll sich daran sattgegessen haben. Sie hatte zu viel davon genascht, und konnte sie nicht mehr sehen. Deswegen hat sie sie auch reihenweise verschenkt. Das ist der springende Punkt. Derjenige, der sie ihr gegeben hat, hat angenommen, dass es noch ihre Lieblingspralinen seien."

„Dann hat dich dein Informant sicher nur beschwindelt, um die Sache kompliziert zu machen. Alle Leute sagen, dass das immer noch ihre Lieblingspralinen waren. Kann es vielleicht sein, dass der Informant dich irgendwie ablenken will. Vielleicht ist das sogar der Täter, Abigail."

„Aber mit solch einer Aussage, die so abwegig ist, würde er doch dann gerade auffallen und sich verdächtig machen, wenn das nicht stimmt. Ich bin da jetzt wirklich etwas irritiert."

„Ja, da hast du Recht. Was sagt denn Niklas dazu?"

„Ich habe es ihm zwar schon in einer Kurznachricht mitgeteilt, aber wir haben uns noch nicht näher darüber unterhalten. Dazu gab es bis jetzt noch keine Gelegenheit."

„Auf jeden Fall würde ich diese Person im Auge behalten", riet er mir.

„Das werde ich tun. Ich denke, du verstehst, dass ich den Namen dieser Person nur dem Kommissar mitgeteilt habe. Das ist jetzt kein Misstrauen gegen dich, aber Niklas und ich haben da unsere Vereinbarungen, dass wir solche konkreten Dinge nur miteinander besprechen, und sonst mit keinem."

„Um Himmelswillen, ja natürlich, Abigail! Das hätte ich auch nie von dir erwartet. Ich weiß doch, dass du verschwiegen bist und auch verschwiegen sein musst. Ich werde auch darüber schweigen. Aber mit dieser Information ohne einen Namen kann man sowieso nichts anfangen. Das könnte ja jetzt jeder gesagt haben, Indias ganze Verwandtschaft, Tobias, sämtliche Freunde und Freundinnen und natürlich auch die Kollegen, und sogar irgendeine Zufallsbekanntschaft. Da musst du dir wirklich keine Gedanken machen, ich nehme an, dass es mir Niklas selbst noch erzählen wird, wenn er mir den neuesten Bericht für die Zeitung gibt. Ich habe nämlich gleich noch einen Termin mit ihm. Und weil er meine Verschwiegenheit kennt, hatte mir schon sehr viele detaillierte Einzelheiten mitgeteilt."

„Wirklich? Seid ihr denn auch Freunde?"

„Nein, wir haben so eine Vereinbarung. Ich helfe mit meinen Aufrufen und Artikeln bei der Bevölkerung mit der Bitte um Hinweise. Damit ich aber diese Artikel so präzise und Erfolg versprechend wie möglich konzipieren kann, berichtet er mir eben auch die Details. Das, was du mir jetzt gerade erzählt hast, ist vermutlich auch wichtig für die Leser, damit sie dazu Stellung nehmen können. Hier können sich dann dazu auch Leser melden, die diese Vorliebe für die Pralinen entweder bestätigen oder dementieren können. Ich werde gleich einmal zu Niklas gehen, vielleicht können wir das noch in die nächste Zeitungsausgabe hineinpacken."

„Vermutlich ist das eine gute Idee, Bernhard. Wahrscheinlich hat mein Chef Recht und es war gut, dich in seiner Firma einzustellen. Viel Erfolg!"

Er eilte dem Ausgang zu, wo Niklas und Jasmin immer noch standen und sich angeregt unterhielten.

Ein festlich gekleideter junger Mann, im Kostüm eines österreichischen Prinzen trat auf mich zu und nahm galant meine Hand. Da er keine Maske trug, erkannte ich Ermanno leicht und freute mich, ihn zu treffen, weil meine Neugierde wegen der Filmszene schon eine ganze Weile an mir nagte wie eine Maus an einem Stück harten Käse.

„Wie schön, dass du endlich gekommen bist!" freute er sich ebenfalls. „Hast du schon von dem ganzen Spektakel gehört?"

„Du meinst von der Verwirklichung deiner Idee mit den Filmszenen? Ja, ich finde das auch insgesamt ganz lustig. Vor allen Dingen haben die Laienschauspielerinnen jetzt noch einmal wirklich die Gelegenheit, sich vor Kevin Braun zu präsentieren. Und ich finde es unglaublich nett von dem Regisseur, dass er sogar für drei oder vier Paare schnell ein paar Szenen geschrieben hat, damit es zu ihren ausgefallenen Kostümen passt. Das hätte nicht jeder getan."

„Bestimmt nicht" stimmte er mir zu. „Glücklicherweise war es nur pro Person immer ein Satz, der Schlusssatz. Aber trotzdem, das ganze Drumherum, die Szenenbeschreibung sind ja dann auch noch mal ein paar Worte. Das hat er auch nur gemacht, weil Laura ihn so lieb darum gebeten hat. Und für seine Laura tut er eben immer alles. Eine wunderbare Liebe ist das zwischen den Beiden."

„Ja, fast so wie die Liebe zwischen Moro Rossini und Adelaide, die so einzigartig ist auf dieser Welt."

Er nickte leicht und seine dunklen Augen blickten verträumt in eine unbekannte Ferne. „Das ist ein ganz besonderes Geschenk des Himmels für die beiden Verliebten. Schade, dass sie nicht mehr jung genug sind, um an diesem Filmszenen-Wettbewerb teilzunehmen. Ich bin sicher, sie hätten den ersten Preis gewonnen."

„Oh ja, das hätten sie bestimmt, Ermanno. Und wo ist jetzt das Papier mit unserer Szene? Ich bin so neugierig. Das kannst du dir doch vorstellen."

„Leider hat mein Kostüm keine Taschen. Aber da du ja auch noch beschäftigt warst, hatte ich genügend Zeit, die Szene schon einmal auswendig zu lernen. Der Film, den er erst vor kurzer Zeit in Hollywood gedreht hat, heißt „Rosen sterben nie", und nun musst du raten, wo er spielt."

„Wenn du mich schon so fragst, bestimmt in Italien."

„Ja, genau. Rate, in welcher Stadt?"

Ich überlegte. „Vielleicht in Venedig oder in Verona bei Romeo und Julia?"

„Nein. In Rom. Und er gilt allgemein als Nachfolger von dem Klassiker: „Ein Herz und eine Krone"."

Ich atmete erleichtert auf. „Den Schluss dieses Films kenne ich. Ich habe ihn mindestens 20 Mal gesehen. Die Prinzessin Anne gibt ein Interview für die Presse, der Mann, den sie liebt, ist Reporter. Sie müssen die schönen, heimlichen Stunden vergessen, die sie gemeinsam überall in Rom erlebt haben. Es ist ein herzzerreißender Abschied."

„Ja, daran erinnere ich mich auch noch. Es handelt sich auch in diesem Film um eine Prinzessin, aber aus einem verarmten Adelszweig. Der reiche König soll mit einer anderen Prinzessin verheiratet werden, aber als er ganz zufällig in den Bergen die arme Prinzessin Margareta kennenlernt, weigert er sich gegen die Verbindung mit der Prinzessin Luisa. Margareta und der König Ernst Wilhelm verlieben sich ineinander, aber die Höfe sind alle dagegen. Man versucht, die beiden zu trennen, und mit anderen Partnern zu verloben. Für Margareta und Ernst Wilhelm beginnt eine Zeit der Sehnsucht und der Leiden. Aber anders, als in den Film „Ein Herz und eine Krone", gibt es doch nach vielen Tränen ein Happy End."

„Wie schön für die beiden", bemerkte ich. „Und wie ist der Schluss? Du hast gesagt, du kennst ihn auswendig?"

„Natürlich. So schwer war das gar nicht. Und das Schöne ist, du hast aber auch das letzte Wort."

„Nun sag schon!" drängte ich ihn. „Was müssen wir sagen?"

„Also kurz vorher hatte man dir die Nachricht gebracht, dass ich, Prinz Ernst Wilhelm, mich mit einer anderen verlobt habe. Daraufhin erschrickst du sehr und fliehst in das Ruhegemach deiner Tante. Weil diese Nachricht aber gar nicht der Wahrheit entspricht, will ich dich von deinem Schrecken befreien und suche dich. Nach einigem Umherirren finde ich dich schließlich auf dem königlichen Bett deiner Tante, wo du dich von deinem Schrecken erholst. Ich komme ins Zimmer, sehe dich, mache mir große Sorgen und sage zu dir: „Margareta, Liebste, ich hoffe, du hast dir nicht allzu viele Sorgen gemacht, denn sie sind alle umsonst, weil ich mich mit der Frau verloben werde, die ich liebe." Dabei setze ich mich zu dir aufs Bett und nehme deine Hand, die ich zärtlich küsse."

Gut, ja, er würde meine Hand küssen. Damit konnte ich leben.

„Und was antworte ich dir?"

„Du sagst dann: „Ich habe es mir immer gewünscht, ich habe davon geträumt, dann ist es wohl Schicksal". Wirst du das schaffen?"

Ich lächelte. „Natürlich, das ist nicht schwer. Das werde ich sogar als ungeschickter Laie schaffen."

Er lächelte geheimnisvoll. „Und dann kommt noch ein ganz zarter Filmkuss."

Ich sah ihn misstrauisch an. „Wie meinst du das?"

„Unsere Lippen werden sich leicht berühren. Die Kamera nimmt es so auf, dass man es nicht so genau sehen kann."

„Ich glaube, das lasse ich mir gleich noch von Laura oder Kevin erklären, lieber nicht von dir. Du könntest das doch zu intensiv gestalten", befürchtete ich.

Er lachte. „Ach, nein. Vor dem Filmteam würde ich dich doch niemals so richtig küssen."

„Das ist gut. Dann hätten wir nämlich diese Szene auch tauschen müssen. Schließlich bin ich mit Rolf verlobt, und kann jetzt nicht hinter seinem Rücken mit einem anderen Mann Zärtlichkeiten austauschen."

Er sah mich ernst an. „Natürlich nicht. Wie geht es eigentlich Rolf?"

„Das habe ich dir doch erzählt. Du weißt doch genau, dass er gerade diese besondere Fotoserie für seinen Chef erledigt. Und er findet diese Vera, die er gerade fotografiert, sehr interessant. Jedenfalls auch ihren Beruf, denn sie pflanzt Heilkräuter an. Vielleicht solltest du sie einmal kennen lernen, für dich als Biologe gibt es doch da verwandte Themen."

Er zeigte ein unverschämtes Grinsen. „Oh, das Berufliche interessiert mich momentan gar nicht. Mit den Pflanzen habe ich auf der Hochschule genügend Ansprechpartner. Und die Heilkraft der Kräuter ist mir bekannt, dafür muss ich mich nicht mit einer Vera unterhalten. Mir gefällt es viel besser, mit dir jetzt hier zu tanzen."

Er legte den Arm um mich und führte mich über das Parkett. Es war so, wie ich es noch immer vom letzten Mal in Erinnerung hatte: Er tanzte gut, und wir fanden uns im harmonischen Rhythmus. Einfach einmal den Alltag vergessen, ja, das konnte man mit ihm.

Was musste ich noch einmal sagen? Wie war mein Satz? „Ich habe es mir immer gewünscht, ich habe davon geträumt, dann ist es wohl Schicksal". Ob es mir schwerfallen würde, das zu ihm zu sagen? Wie machten das eigentlich die Schauspieler? Ich musste unbedingt noch mit Laura reden.

„Woran denkst du, Amore? Du machst ein ernstes Gesicht." Ermanno sah mich besorgt an.

„Ich habe über die Szene nachgedacht", antwortete ich wahrheitsgemäß.

Er lächelte. „Darüber musst du dir keine Sorgen machen. Das wird sich schon so ergeben. Selbst wenn du keine Schauspielerin bist, du hast doch bestimmt schon einmal eine ähnliche Szene erlebt."
„Ich kann mich nicht erinnern. Wie machen das die Schauspieler? Denken die dann dabei an jemanden, den sie lieben? Oder spielen sie dann wirklich einfach nur diese Person, in deren Rolle sie sich hineinversetzen, und sind dann gar nicht sie selbst."
Er lächelte erneut. „Ja, so wird es sein. Sie sind da nicht sie selbst, sondern die Person der Rolle. Wenn du die Szene also nachher spielst, bist du nicht Abigail, sondern Margareta. Und der Mann, der dann vor dir steht, das bin nicht ich. Das ist nicht Ermanno, sondern das ist der Prinz Ernst Wilhelm. Wenn du dir das vorstellen kannst, werden wir es schaffen, die Szene gut zu spielen."
Damit hatte er mich beruhigt, ich gab mich dem Tanz hin und genoss es, über den glatten Boden zu schweben und in festen Armen gehalten werden.
Während der Tänze, wurden die einzelnen Paare von Kevin Braun und seinem Filmteam in die anderen Räume gerufen, wo die kleinen Filmszenen gedreht wurden. Laura spielte dabei seine Assistentin. Als sie einmal kurz im Ballsaal erschien, entschuldigte ich mich kurz bei Ermanno und sprach sie an. „Du, Laura! Ich habe da eine heikle Frage an dich. Du bist ja seit so vielen Jahren schon dabei und kennst dich beim Filmen aus. Ich bin aber blutiger Neuling, und habe überhaupt keine Ahnung, wie ich mich zu verhalten habe. Also nicht so, wann ich still sein muss, wann die Klappe fällt, sondern bei der Interpretation. Kennst du zufällig meine Liebesszene, die wir gezogen haben, Ermanno und ich?"

Sie amüsierte sich. „Natürlich, und wir fanden sie absolut passend für euch Zwei. Sie ist harmlos, aber doch romantisch und sensibel. Das werdet ihr prima packen. Was für eine Frage hast du denn dazu?"
Ich verzog das Gesicht. „Es geht um diesen Filmkuss am Ende. Wie macht man das? Muss ich einfach denken, dass ich die Margareta bin, so wie mir das Ermanno geraten hat. Entschuldige bitte, dass ich mich jetzt so naiv und dumm anstelle. Aber das ist eben völlig neu für mich."
Sie streichelte mir über den Arm und tröstete mich. „Das ist ganz einfach:
Du denkst an diese Margareta. Die hat natürlich nicht heute gelebt, du hast ja auch ein Kostüm an, das man nicht heute unbedingt auf der Straße anzieht. Sie war total traurig und enttäuscht. Das musst du dir einmal vorstellen, so als ob dein Rolf irgendetwas mit einer anderen hätte."
Meine Gedanken schweifen ab zu Vera. Ob sie wohl hübsch war? Ob sie Rolf gefiel? Saßen die beiden jetzt gemütlich bei einem Gläschen Wein zusammen und plauderten über Heilpflanzen? Da gab es doch diesen alten Spruch: Gelegenheit macht Diebe. Aber inzwischen hatte man ihn auch umgewandelt in den Satz: Gelegenheit macht Liebe. Ich stellte mir eine Sekunde lang die beiden zusammen vor, wie sie sich küssten. Ja, ich würde sehr enttäuscht sein. Dieses Gefühl wollte ich mir für nachher im Gedächtnis speichern.
„Hörst du mir überhaupt zu?" fragte Laura.
„Natürlich, ich habe mir nur gerade die Enttäuschung vorgestellt. Also das klappt schon einmal. Und dann weiter!"

„Und dann stellst du fest, als er zu dir hereinkommt, dass du dir völlig umsonst Sorgen gemacht hast, weil er einzig und allein dich liebt. Dann bist du total erleichtert, alle Angst fällt von dir ab, alle Sorge löst sich auf, und du beginnst zu begreifen, dass du dich freuen kannst. Du freust dich, dass der Mann, den du liebst, dich genauso liebt. Und mit diesem Glücksgefühl erlaubst du ihm, dass er deine Lippen berührt. Wenn du nachher daran denkst, kann dir überhaupt nichts passieren. Dann brauchst du die Szene nicht einmal zu wiederholen."

Ich erschrak. „Wie? Wiederholen? Wenn sie nicht auf Anhieb gut ist, muss ich sie eventuell ein paar Mal wiederholen?"

Laura lachte. „Natürlich! Das ist nun einmal beim Film so, das weißt du doch! Wir haben schon Szenen gedreht, die wir vorher 15-mal wiederholen mussten."

Ich stöhnte. „Oh nein! Das muss nun wirklich nicht sein! Dann werde ich mir lieber beim ersten Mal ganz große Mühe geben und versuchen, alles perfekt zu machen."

„Damit würdest du auch Kevin eine große Freude machen", vermutete sie. „Er spielt ganz gerne mit Profis oder mit Menschen, die sich echt Mühe gegeben. So, jetzt muss ich aber wieder hinein zu ihm. Er braucht mich nämlich. Dann erst mal noch viel Freude beim Tanzen. Ihr seht wirklich alle hübsch aus in euren Kostümen. Und es ist ein gelungener Ball."

Sie winkte mir noch einmal zu bevor sie verschwand. Ermanno hatte auf mich gewartet.

„Konnte dir Laura denn helfen?"

Ich nickte. „Ja, jetzt bin ich beruhigt. Ich habe Laura versprochen, dass ich mir Mühe gebe, damit ihr Kevin keine Probleme hat."

„Schön. Möchtest du jetzt gerne eine Pause machen oder lieber noch weiter tanzen?"

„Oh, ich tanze liebend gern und genieße es gerade, dass mich nichts drängt. Glücklicherweise arbeitet ja auch die Polizei fleißig an dem Fall. Niklas Meyer ist ein guter Kommissar."

„Das finde ich auch, Abigail. Ganz abgesehen davon finde ich es auch gar nicht schlecht, dass dieser Kommissar aus Wittentine mitarbeitet, selbst wenn du ihn nicht besonders schätzt. Er ermittelt dann eben in andere Richtungen, und Vielseitigkeit kann nicht schaden."

„Wahrscheinlich hast du Recht. Dieser Kommissar tut nur seine Pflicht."

***

16. Kapitel

Kurze Zeit später dachte ich weder an ihn noch an Niklas, sondern schwebte im Licht der festlichen Kronleuchter mit Ermanno durch den weiten, golden glitzernden, geschmückten Saal.

Gerade als ich von Catania träumte, von dem smaragdgrünen Meer mit kleinen Vulkaninseln, über denen die Meeresvögel kreisten und kreischten, rief uns Laura in das Boudoir von Adelaide, wo unsere Szene gedreht werden sollte.

Wir folgten der schönen Französin die breite Treppe hinauf in das romantisch eingerichtete Schlafzimmer. Über dem Himmelbett, das mit azurblauem Stoff bespannt war, schwebte ein Engel von der Decke, die Wände schmückten Rossinis schönste Gemälde in satten Farbtönen, faltenreiche silbergraue, schwere Gardinen rahmten die hohen Fenster zu beiden Seiten, von den Wänden her leuchteten die unzähligen Glastropfen der altmodischen Hänge-Wandlampen.

Kevin und sein Team standen vor dem großen Spiegelschrank, den sie wegen der Aufnahmen zugehangen hatten.

Eine junge Frau von der Maske begutachtete uns und schwenkte mehrmals die Puderquaste.

Eine zweite, etwas ältere Frau strich uns mit den Fingern durch die Haare, um etwas mehr Lebendigkeit und Feuer darin zu entfachen.

Kevin sah uns freundlich an. „Seid ihr bereit, ihr Zwei?"

Wir nickten beide, und Laura führte Ermanno vor die Tür, während ich mich in einer zusammengekauerten

Haltung mit den Händen vor dem Gesicht auf das Diwan legen musste.

Kevin flüsterte mir noch einmal zu, dass ich an etwas ganz Trauriges denken sollte. Ich nahm mir Lauras Rat zu Herzen und dachte daran, wie es wohl wäre, wenn Rolf ein Verhältnis mit dieser Vera hätte. Tatsächlich, der Gedanke berührte mich sehr, ich muss die Tränen zurückhalten, die mir in die Augen traten.

Das Fallen der Klappe hörte ich wie aus weiter Ferne und wurde erst wach, als Ermanno die Tür aufriss und auf mich zukam.

Weisungsgemäß nahm ich die Hände von den Augen und sah ihn überrascht an. Fast zaghaft setzte er sich zu mir auf den Rand des Bettes. Im Licht der Scheinwerfer glänzten seinen dunklen Augen, als er mit flehender Stimme theatralisch zu mir sprach: „Margareta, Liebste, ich hoffe, du hast dir nicht allzu viele Sorgen gemacht, denn sie sind alle umsonst, weil ich mich mit der Frau verloben werde, die ich liebe."

Sein zuversichtlich leuchtendes Gesicht und sein glückliches Lächeln zauberten in mir eine erlösende Entspannung. Ja, es bestand gar kein Grund, traurig und unglücklich zu sein. Hier, dieser Mann vor mir, er liebte mich. Er liebte mich von ganzer Seele und von ganzem Herzen.

Ein Strahlen breitete sich auf meinem Gesicht aus, das fühlte ich. Und lächelnd antwortete ich ihm:„Ich habe es mir immer gewünscht, ich habe davon geträumt, dann ist es wohl Schicksal".

Wie von selbst fanden sich unsere Lippen, wir küssten uns, erst ganz zaghaft und sanft, dann leidenschaftlich und voller Hingabe.

„Aus", hörten wir Laura Stimme und erschraken, und lösten uns eilig voneinander.

Hatten wir etwas falsch gemacht?

„Was ist passiert?" wandte ich mich an Kevin.

Der Regisseur lachte. „Nichts ist passiert. Die Szene war super, ich gebe sie gleich zum Kopieren. Ihr Beide wart einfach sehr gut und seid jetzt fertig."

Das ganze Team klatschte und Laura sah mich bedeutungsvoll an.

„Du bist ein Naturtalent", raunte sie mir lächelnd zu.

Ich räusperte mich verlegen. „Oh, ich habe mich einfach nur in die Rolle der Margareta hineinversetzt, ich war gar nicht mehr ich, und dann kam da der Prinz Ernst Wilhelm und hat der Prinzessin die erlösende Nachricht gebracht. Dann ging alles wie von selbst."

Laura lachte laut. „Ich glaube dir das aufs Wort. Und jetzt ab mit euch! Geht euren Sieg feiern! Das nächste Paar ist jetzt dran. Mal sehen, wie die sich anstellen. Es ist nämlich der Herr Bürgermeister selbst, da sind wir schon sehr gespannt, Kevin und ich und das ganze Filmteam."

Sie schob Ermanno und mich zur Tür hinaus.

Ich sah ihn nicht an. „Ich glaube, ich sollte mich noch ein bisschen um Maren, Ulrike und Ricarda kümmern. Heute sind sie alle noch einmal hier zusammen, da könnte ich und weiter recherchieren."

Er nahm meine rechte Hand in seine linke und hob mit der anderen mein Kinn hoch. „Du hast wunderbar gespielt, Abigail. Wirklich, wie echt! Du bist ein Naturtalent."

„Ach, nein. So schlimm ist es wirklich nicht. Ich wollte nur nicht, dass wir die Szene ein Dutzend Mal wiederholen müssen."

Er lächelte amüsiert. „Ja, das hast du dann auch gut hingekriegt. Aber du musst jetzt wirklich keine Recherchen tätigen, die Polizei ist nämlich auch hier, nicht nur Niklas, sondern auch Ben und sogar der Kommissar aus Wittentine."

Ich lächelte zurück. „Gut, was schlägst du dann vor?"

„Tanzen, heute wollen wir tanzen. So schnell haben wir nicht wieder so eine schöne Kulisse. Nur heute sind wir Prinz und Prinzessin. Komm, schöne Margareta! Lass uns die Zeit nutzen!"

Ich folgte ihm in den Ballsaal, wo uns romantische Walzermusik empfing.

Wir mischten uns unter die Tanzenden, drehten uns zum sanften Rhythmus zwischen fürstlichen Gestalten. Ich versuchte, die Gedanken an meine Arbeit aus dem Kopf zu verbannen und genoss die schöne Stunde mit Ermanno.

Oder war er Ernst Wilhelm?

Ich konnte es nicht trennen, war ich jetzt im Film oder lebte ich die Wirklichkeit?

In diesem Prinzessinnenkostüm sah die Welt ganz anders aus, ich fühlte mich wie im Märchen.

Und alles war gut so wie es war, mit Ernst Wilhelm an meiner Seite.

Adelaide erschien, bat um einen Augenblick Gehör und verkündete, dass in der großen Schlossküche das Buffet angerichtet sei.

Im selben Augenblick kam Maren schreiend in den Saal „Hilfe! Wo ist der Kommissar? Der Notarzt ist schon verständigt."

Niklas und Ben eilten zu ihr, auch ich drängte mich näher heran.

„Was ist passiert?" fragte Ermanno.

„Manuela ist aus dem Fenster der Bibliothek gefallen oder gestoßen worden. Sie liegt auf der Terrasse draußen, leblos. Ein Arzt, der gerade bei Laura mit seiner Partnerin eine Szene spielte, ist bereits bei ihr und leistet erste Hilfe, falls da noch etwas zu machen ist. Aber das Kuriose ist, das in der Bibliothek am offenen Fenster Tobias steht und völlig durcheinander ist.

Die beiden Kommissare und Ben eilten hinunter, um auf die Terrasse zu gelangen.

Ermanno wandte sich an Maren. „Tobias? Wie kommt der denn hierher? Der war doch bestimmt nicht hier zum Ball eingeladen, oder?"

Die junge Frau schüttelte den Kopf. „Natürlich nicht. Er ist doch ganz in Trauer. Ich habe ihn zufällig in der Bibliothek gefunden, als ich mich dort gerade ein bisschen ausruhen wollte, die Musik war mir hier etwas zu laut. Ich habe so empfindliche Ohren."

„Aber warum war er denn dann hier?" fragte ich erstaunt.

„Zuerst war er ganz durcheinander, noch mehr, als es jetzt ist. Da hat er kein Wort herausgebracht. Aber ich habe ihn etwas beruhigt, ihm ein Glas Wasser gegeben, und ihm gut zugeredet. Als er dann auf einem Stuhl saß, und ein paar Schlucke getrunken hatte, fand er auch seine Sprache wieder. Sicherlich hat er einen Schock, und die Notärzte müssen sich gleich auch noch um ihn kümmern. Im Moment ist Linda bei ihm. Sie ist ja Krankenschwester und weiß, wie man ihm am besten jetzt helfen kann."

„Aber warum ist er hier?" drängte nun auch Ermanno.

„Er hat gesagt, Manuela hätte ihn angerufen und hierher bestellt, zu ihm in die Bibliothek. Sie hat ihm gesagt, sie hätte ihm etwas ganz Wichtiges zu sagen. Sie wüsste nämlich, wer Schuld sei am Tod von India. Sie hat ihn dann gebeten, sich in die Bibliothek zu schleichen mit einer Maske, damit ihn keiner erkennt. Das hatte er dann auch getan, und die Maske liegt jetzt noch dort auf dem Schreibtisch. Und als er ankam, war das Fenster offen und Manuela lag draußen auf der Terrasse."

„Woher hatte er denn so schnell eine Maske?" erkundigte sich Ermanno.

„Das habe ich ihn auch gefragt. Diese Kostümbälle in der Karnevalszeit sind schon seit einer ganzen Zeit angekündigt worden. Dafür hatten sich er und India auch schon eine Maske gekauft, sie lag noch bei Tobias im Zimmer. Das war also kein Problem für ihn, sich so zu verkleiden."

Ermanno zog die Augenbrauen hoch. „Das wird jetzt sehr schwierig für Tobias. Hoffentlich glauben ihm die Kommissare diese Geschichte. Er könnte natürlich auch Manuela aus dem Fenster gestoßen haben, weil sie etwas über ihn wusste und nicht über einen unbekannten Täter. Vielleicht wollte sie ihn mit ihrem Wissen erpressen."

Ich seufzte. „Ich glaube nicht, dass Tobias der Täter ist. Das kann ich mir einfach nicht vorstellen. Dazu ist er viel zu verzweifelt."

„Das kann er ja auch über sich sein", wandte Ermanno ein. „Mit einem schlechten Gewissen."

Ich schüttelte energisch den Kopf. „Fängst du jetzt auch noch damit an, Tobias zu verdächtigen?! Ich kann mich doch nicht so täuschen, so wie er trauert, so, wie er sie geliebt hat."

„Das schließt sich alles nicht aus", meinte er. „Am besten gehen wir auch einmal zu Tobias, vielleicht können wir ihm irgendwie helfen."

Gemeinsam machten wir uns auf den Weg zur Bibliothek, wo wir Tobias und den Kommissar Neubert aus Wittentine im Gespräch vorfanden. Linda stand daneben und schien auf die Beiden aufzupassen.

„Wie geht es Ihnen, Tobias?" wandte ich mich an den jungen Mann, dessen Augen ins Leere blickten.

„Inzwischen ist mir schon alles egal", meinte Tobias resigniert. „Der Herr Kommissar Neubert wollte mich schon festnehmen, wegen Tatverdacht. Er scheint wirklich etwas gegen mich zu haben. Dabei habe ich doch gar nichts getan. Manuela hat mich angerufen, ich solle sofort hierher kommen, sie hätte eine wichtige Mitteilung für mich. Das beträfe India und ihren Tod, und sie habe jetzt herausgefunden, dass sie den Mörder kennt. Ich bin dann sofort hierher geeilt, mit Maske, wie sie das wollte. Manuela war nicht hier, ich habe mich umgeschaut. Da stand dann das Fenster offen, und ich habe hinausgeschaut. Unten lag dann Manuela, und ich wollte Hilfe holen. Aber in dem Augenblick kam diese junge Frau herein, ich weiß nicht mehr, wie sie heißt, die hat dann alles gemacht, Hilfe geholt und so."

„Das war Maren", verriet ich ihm. „Sie hat uns eben im Ballsaal Bescheid gesagt, dass du hier bist. Jetzt musst du dich erst einmal beruhigen, sicher hast du einen Schock."

„Aber der Kommissar hier, der verdächtigt mich! Er behauptet, ich hätte etwas mit Manuelas Sturz zu tun. Wenn es ihr wieder gut geht, wird sie sicher bestätigen können, dass ich ihr nichts getan habe. Sie lag schon draußen, als ich hier ankam."

„Das werden wir schon feststellen", bemerkte der Kommissar. „Im Augenblick sieht es aber erst einmal so aus, dass diese junge Frau da unten liegt, und Maren sie hier allein am Fenster stehend vorfand."

„Vielleicht hat sie sich zu weit hinausgelehnt", vermutete Tobias.

„Es gibt aber noch eine zweite Möglichkeit", überlegte ich. „Wenn Manuela wirklich den Täter kennt und Tobias hierher bestellt hat, dann ist der Täter vielleicht hier auch auf dem Fest. Deswegen sollte auch Tobias heimlich und verkleidet in die Bibliothek kommen. Aber vermutlich hat der Täter dann Manuela beobachtet und auch belauscht, wie sie mit Tobias telefoniert hat. Und nun wollte er natürlich verhindern, dass er von Manuela an Tobias verraten wird. Deswegen folgte er ihr in die Bibliothek, und dort hat er sie dann zum Fenster hinausgestoßen."

„Also wieder mal der große Unbekannte", spottete Neubert. „Sie haben wohl sehr viel Fantasie, Frau Mühlberg."

„Die muss man auch haben", verteidigte mich Ermanno. „Abigail kann absolut Recht haben. Für mich klingt diese Geschichte sehr logisch. Denn warum sollte Manuela Tobias sonst gerade jetzt hierhin in das Schloss bestellt haben. Sie hätte ihn sonst jederzeit zu Hause aufsuchen, und alles mit ihm klären können."

„Nicht, wenn ihr gerade eben wichtige Dinge eingefallen waren, die sie sofort mit Tobias zu klären hatte. Irgendein Indiz, mit dem sie ihn überführen konnte", widersprach der Kommissar.

„Dann hätte sie nicht Tobias sondern die Polizei gerufen", wandte ich ein.

Neubert sah mich unfreundlich an. „Nicht unbedingt. Schließlich hat sie vermutlich Tobias immer noch geliebt. Da wollte sie die Dinge vielleicht mit ihm erst einmal persönlich klären. Wir müssen auch noch herausfinden, wer das Fenster geöffnet hat. Vielleicht finden wir da ja die entsprechenden Fingerabdrücke."

Ich schüttelte den Kopf. „Da werden sie wenig Glück haben. Ich weiß zufällig, dass die Putzfrauen vorhin noch hier waren in der Bibliothek. Und die haben dann immer den Auftrag, hier noch einmal gut zu lüften, weil hier die ganzen alten Gerätschaften aus der alten Druckerei von Sankt Augustine und die vielen alten Bilder und Bücher aufbewahrt werden. Da sind auch einige Dinge dabei, die ein wenig muffig stinken. Deswegen wird hier auch zwischendurch sehr gut gelüftet. Die Bibliothek sollte nämlich heute erst einmal nicht benutzt werden."

„Trotzdem werden wir das Fenster untersuchen. Wir sind sehr gründlich hier bei der Polizei. Und Sie sollten uns auch nicht dazwischenfunken, sonst müssen wir Sie leider auffordern, sich etwas fernzuhalten"

Ermanno mischte sich ein. „Dann wäre es wohl am besten, wenn Tobias jetzt seinen Anwalt anruft und hierher kommen lässt", schlug er vor.

„Nein, das ist nicht nötig", fand der Kommissar. „Ich habe ihn ja noch nicht festgenommen. So ganz eindeutig ist es eben nicht. Wenn man ihm glauben schenkt, dann hat er keine Schuld an diesem Unfall. Aber es ist doch schon merkwürdig, dass er wieder als nächster am Tatort aufzufinden war."

„Kein Wunder", behauptete ich, „schließlich geht alles ja immer noch um seine Verlobte, um India. Sie war das erste Opfer, und Manuela ist seine Exfreundin und auch ein bisschen verdächtig gewesen, meiner Meinung nach."

Neubert hob drohend den Finger „Sehen Sie! Das ist nun auch schon wieder ein Motiv dafür, dass Tobias jetzt diese junge Frau aus dem Fenster geworfen haben könnte. Wenn er nicht selbst Schuld war an Indias Tod, sondern Manuela, dann wollte er sie eben dafür bestrafen."

„Aber das ist doch ein Witz!" fand Ermanno. „Das hätte er doch dann schon längst tun können. Warum sollte er gerade hierher kommen, obwohl doch heute gerade so ein großes Fest im Schloss stattfindet. Da muss man damit rechnen, sofort entdeckt zu werden. Nein, das Ganze muss sich heute während des Festes hier entwickelt haben. Der Täter hatte wohl zuerst ein Gespräch mit Manuela, und deswegen hat sie Tobias hierher bestellt. Das ist die einzige mögliche Erklärung."

Niklas Meyer und ein Arzt, der sich als Notarzt Dr. Baum vorstellte, betraten die Bibliothek.

Während der junge Doktor den Verdächtigten untersuchte, flüsterte Niklas uns fast unhörbar zu: „Es war leider nichts mehr zu machen. Der Sturz aus so großer Höhe hatte tödliche Folgen."

Es war offenbar nicht leise genug gesprochen, Tobias stöhnte auf. „Nein! Nicht das auch noch!" Mit diesen Worten brach er zusammen.

Während sich Ermanno und der Notarzt um ihn kümmerten, fand Neubert schon wieder neue Motive.

„Ja, da gibt es auch noch eine andere Theorie, wie der Fall gelaufen sein kann. Die Liebe zwischen

Manuela und Tobias war möglicherweise wieder aufgeflammt. Die beiden wollten nun India loswerden und haben den Mord an India als Unfall inszeniert. Nun kann Manuela von irgendjemandem verdächtigt worden sein, in ihrer Not hat sie Tobias gerufen. Sie wollte vielleicht der Polizei alles beichten, deswegen hat er sie zum Fenster hinaus gestoßen. Schließlich habe ich selbst gehört, wie sie über India gesprochen hat. Sie hat diese reizende Frau bei allen schlecht gemacht, wahrscheinlich hat sie sie als Rivalin gehasst."

„Wir nehmen ihn jetzt mit ins Krankenhaus", unterbrach ihn der Doktor. „Ihm geht es nicht gut, er muss jetzt unter Beobachtung bleiben."

Während Dr. Baum und Ermanno Tobias, der wieder zu Bewusstsein gekommen war, hinaus führten, rief der Kommissar seinen Assistenten und die Spurensicherung an.

„Ihre Theorie hat einen großen Haken", wandte ich mich an Neubert. „Sie war sehr intelligent, diese Manuela. Sie hätte niemals India so deutlich und ehrlich schlecht gemacht, wenn sie die Täterin gewesen wäre. Dazu war sie zu schlau, um sich selbst verdächtig zu machen."

„Alles Taktik! Mit solchen Leuten habe ich genug Erfahrung. Vielleicht denken Sie, ich sei ein sehr misstrauischer Mensch. Ja, und damit haben Sie sogar Recht. Aber das ist gut für meinen Beruf. Ich lasse keine persönlichen Gefühle dabei zu. Bei Ihnen habe ich manchmal das Gefühl, dass Sie ihr Bauchgefühl zu sehr sprechen lassen. Sie finden wohl Tobias einfach nur sympathisch, und deswegen kann er Ihrer Meinung nach nicht der Täter sein. Für mich ist er eben besonders verdächtig, weil er intensiven Kontakt mit den beiden Toten hatte, und die Beiden als Letzter lebend gesehen hat, so wie es momentan den Anschein hat."

„Das ist nur Ihre Theorie", widersprach ich ihm. „Wenn das stimmt, was Tobias sagt, und ich glaube ihm, weil seine Geschichte sehr logisch klingt, dann muss es sowohl bei India noch ein anderer gewesen sein, der sie nach Tobias lebend getroffen hat, und in diesem Fall jemand bei Manuela gewesen sein, der noch vor Tobias hier war. Und das halte ich für gut möglich, bei den vielen Anwesenden, die gerade heute im Schloss sind. Hier ist heute so viel Trubel, nicht nur im Ballsaal, sondern durch die Dreharbeiten auch in vielen anderen Zimmern des Schlosses. Da werden sie jetzt reihenweise Verdächtige finden."

Er schüttelte den Kopf. „Ich halte ihn weiterhin für den Hauptverdächtigen. Natürlich werden wir auch weitgefächert andere Spuren verfolgen, aber ich glaube ihm nicht, er wirkt mir doch sehr labil."

„Er ist einfach nur sehr sensibel", verteidigte ich Tobias. „Wem würde es nicht ans Herz gehen, wenn er seine Verlobte auf diese Art und Weise verliert. Und diesmal handelt es sich auch um seine Exfreundin, ganz abgesehen davon, dass es immer erschütternd ist, wenn ein Mensch auf diese Weise aus dem Leben gerissen wird. Da ist es doch kein Wunder, dass er jedes Mal einen Schock erleidet und auch seine Nerven jetzt ziemlich blank liegen."

„Für mich hat er jedenfalls ein Täterprofil", behauptete der Kommissar. „Und daher möchte ich Sie bitten, sich auch weitgehend zurückzuhalten. Auch wenn Sie bisher mit Herrn Meyer gütlich zusammengearbeitet haben, für meine Person lasse ich das nicht zu."

„Das würde mir auch kein Vergnügen bereiten", ließ ich ihn wissen.

Ermanno kam zurück in die Bibliothek. „So, der Krankenwagen hat Tobias auch mit nach Wittentine genommen. Dort ist er erst mal am besten aufgehoben."

Ich atmete auf. „Das ist gut. Der Arme war ja total durcheinander. Das war jetzt wirklich zu viel für ihn. Erst hat er die Verlobte verloren, die er so sehr geliebt hat, und dann auch noch die Exfreundin. Wie soll man so etwas nur verarbeiten?"

„Ja, ihm ging es wirklich schlecht. Die Leute aus dem Ballsaal sind übrigens gerade in die Schlossküche gegangen, um sich am Buffet zu bedienen. Wie sieht es mit dir aus, Abigail? Hast du nicht auch allmählich etwas Hunger?" Er wandte sich an den Kommissar. „Und Sie können sich natürlich auch dort bedienen" schlug er ihm vor.

„Lieber nicht. Die Spurensicherung wird gleich kommen, solange passe ich besser hier auf. Nicht, dass uns einer hier noch etwas wegwischt, um Tobias zu entlasten."

Ich warf ihm einen vernichtenden Blick zu und folgte Ermanno aus der Bibliothek.

„Was können wir froh sein, dass wir hier in Sankt Augustine normalerweise hier nur Niklas Meyer als Kommissar haben. Zu dumm, dass sich dieser Neubert immer noch in diesen Fall einmischt. Wenn es nach ihm allein ginge, hätte er Tobias bestimmt schon hinter Schloss und Riegel gebracht."

In der Schlossküche hatten sich die Gäste zum Buffet eingefunden und bedienten sich reichlich trotz dieses schrecklichen Geschehens.

Laura begegnete mir mit einem großen Teller voll delikater Happen. „Adelaide hat uns eben dazu aufgefordert", meinte sie entschuldigend. „Das sei zwar nun wieder ein vermutlich sehr tragischer Unfall, aber deswegen müsste man das gute und teure Buffet nicht unbedingt wegschmeißen. Der Mensch müsse ja schließlich essen."

„Da hat sie nicht ganz unrecht", fand Ermanno. „Trotz allem müssen wir weiterleben."

Über Lauras Gesicht huschte ein Lächeln. „Und? Wie lebt ihr beide weiter mit diesem fantastischen Kuss?"

Ich blinzelte sie etwas verlegen an. „Oh, wir sind jetzt wieder Ermanno und Abigail. Dieses schlimme Erlebnis hat uns wieder in die Wirklichkeit zurückgeholt. Margareta und Ernst Wilhelm haben sich wieder ins Mittelalter zurück verzogen. Jetzt werden wir wieder Hilfskommissare sein."

„Na ja, vielleicht müsst ihr die Szene auch morgen noch einmal wiederholen. Möglicherweise war das Filmmaterial gar nicht so gut", behauptete sie.

„Was?" Ich starrte sie entgeistert an. „Wieso das denn? Das machen wir bestimmt nicht noch einmal, jetzt, wo wir so ernüchtert sind."

Laura lachte. „Na, dann habt ihr aber Glück gehabt. Das war auch nur ein Witz von mir. Ich wollte mal sehen, wie du so reagierst. Die Aufnahmen sind fantastisch geworden."

„Du bist gemein", schimpfte ich scherzhaft mit ihr. „Wie kannst du mir solch einen Schrecken einjagen?!"

Ermanno sah mich liebevoll an. „Ach, so schlimm war es doch gar nicht. Ich denke, das bekämen wir auch noch mal ein zweites Mal so hin."

Ich drohte ihm lächelnd. „Ich bin keine Schauspielerin, das war nur eine Ausnahme. Das lasse ich bestimmt nicht zur Regel werden. Und was hältst du nun jetzt von der neuen Entwicklung mit Tobias", wechselte ich das Thema, indem ich mich an Laura wandte.

„Darüber diskutieren hier alle heiß. Und jeder hat eine andere Meinung dazu. Aber die meisten halten Tobias für unschuldig, zumindest alle, die ihn kennen. Jeder schätzt ihn als einen besonnenen Typ ein, der niemals ausflippt. Die meisten glauben an den großen Unbekannten oder die große Unbekannte, irgendwie muss wohl noch mehr dahinter stecken, als man bisher vermutet hat."

„Genau das glaube ich auch", stimmte ich ihr zu. „Und daran denke ich schon lange, seit ich erfuhr, dass diese Praline vorher präpariert wurde, zu welchem Zweck auch immer."

***

17. Kapitel

Nachdem sich alle Gäste am Buffet in der Schlossküche reichlich bedient hatten, ließ der Bürgermeister noch einmal alle in den Ballsaal kommen, um eine Rede zu halten und sein Bedauern über das Ende dieses Abends zum Ausdruck zu bringen. Nachdem die Kommissare alle Personalien der Anwesenden aufgenommen hatten, trennten sich die Gäste und verteilten sich teilweise auf die Fremdenzimmer im Schloss, zum anderen Teil auf die Hotelzimmer der Traube, zu denen man einige zurückbrachte. Die Ortsansässigen verließen das Schloss zuletzt, nachdem sie noch ein wenig Ordnung gemacht hatten.

Moro hatte sich schon früh in sein Schlafzimmer zurückgezogen, und Adelaide gesellte sich noch ein Moment zu mir und Ermanno, der mir seit dem unglücklichen Geschehen nicht mehr von der Seite gewichen war.

„Das hätten wir von diesem Tag nicht erwartet", wandte sie sich an uns. „Diese Manuela war vielleicht manchmal etwas direkt und auch schon einmal frech und vorlaut, aber sie hatte keinen schlechten Charakter. Und so etwas hat man ihr wirklich nicht gewünscht. Mittlerweile glaube ich gar nicht mehr, dass diese Taten irgendetwas mit den Märchen und der Schauspielerei zu tun hatten, obwohl beide sich mit dem Laienspiel beschäftigt haben. Wer war denn heute alles in Manuelas Nähe? Habt ihr da irgendeinen Partner mit ihr zusammen gesehen?"

Ich schüttelte den Kopf. „Ich habe ein paar Worte mit ihr gewechselt heute Abend. Wir haben noch über die Pralinen gesprochen. Und ich wollte doch herausfinden, ob India diese Nascherei nun wirklich nicht mehr mochte, oder wie es gerade mit ihren Vorlieben aussah. Aber vielleicht ist das auch überhaupt nicht wichtig."

„Doch", fand Ermanno. „Das ist schon sehr wichtig. Wenn sie sie zu diesem Zeitpunkt nicht mehr mochte, dann hat sie sie auch nicht freiwillig gegessen. Damit wird diese Tat auch viel brutaler. Diese Tatsache sollten wir doch im Auge behalten bei unseren weiteren Ermittlungen."

„Ja, morgen kommen die Kommissare wieder hierher", wusste Adelaide. „Da gibt es dann noch Untersuchungen und Befragungen. Aber am Abend findet trotzdem der Film-Vorführabend statt, und natürlich auch die Preisverleihung. Wir haben also den ganzen Tag noch etwas zu gucken, Moro und ich. Wie hat es denn bei euch geklappt?"

Ermanno amüsierte sich. „Wir haben das wirklich prima gemacht, das fand auch Kevin. Wir sind von allen gelobt worden. Abigail meint, wir seien wohl Naturtalente. Aber du kannst dir morgen selbst eine Meinung darüber bilden. Sicher wird dir die Szene gefallen."

Ich gähnte. „Jetzt muss ich dringend schlafen, wir haben schon Mitternacht vorbei, und das war ein langer und auch aufregender Tag. Ihr Zwei entschuldigt mich?"

Adelaide lächelte. „Gut, dann leistet mir Ermanno sicher noch bei einem Gläschen Wein Gesellschaft?"

Er nickte ihr zu. „Aber gern. Wir werden den Abend ausklingen lassen."

Ohne mich zu verabschieden winkte ich den beiden noch einmal zu und eilte die Treppen hinauf in Rolfs kleine Dachwohnung.

Dort angekommen zog ich die Schuhe aus und warf mich erst einmal auf das große Bett um meine wirren Gedanken zu sortieren. Schrecklich, dieser Unfall von Manuela. Hoffentlich fand man nicht heraus, dass sie hinausgestoßen worden war. Das wäre dann ein Mord, und somit hätten wir es wieder mit einem unberechenbaren Täter zu tun.

Nachdem ich noch einmal alle bisher Verdächtigen durchgegangen war, kam ich zu dem Schluss, dass mich meine Gedanken zu dieser Stunde nicht weiter bringen konnten.

Ich sah auf mein Handy, Rolf hatte inzwischen versucht, mich zu erreichen, vor etwa einer Stunde musste das gewesen sein.

Ob ich ihn jetzt noch anrufen sollte? Nein, entschied ich mich. Um diese Zeit würde er sicher längst schlafen. Eine weitere Nachricht hatte er mir nicht hinterlassen, stellte ich fest. Möglicherweise hatte er auch mit dieser Vera einen langen Abend gehabt. War ich eifersüchtig darauf? Ach, nein, dazu hatte ich doch keinen Grund. Und außerdem war ich den ganzen Abend mit Ermanno zusammen gewesen. Und dieser Filmkuss? Was war da nun gewesen zwischen uns? Hatten sich da wirklich Margareta und Ernst Wilhelm geküsst? Wenn ich ehrlich war, musste ich zugeben, dass es wunderschön gewesen war und sich richtig angefühlt hatte. Und was hatte das jetzt zu bedeuten? War ich in Ermanno verliebt? Liebte ich ihn vielleicht sogar? Ach nein, solche Gedanken kamen mir bestimmt jetzt nur, weil ich so müde war und dieser Tag eine Menge Aufregungen bereit gelegt hatte.

Ich versuchte, meine Gefühle zu Rolf zu überprüfen, aber auch dazu fühlte ich mich zu müde. Nein, morgen war auch noch ein Tag. Wie war es doch in der Filmszene des großen Klassikers „Vom Winde verweht"? Verschieben wir es auf morgen. Heute konnte ich sie gut verstehen, heute wollte ich auch nichts mehr klären.

Und während ich noch darüber nachdachte, schlief ich ein, fest und scheinbar traumlos und wachte erst auf, als jemand lautstark an die Wohnungstür klopfte. Verschlafen rieb ich mir die Augen, sprang aus dem Bett und öffnete die Tür einen Spalt. Als ich sah, dass es Laura war, die aufgeregt zappelnd hineindrängte, beeilte ich mich, sie hereinzulassen.

Noch ehe ich sie begrüßen konnte, sprudelte sie los: „He, du Schlafmütze! Die Ereignisse überschlagen sich, und du pennst hier!"

Sie setzte sich aufs Sofa. „Zunächst einmal hat die Polizei festgestellt, dass es wohl keinen Gerangel oder ein Kampf war, bei dem Manuela aus dem Fenster fiel, also ganz anders als bei India. Nur dass Manuela weder eine Praline noch ein Schlafmittel im Magen hatte. Niklas ist noch unten bei Adelaide und Moro. Aber eigentlich ist er gar nicht gekommen, um uns diese neuen Ergebnisse mitzuteilen, sondern es sind zwei Besucher angekommen."

„Besucher? Etwa Rolf?"

„Nein! Wo denkst du hin?! Es hat mit dem Fall zu tun. Und es ist nicht nur abenteuerlich, sondern auch total verrückt. Ganz verrückt auch die Duplizität der Ereignisse."

Während ich ihr ein Glas Wasser hinschob, drängte ich sie: „Nun erzähl schon! Erst machst du mich neugierig und hast es eilig, und jetzt redest du wie die Katze um den heißen Brei."

Sie kicherte. „Ja, heißen Brei könnten wir beinahe gut gebrauchen. Es sind zwei Kinder da, die aber absolut nichts miteinander zu tun haben."

Ich sah sie irritiert an. „Ich verstehe nur Bahnhof. Kannst du mir das nicht einmal erzählen, schön langsam, alles von Anfang an?"

„Natürlich. Also zu Niklas, bzw. der Polizei kam heute Morgen in aller Frühe eine Lehrerin aus dem Norden Englands. Dort ist nämlich ein Internat, gekoppelt an eine Musikschule für Hochbegabte. Und einen davon hat sie gleich mitgebracht, weil er jetzt Vollwaise ist. Das ist Tim, Indias Sohn, und er ist sechs Jahre alt."

Ich staunte. „India hatte einen Sohn? Aber davon wusste ich ja gar nichts."

„Davon wusste ja überhaupt keiner etwas. Nicht einmal Tobias. Und dem will es Niklas nachher schonend beibringen, der liegt nämlich noch im Krankenhaus. Dieser kleine Knirps ist jetzt unten bei Adelaide, die sich um ihn kümmern will. Denn die Lehrerin will so bald wie möglich wieder zurück ins Internat nach England fliegen."

„Du sagtest gerade, das sei ein Musik-Internat? Ist der kleine Tim denn so musikalisch?"

„Offenbar ja. Und dieses Internat ist auch sehr teuer. Weiß der Kuckuck, woher India das Geld dafür genommen hat."

„Vielleicht sind diese antiken Uhren auch gar nicht in dem Museum des Onkels, sondern von ihr wieder verkauft worden?" vermutete ich. „Vielleicht hat sie davon dann die Internatskosten bezahlt."

„Das ist gut möglich. Du musst ihn dir einmal ansehen, den Kleinen. Er ist ein drolliges Kerlchen. Aber er scheint seine Mutter gar nicht zu vermissen, da er wohl schon sehr lange nicht mehr bei ihr lebt. Ich werde es noch erfahren, vielleicht war er vorher in irgendeinem Heim. Er meinte ganz alt klug, dass er seine Mutter gar nicht gut kennt."

„Der Arme", bemitleidete ich ihn. „Selbst wenn er sie nicht oft gesehen hat, immerhin ist es seine Mutter. Aber du hast doch eben von zwei Kindern gesprochen. Oder habe ich mich da verhört?"

„Ja, genau. Ich sprach von der Duplizität der Ereignisse. Kurz nachdem sich Niklas dann von seiner Überraschung erholt hatte, wurde ein acht jähriger Junge gebracht. Aus der Nähe von Wittentine kam eine ältere Frau mit ihm angereist, nachdem Manuelas Unfall heute Morgen in der Zeitung gestanden hat. Sie ist die Leiterin von einem Kinderheim, in dem Lars, Manuelas Sohn, untergebracht war. Der kennt allerdings seine Mutter sehr gut, denn sie muss ihn oft dort besucht haben. Dagegen konnte er uns mit der Nachricht überraschen, dass seine Mutter ihn bei vielen Bekannten und Freunden verheimlicht hat, allen, mit denen sie hier zu tun hatte. Wenn ich ihn richtig verstanden habe, wussten auch Manuelas beste Freunde nichts von ihm."

„Und damit meinst du sicher India und Tobias, oder?"

„Ja, Lars kennt die Namen von den Beiden, aber sie hat ihm wohl verboten, mit den beiden Kontakt aufzunehmen. Trotzdem muss sie liebevoll zu ihm gewesen sein", wusste Laura.

„Es ist wirklich kaum zu glauben, was sich in der kurzen Zeit schon alles ereignet hat, heute Morgen. Und ich kann es auch gar nicht glauben, was du schon alles über die beiden Jungen weißt. Du bist ja viel besser als ich, Jens Wieland würde dich sofort einstellen. Aber als Kollegin von Bernhard Schmidt wärst du auch super."

Laura lachte laut. „Ich hätte auch nie gedacht, dass Kinder in solchen Situationen so gesprächig sind, und kein bisschen schüchtern. Der kleine Tim ist so drollig, er hat Adelaide beim Frühstück schon mehrmals zum Lachen gebracht. Und Lars ist auch ein netter Kerl, total offen, er hat sich mit uns unterhalten, als würde uns schon eine Ewigkeit kennen. Sogar mit Moro hat er schon tiefschürfende Gespräche geführt."

„Da hat Adelaide sicher ihren Spaß", freute ich mich.

„Und was wird jetzt mit den Kindern?"

„Bis alles jetzt so geklärt ist, vielleicht geht es dabei auch noch um die Beerdigungen, bleiben die Kinder erst einmal bei Adelaide im Schloss. Sie sind ja nicht die einzigen hier, zum Glück. Lena und Michi wohnen ja auch mit ihren Müttern hier im Schloss. Da haben sie erst einmal eine nette Gesellschaft."

„Dann wird es im Schloss ganz schön voll werden, und lustig", vermutete ich.

„Die Lehrerin aus England bleibt ein paar Tage hier, hat sie uns verraten. Sie wurde übrigens von der Polizei aus Wittentine über Indias Tod unterrichtet. Zumindest dabei können wir die Gründlichkeit von Kommissar Neubert loben. Aber die Heimleiterin, die das Ereignis aus der Zeitung erfuhr, bevor

Neubert sie unterrichten konnte, ist schon wieder abgedüst und hat Adelaide das Kind sofort anvertraut, nachdem sie hier im großen Wagen der Polizei mit Niklas hier angekommen ist. Offenbar nimmt diese pflichtbewusste Frau an, dass es im Heim ohne sie nicht funktioniert."

„Das sind ja alles Neuigkeiten! Und alles vor dem Frühstück. Das muss ich wirklich jetzt erst einmal verdauen. Zwei Kinder kommen plötzlich so hereingeschneit, und das Drollige ist, dass beide Mütter offensichtlich ihre Heimlichkeiten damit hatten."

„Ja, und beide waren einmal Freundinnen von Tobias. Das hat mir dann doch etwas zu denken gegeben", fand Laura. „Wenn Tobias wirklich so ein netter Kerl ist, warum haben dann beide vor ihm ihre Söhne verheimlicht. Das kommt mir jetzt wirklich etwas sehr merkwürdig vor. Ob das ein Zufall ist?"

„Ja, wirklich komisch", stimmte ich ihr zu. „Dabei ist Tobias doch wirklich furchtbar nett. So sehr konnten wir uns doch nicht täuschen. Bestimmt mag er doch auch Kinder, oder?"

„Das müssen wir natürlich unbedingt herausfinden, Abigail. Das ist jetzt nämlich für den weiteren Verlauf eine wichtige Frage. Es gibt auch viele nette Männer, die sich nicht vorstellen können, Kinder zu haben. Und das aus den verschiedensten Gründen heraus. Ich denke, wir müssen so bald wie möglich Tobias aufsuchen."

„Oh, zuerst einmal muss ich diese Kinder kennenlernen. Einmal, weil du sie mir ja schon so ans Herz gelegt hast, zum anderen aber auch, weil sie uns vielleicht wichtige Dinge über ihre Mütter erzählen können, die uns vielleicht weiterbringen bei den Recherchen."

„Tim wird uns da nicht helfen können", vermutete Laura. „Wie ich dir schon verraten habe, er behauptet, seine Mutter nicht richtig zu kennen, weil er sie so gut wie nie gesehen hat. Na ja, es könnte natürlich auch ein kindlicher Trick sein, weil er sich von uns nicht ausfragen lassen will."

„Oder weil es India so wollte aus irgendeinem Grund", überlegte ich.

Laura lachte. „Ich glaube, jetzt werden wir wirklich schon ganz verrückt und fangen wieder mal an, alles ganz kompliziert zurechtzulegen, viel komplizierter, als das Leben sein kann."

Ich lachte mit. „Keine Sorge, das Leben ist noch viel komplizierter, als wir denken. Wenn du einen Augenblick wartest, dann mache ich mich rasch fertig und komme mit dir hinunter. Ich hatte eben die Kaffeemaschine mit einem Klick eingestellt. Eigentlich müsstest du dich jetzt schon bedienen können."

Während sich Laura Kaffee einschenkte, eilte ich in die Dusche, um mich dort einer Katzenwäsche zu unterziehen. Rasch schlüpfte ich in meine Kleidung, für den kühlen Frühjahrstag wählte ich einen Rollkragenpullover und eine wärmende lange Hose. Für Schminke hatte ich heute keine Zeit, nur die Haare bürstete ich ausgiebig.

Laura hatte inzwischen schon den zweiten Kaffee getrunken. „Mann, hast du aber eine Leitung", beschwerte sie sich.

„Ich bin gestern angezogen auf dem Bett eingeschlafen", gestand ich ihr. „Da musste ich heute Morgen doch wenigstens kurz duschen."

Sie grinste. „Gut, ich entschuldige dich. Aber jetzt beeil dich, sonst verpassen wir all die tollen Geschichten, die die beiden Strolche da unten erzählen."

Ich nahm einen Schluck Kaffee und folgte ihr.

„Eigentlich hatte ich noch vorgehabt, Rolf einen guten Morgen zu wünschen. Aber das hatte nun auch noch ein bisschen Zeit. Möglicherweise schlief er ja er noch. Ich hoffte, dass ich das später nicht bei all dem Durcheinander vergessen würde.

Wir suchten Adelaide in der Küche, wo Laura sie zuletzt mit dem Besuch gesehen hatte, fanden sie aber dort nicht. Stattdessen trafen wir sie in der Bibliothek, wo sich die beiden Kinder mit ihr und der Englischlehrerin neugierig um die große alte Druckerpresse versammelt hatten und daran herumfingerten.

„An diesen alten Dingern kann man wenigstens nichts kaputt machen", bemerkte Laura.

„Wirklich nicht", stimmte ich ihr zu. „Die waren damals so stabil, da wären die Menschen von heute neidisch. Die scheinen sich schon alle ganz gut zu verstehen, die Schlossherrin und ihre Gäste."

Adelaide erklärte den Kindern die Bedienung der Presse.

Nachdem sie die alte Werkstatt genügend bestaunt hatten, erblickten sie die Bilder, die alten Gemälde und Bücher der vergessenen Dichter, die man während der Nazizeit verfolgt hatte.

„Diese Kunstwerke hat zum großen Teil Abigail Mühlberg zusammengetragen", erklärte ihnen Ada. „Seht, dort kommt sie gerade!" Sie zeigte auf mich.

„Hallo!" begrüßte ich die Umstehenden. „Das sind wirklich wertvolle Fundstücke, auch die Bewohner von Sankt Augustine und Umgebung haben sehr geholfen, alles zusammenzutragen. Vielleicht habt ihr schon einmal aus dieser Zeit gehört, in der hier in Deutschland Menschen verfolgt wurden, nur weil sie einer anderen Religion angehörten. Unendlich viele sind sogar umgebracht worden."

Lars nickte eifrig. „Wir haben schon einmal in der Schule darüber gesprochen, im Februar gerade, da war ein Gedenktag. Auch meine Mutter hat mir schon davon erzählt, und wir haben gemeinsam überlegt, dass auch heute immer noch Menschen damit nicht klarkommen."

„Das stimmt", bedauerte ich. Deswegen tragen wir hier auch alles zusammen, was an diese Zeit und diese armen Menschen erinnert. Wenn ihr euch diese Bilder einmal da drüben anseht, die stammen von einem Maler, der zwar offiziell Deutscher war, aber seine Bilder wurden vernichtet, weil er hauptsächlich etwas Modernes malte, das damals als „Entartete Kunst" galt. Deswegen musste er auch Bilder im Ausland verstecken, die wir glücklicherweise wieder gefunden haben."

„Die Bilder sind ganz toll", fand Tim. „Sie sehen aus wie die Musik, die ich mache."

Adelaide freute sich. „Genauso ist es. In der Kunst verbindet sich alles. Wenn du Lust hast, kannst du nachher auch einmal meinen Mann besuchen, den Maler Moro Rossini. Auch er malt in der Regel wenig Gegenständliches. Es sind meist Kompositionen aus Farben und Formen, die seine Gefühle und Gedanken ausdrücken. Vermutlich wirst du Spaß daran haben."

Der Kleine sah sie zutraulich an. „Na klar! Aber spreche ich auch gut genug Deutsch? In England spreche ich nur Englisch. Deutsch kann ich nur aus der Schule. Aber ich mag es auch, unsere Deutschlehrerin ist meine Freundin. Sie hat mich oft in den Ferien mit nach Hause genommen in ihre Familie. Sie ist eine Freundin meiner Mutter und heißt Anne wie die Prinzessin aus England."

Ada lächelte. „Du sprichst ganz einwandfrei ein sehr gutes Deutsch", lobte sie ihn. „Wie lange lernst du diese Sprache denn schon?"

„Ich habe vorher bei einer deutschen Familie in England gewohnt. Dort in der Familie war es sehr schön. Die haben natürlich alle beides geredet, Deutsch und Englisch. Also kenne ich beide Sprachen schon ein bisschen von Anfang an."

„Und seit wann warst du in der Familie von Anne? Und hat dich deine Mutter dort auch manchmal besucht?"

Er strich sich mit den Fingern durch sein blondes, kinnlanges Haar. „Natürlich. Einmal im Monat, aber nur ein paar Stunden. Ich weiß nicht, seit wann ich dort bin. Ich glaube, meine Mutter hat mich dorthin gebracht, als es noch ein Baby war. Aber ich fand es dort immer ganz gut. Mit den Kindern konnte ich immer toll spielen und alle waren nett zu mir."

Ada lächelte ihn an. „Zum Glück wirst du hier im Schloss auch ein paar nette Kinder finden, mit denen du vielleicht spielen kannst. Oder möchtest du lieber wieder zurück zu der Familie, in der du aufgewachsen bist?"

Tim sah sie mit großen Augen an. „Nein. Das ist jetzt nicht mehr so gut. Sie haben jetzt selbst weder ein Baby bekommen. Da können sie mich nicht so gut gebrauchen. Und ich mag auch alte Schlösser, da kann man auch Ritter spielen. Meine Lehrerin hat mir auch gesagt, dass es hier in der Nähe ein gutes Musikinternat gibt."

„Aber du hast doch da bestimmt Freunde", wandte Adelaide ein.

Er schüttelte den Kopf. „Nein, die meisten waren neidisch auf mich, weil ich so gut Klavier spielen kann und immer und überall vorspielen musste. Vielleicht ist das hier mal anders. Bisher hatte ich noch keine Freunde. Aber vielleicht habe ich das von meiner Mutter geerbt", bemerkte er altklug.

„Wie meinst du das, Tim?" fragte ich ihn.

„Meine Mutter hat mir gesagt, dass viele Menschen nicht gut sind, dass man nur ganz selten einen echten Freund findet. Da habe ich sie gefragt, ob das bei ihr auch so ist. Und sie sagte ja, sie würde auch keinem Menschen trauen."

Adelaide, Laura und ich sahen uns bedeutungsvoll an.

Das passt eigentlich nicht zu der India, die wir kennengelernt hatten. Sie war so offen, zutraulich und freundlich zu uns gewesen.

„Weißt du noch irgendetwas über deinen Vater", erkundigte sich Laura bei dem Kleinen.

„Er ist auch schon lange im Himmel. Die beiden werden sich freuen, wenn sie jetzt zusammen sind. Meine Mutter sagte immer, das ist der einzige gute Mensch gewesen. Von ihm habe ich auch die Musik geerbt. Er spielte Gitarre in einer Band, in so einer altmodischen. Aber dann sind sie mit dem Auto verunglückt. Die anderen leben noch, nur mein Vater, der ist dann gestorben. Aber da war ich noch ein Baby, das habe ich nicht mitbekommen. Ich habe noch ein Bild von ihm, ein Foto. Da steht drauf „Thomas Kelly for India with love". Und nun sind sie wieder zusammen. Wahrscheinlich wollte ihnen der liebe Gott eine Freude machen."

Als ich ihn so tapfer sprechen hörte, traten mir Tränen in die Augen, und ich wischte sie heimlich weg. „Du kannst es ja einmal mit uns versuchen", schlug ich ihm vor. „Wir sind hier alle gute Freunde, vielleicht gefällt es dir bei uns für ein Weilchen."

Lars hatte gut zugehört. „Ich bin ja nun schon groß. Wenn du irgendein Problem hast, kannst du auch zu mir kommen, Tim."

Der Kleine zuckte die Schultern. „Vielleicht. Hauptsache, ich finde hier irgendwo ein Klavier, auf dem ich spielen kann."

Adelaide legte den Arm und seine kleinen Schultern. „Ein Klavier haben wir bei mir oben im Zimmer. Da darfst du dann auch darauf spielen, das verspreche ich dir."

Er lief auf sie zu und drückte sie. „Du bist Klasse. Ich bleibe hier."

Laura wandte sich an Lars. „Und was ist mit deinem Vater? Ist er auch schon gestorben?"

Der Junge schüttelte den Kopf. „Eine Zeit lang hat das meine Mutter behauptet, wenn ich sie nach ihm gefragt habe. Aber vor einiger Zeit hat sie mir dann doch die Wahrheit gesagt. Er lebt irgendwo, aber ich weiß nicht wo. Sie hat mir auch nie seinen Namen genannt. Ich heiße wie meine Mutter mit Nachnamen, Kirchlechner. Dort, in Südtirol, in Norditalien hatte ich auch eine Oma, die ist aber auch letztes Jahr gestorben."

„Hast du irgendetwas von deiner Mutter über ihn erfahren?" erkundigte sich Laura bei ihm.

„Nein. Ich weiß nicht einmal, wie er heißt. Und er weiß auch nichts von mir das ist schon komisch, dass ich jetzt acht Jahre alt bin, und dass irgendein Mann jetzt seit acht Jahren einen Sohn hat, aber nichts davon weiß. Ganz schön komisch!"

„Sicherlich kann das die Polizei herausfinden, Lars", überlegte Laura. „Ich nehme an, die Polizei muss da jetzt etwas tun, da dein Vater vermutlich nun für dich sorgen muss."

„Natürlich bin ich neugierig. Ich möchte wissen, wer er ist. Und wenn er nicht nett ist, dann finde ich auch irgendwo noch nette Menschen so wie hier, wo ich bleiben kann, ohne ihn."

„Du kannst erst mal so lange hierbleiben, wie du willst", mischte sich Adelaide ein. „Hier im Schloss wohnen zwei Mütter, Beate Sanders und Luise Dankermann mit ihren Kindern. Michi ist zehn Jahre alt, und seine Freundin Lena ist ebenfalls zehn Jahre alt. Mit denen werdet ihr euch bestimmt gut verstehen, sie sind sehr nett und haben schon sehr viel Schlimmes erlebt. Deswegen sind sie auch sehr froh, dass sie hier wohnen können. Inzwischen kommen zu ihnen ins Schloss auch andere Kinder, da ist viel Leben im Haus."

Tim kicherte. „Ein ziemlich großes Haus. Aber es gefällt mir. Steht denn das Klavier auch gut? Hat es in dem Raum, wo es steht, auch einen guten Klang?"

Adelaide lächelte. „Es ist sicherlich nicht das größte Zimmer hier im Schloss, aber für einen kleinen Musikabend reicht es doch. Der berühmte Künstler Jérôme Tessier hat schon einmal an diesem Klavier gesessen, gespielt und dazu gesungen. Er hatte nichts zu beanstanden, deswegen glaube ich, dass es an einem guten Platz steht. Aber wenn du magst, kannst du nachher einmal schauen, ob es wieder einmal gestimmt werden muss."

„Das ist super", freute sich Tim. „Muss ich da auch auf Mittagspausen achten?"

„Ein bisschen vielleicht. Mein Mann Moro schläft zwar nicht mittags, er legt sich nur hin, um zu ruhen. Vielleicht ist es dann gut, wenn du in dieser Zeit etwas spielst, dass du schon kannst. Sein Zimmer ist einige Meter weiter. Aber in den restlichen Stunden tagsüber kannst du dann deine Tonleitern und Übungen machen."

Er nickte eifrig. „Dann machen wir das so, einverstanden."

„Und welche Hobbys hast du?" wandte sich Laura an Lars.

Er überlegte kurz. „So ein bisschen von allem. Aber in der Hauptsache mag ich Sport. Fußball und Tischtennis und Bodenturnen. Aber ich bastele auch sehr gern, mag auch Zeichnen und spiele ein bisschen Mundharmonika. Meine Mutter hat immer gesagt, davon hätte ich einiges von meinem Vater geerbt. Dann sollte die Polizei jetzt vielleicht, wenn sie nach meinem Vater sucht, nach einem Mann schauen, der Sportler ist und auch gerne ein bisschen bastelt. Vielleicht so ein Hobby-Heimwerker."

Die schöne Französin lächelte. „Das hört sich gut an. Den werden wir bestimmt finden. Aber jetzt könnt ihr alle mit in Moro Rossinis Atelier kommen. Außer dir natürlich Abigail, denn für dich soll es ja eine Überraschung werden, wie für alle anderen Schauspieler auch. Mit meinem Mann und Rossini werden wir uns jetzt die Filmszenen von gestern noch einmal durchschauen, und da wir die Jury sind, werden wir den besten Film heraussuchen für den Hauptpreis."

„Was gibt es denn für ein Hauptpreis?" erkundigte sich Lars.

„Eine Reise nach Hollywood und eine Woche Aufenthalt dort", teilte sie ihm mit.

„Und was sind das für Szenen?" fragte Tim. „Action?"

Laura kicherte. „Nein, kein Comic und keine Actionsszenen. Es sind Liebesszenen von Paaren, teilweise von Schauspielern, teilweise aber auch von absoluten Laien."

Lars verzog das Gesicht. „Auweia! Das ist gar nicht mein Ding. Aber wenn es darum geht, dass ich meine Meinung dazu sage, ob einer gut spielt oder nicht, dann schau ich mir das eben mal an."

„Ich habe da schon ganz viel Ahnung", teilte uns Tim mit. „Wir hatten eine Lehrerin im Internat, Mrs. Miller, die spielte Geige. Und die war verknallt in den Mathelehrer. Sie war eine Adelige und hatte viel Geld, deswegen hat er sich nicht getraut, sie richtig anzusprechen. Aber dann habe ich mich mit einem Mädchen zusammen getan, und wir haben einen Liebesbrief geschrieben und ihn dann mit dem Namen von Mrs. Miller unterschrieben und ihm heimlich zugesteckt. Das hat dann auch erst mal funktioniert, und die beiden sind zusammengekommen. Natürlich ist dann alles am Schluss doch herausgekommen, und wir wurden sogar ein bisschen bestraft, aber nicht doll, weil die beiden auch froh waren, dass sie sich nun gefunden hatten. Also ein bisschen Ahnung habe ich schon von solchen Liebessachen."

Wir versuchten uns das Lachen zu verkneifen und Laura mahnte nun zum Aufbruch.

Während sich die anderen zu Moro ins Atelier begaben, frühstückte ich kurz in der Schlossküche und stieg dann in mein Auto, um Tobias in Wittentine im Krankenhaus zu besuchen.

***

18. Kapitel

Während ich auf dem Krankenhausflur noch überlegte, ob ich Tobias etwas von den Kindern erzählen sollte, begegnete ich dem Kommissar Neubert, der aus dem Krankenzimmer kam.

Er bedachte mich mit einem missbilligenden Blick.

„Ich hoffe, das ist nur ein Krankenbesuch. Ansonsten möchte ich Sie bitten, sich aus den ganzen Ermittlungen herauszuhalten."

„Guten Morgen, Herr Neubert. Wie ich sehe, sind Sie schon sehr früh sehr fleißig. Tatsächlich haben Sie recht mit dem Krankenbesuch. Schließlich geht es dem Patienten bestimmt noch nicht so gut, dass man ihn jetzt aufregen kann."

„Ein bisschen Aufregung konnte ich ihm nicht ersparen", teilte er mir mit. „Schließlich musste ich ihn über die Ankunft der Kinder seiner Verlobten und seiner Exfreundin informieren. Es hätte ja sein können, dass er etwas darüber gewusst hat, das uns weiter bringt."

„Solange Sie ihn nicht für den Hauptverdächtigen halten, muss ich das eben so hinnehmen. Geht es ihm denn jetzt wieder gut?"

„Da müssen Sie sich schon selbst informieren", empfahl er mir. „Von mir werden Sie bestimmt keine Informationen erhalten."

„Na, dann danke ich Ihnen auch schön! Zufälligerweise habe ich für Sie auch keine Informationen", ließ ich bissig fallen.

„Sie wissen ja, dass Sie mir alles mitteilen müssen, was Sie erfahren", mahnte er mich. „Sonst ist das eine Behinderung der Polizeiarbeit, wenn Sie etwas verschweigen."

„Tut mir leid, Herr Neubert. Momentan beziehe ich meine Informationen aus dem Tagesblatt von Sankt Augustine, aus den Artikeln von Bernhard Schmidt", schwindelte ich. „Aber diese Neuigkeiten kennen Sie ja bereits, da Sie mit ihm zusammenarbeiten."

„Die Tagespresse ist immer sehr hilfreich. Habe ich Ihnen das nicht schon erklärt? Es gibt viele Aufrufe an die Bevölkerung, die sehr wichtig sind. Und dafür benötige ich Herrn Schmidt."

„Na prima", antwortete ich grinsend. „Dann sind Sie doch bestens versorgt. Einen erfolgreichen Tag noch!"

Ohne einen Gruß wandte ich mich ab und klopfte an das Krankenzimmer, dessen Nummer ich an der Information erfragt hatte.

Von drinnen klang ein schwaches „Herein" und ich folgte der Aufforderung.

Tobias saß auf seinem Bett und betrachtete intensiv seinen Laptop. „Ah, Sie sind es, Frau Mühlberg. Gut, dass Sie kommen! Zu Ihnen habe ich nämlich Vertrauen", rief er mir entgegen.

„Sollen wir nicht Du sagen? Gestern im Schloss haben alle schon das Du benutzt, und ich bin ein paar Jährchen älter als Sie, da darf ich das Ihnen schon anbieten."

Er nickte eifrig. „Gern, Abigail. Dieser Kommissar ist wirklich ein Monster. Er will mir das alles in die Schuhe schieben und konstruiert die verrücktesten Sachen. Dabei habe ich nach langem Überlegen nun wirklich ganz konkret zwei Menschen im Verdacht, die mit der ganzen Sache etwas zu tun haben können."

„Oh, das hört sich gut an. Mein Freund ist Detektiv, er kann da im Geheimen etwas ermitteln. Du darfst mir ruhig vertrauen, ich glaube an deine Unschuld, und hoffe, dass dich dieser unsympathische Neubert bald in Ruhe lässt. Also, wen hast du im Verdacht?"

„Zuerst habe ich mir zusammengereimt, dass die beiden getöteten Frauen nicht nur beim Schauspiel zusammen waren, also im Gemeindezentrum, sondern auch schon beide im Industriegebiet von Wittentine. Dort hatten sie schon ihre ersten Besuche in der Firma von Pollmanns Sohn."

„Pollmann, das ist doch der, der hier die Glasbläserei hat? Und dessen Sohn hat die großen Glasfabriken?"

Tobias nickte. „Genau. Und da habe ich jetzt doch in den Unterlagen, die India gesammelt hat, schon ein paar Hinweise gefunden. Es waren Notizen, die ich in einem ihrer Mäntel fand. Sie hat sich ein paar Unregelmäßigkeiten notiert, die sie in der Fabrik von Pollmann gefunden hat. Also es geht da tatsächlich um die Umweltverschmutzung. In dieser Fabrik werden nicht alle Auflagen erfüllt. Da ist nicht alles ganz sauber. Das hat sie wirklich schon herausgefunden und einige Daten dazu notiert."

Ich freute mich. „Das ist ja hochinteressant. Das lasse ich sofort von Ermanno nachprüfen."

Zum ersten Mal huschte über sein Gesicht ein Lächeln. „Ich danke dir! Aber nun kommt noch etwas, das wage ich dir gar nicht zu sagen, weil es meine eigene Familie betrifft. Und das ist eine ganz schlimme Sache."

„Du kannst es mir ruhig sagen, Tobias. Ich werde es keiner Menschenseele weitergeben, außer Ermanno, der alles nachprüfen wird."

„India hat herausgefunden, dass mein eigener Bruder in der Schuhfabrik vermutlich einen großen Betrug durchführt."

Ich sah ihn erstaunt an. „Wirklich? Das kann ich mir gar nicht vorstellen. Was haben die denn mit Umweltverschmutzung zu tun?"

„Gar nichts. Aber das ist noch viel schlimmer. India hat herausgefunden, dass mein Bruder die Schuhe wahrscheinlich gar nicht in Italien einkauft, sondern sie irgendwo im fernen Osten extra für sich herstellen lässt, viel billiger natürlich. Und die verkauft er dann als original italienische Schuhe. Stell dir nur vor, wenn das stimmt, was das zu bedeuten hat!"

Ich erschrak. „Das wäre wirklich schlimm. Das könnte die ganze Firma in den Ruin bringen. Hoffentlich ist das nur ein Verdacht."

„Das hoffe ich auch sehr. Immerhin ist es mein Bruder, und von dem hätte ich das nicht gedacht. Allerdings hat sie wirklich schon sehr, sehr viele Namen und Notizen gesammelt. Sogar Adressen aus dem fernen Osten, die man sicher leicht nachprüfen kann. Und da kommt mir natürlich auch der Gedanke, sowohl Pollmann als auch mein Bruder konnten ein Interesse daran haben, India mundtot zu machen. Wenn das alles stimmt und aufliegt, dann sind die beiden Firmen bestimmt ruiniert, oder mindestens gibt es große rufschädigende Affären."

„Das kann ich mir auch gut vorstellen", stimmte ich ihm zu. „Ich kann mir schnell diese Notizen mit dem Handy fotografieren und sie mit ein paar Worten an Ermanno weiterleiten. So könnte er dann schon mit den Recherchen beginnen. Ist dir das so recht?"

Er nickte eifrig. „Das ist mir sogar sehr recht." Er reichte mir drei Notizzettel mit Aufzeichnungen, die ich abfotografierte und an meinen detektivischen Freund weiterleitete.

„Das sind wirklich große Neuigkeiten", freute ich mich. „Da können vielleicht Straftaten aufgedeckt werden, und möglicherweise hilft das auch bei der Klärung im Fall deiner Verlobten und ihrer Exfreundin. Schließlich haben beide ja etwas mit dem großen Projekt zu tun, mit dem Projekt, das ein besonderes Anliegen von India war."

„Ja, diesen Gedanken habe ich auch, denn der Sohn von Pollmann und auch mein Bruder haben nun ein Motiv, India zu schaden oder sie gar zum Schweigen zu bringen."

Ich zögerte ein bisschen, aber dann wagte ich doch die Frage, die mir in der Seele brannte: „Manuela hatte mir erzählt, dass India nicht immer ganz so freundlich war, wie sie nach außen hin tat. Ist da irgendetwas Wahres dran?"

Auch er zögerte mit der Antwort. „Ich möchte sie wirklich nicht schlecht machen, und ich will auch ganz bestimmt nichts Schlechtes über sie reden, jetzt, wo sie nicht mehr lebt. Aber dir sage ich das ganz im Vertrauen. Ja, sie war nicht immer ganz einfach. Sie hat schon öfters gemeckert, und manchmal empfand ich sie auch als etwas kühl. Aber dann habe ich mir immer gedacht, sie hat es auch schwer gehabt früher einmal in ihrem Leben. Deswegen wollte ich ihr das nachsehen. Und ich habe sie eben so sehr geliebt. Da habe ich ihr immer alle Fehler wieder verziehen, auch wenn sie manchmal unfreundlich oder etwas ungeduldig war. Wenn man liebt, dann verzeiht man doch, oder?"

Ich nickte verstehend. „Ja. Jeder kann das bestimmt nicht, aber ich habe auch schon einmal solch eine Situation erlebt. Also war sie zu dir nicht immer so, wie sie sich uns gezeigt hat?"

„Nein. Aber ich habe sie auch deswegen geliebt, weil sie eben wusste, was sie wollte und so resolut war. Ich habe sie so geliebt, wie sie war, sogar wenn sie mich manchmal ein bisschen gequält hat. Ich habe gedacht, so schöne Rosen haben eben Dornen. Man liebt einen Menschen nicht deswegen, weil er gut ist, sondern weil er so ist, wie er ist."

Ich sah ihn an. „Ich verspreche dir, Tobias, dass ich das niemandem weitererzählen werde. Ich habe das Ganze Manuela nicht geglaubt. Ich habe gedacht, sie würde das aus Eifersucht so verdrehen. Aber es gibt eben Menschen, die verschiedene Seiten haben. Und diese Seite hat India eben nur dir und Manuela gezeigt, uns und vielen anderen jedenfalls nicht."

„Du hast bestimmt auch schon gehört, dass sie einen Sohn hat, von dem ich nichts wusste, Abigail?"

„Ja, und darauf wollte ich dich auch schon ansprechen. Ich kann mir gar nicht vorstellen, warum sie das vor dir verheimlicht hat?"

„Ich glaube, ich habe einmal zu ihr gesagt, dass ich momentan nicht bereit bin für Kinder, und dass ich auch gar nicht weiß, ob ich ein guter Vater sein kann. Vielleicht hat sie sich dadurch abschrecken lassen."

„Vielleicht ein bisschen. Aber so wie ich erfahren habe, hat sie auch ihren Sohn Tim nicht allzu oft besucht, und auch kein sehr enges Verhältnis zu ihm aufgebaut. Bevor er in dieses Internat kam, ist er bei einer ihrer Freundinnen groß geworden, bei der er es glücklicherweise recht gut hatte."

„Oh, da bin ich dann beruhigt. So viel hatte mir der Kommissar gar nicht anvertraut, nur, dass Tim jetzt im Schloss ist. Aber vermutlich hätte ich ihn schon lieb gewonnen, wenn ihn mir India vorgestellt hätte. Aber sie hat nicht einmal versucht, mit mir genauer darüber zu reden. Ich hatte wirklich keine Ahnung."

„Das glaube ich dir, Tobias, und ich habe ganz den Eindruck, dass sie irgendwie ihr altes Leben von dem neuen getrennt hat, vielleicht, um alte schlimme Dinge zu vergessen. So etwas tun jedenfalls manche Menschen."

„Jedenfalls werde ich mich freuen, Indias Sohn kennen zu lernen. Vielleicht kann ich auch etwas für ihn tun, wenn er hier wieder in ein Musikinternat geht. Und weißt du auch schon, dass Manuela auch einen Sohn hat, den sie vor mir verheimlichte?"

Ich nickte. „Ja, auch er ist jetzt im Schloss bei Adelaide. Das sind zwei sehr liebe Kinder, an denen Adelaide jetzt schon viel Freude hat. Der etwas kessen Manuela hatte ich gar nicht zugetraut, dass sie so ein gutes Verhältnis zu ihrem Sohn hatte."

Tobias überlegte. „Manuela war kein schlechter Mensch. Sie war nur manchmal sehr direkt und nahm kein Blatt vor den Mund. Damit eckt man oft an, aber sie war ehrlich. Ja, und eifersüchtig war sie vermutlich auch. Ich weiß nicht, ob sie je aufgehört, hat mich zu lieben? Manchmal hat sie mich noch so angesehen wie früher. Unsere Partnerschaft war auch nicht schlecht gewesen. Aber mit der Zeit doch etwas Alltägliches geworden. Ja, und genau in diesem Moment lernte ich India kennen, die für mich etwas ganz Besonderes war. Das war so ein Blitz, etwas ganz Schicksalhaftes."

Ich nickte wieder. „Ja, ganz so wie bei Moro Rossini und Adelaide. Das ist auch eine besondere Liebe, die vom Himmel kam wie ein Donnerwetter mit Blitz und allem Drum und Dran."

„Genau so war es auch bei uns", bestätigte mir Tobias. „Ich hätte mir ein Leben ohne sie nicht vorstellen können, und ich kann es jetzt immer noch nicht."

„Das wird sicher noch sehr lange dauern, bis du über den größten Schmerz hinweg bist", vermutete ich. „Zuerst begreift man den Verlust gar nicht, aber wenn man es begreift, kann es sehr lange sehr schlimm sein. Irgendwann kommt einmal der Moment, dann freut man sich über die Zeit, die man miteinander verbracht hat und sucht krampfhaft jedes Andenken und jede Erinnerung."

„Ja, so habe ich es auch einmal erlebt, als ich meine Schwester verlor. Das war auch sehr, sehr schrecklich. Es ist zwar schon viele Jahre her, und doch erinnere ich mich voller Liebe an jede Sekunde, die ich mit ihr verbracht habe. Und Manuela kenne ich einfach schon ewig. Wir waren schon in der Schule zusammen, und ein Paar direkt nach der Abschlussfeier. Aber dann ging es immer so hin und her. Trennung für ein paar Monate, und dann kamen wir wieder zusammen. Dann zwei, drei Jahre getrennt und danach wieder zusammen. Zuletzt waren es sogar sechs Jahre, bevor ich India kennenlernte."

„Warum habt ihr euch immer wieder getrennt, Tobias?"

„Das ist schwer zu sagen. Es war so, als habe es Manuela immer wieder herausgefordert. So, als wollte sie es einfach nicht wahrhaben, dass es auch mit uns klappen konnte. Ihr eigener Vater ist wohl auch sehr früh aus ihrem Leben verschwunden. Und so, wie sie mir gesagt hat, hatte sie da wenig Vertrauen zu der Beständigkeit der Männer. Ich war darüber etwas gekränkt, denn ich hatte am Anfang fest vor, mit ihr zusammenzubleiben. Sie war ein lustiger, humorvoller Mensch, mit dem man Pferde stehlen konnte, und das hat mir sehr gefallen. Auch ihre Ehrlichkeit mochte ich sehr. Aber dann hat sie es provoziert, wirkliche Szenen inszeniert, in denen sie mir bewies, dass ich nicht standhaft genug war. Eigentlich waren das nur Kleinigkeiten, ich habe sie niemals betrogen. Aber jedes Mal, wenn es dann wirklich zur Trennung kam, war ich dann auch wahnsinnig enttäuscht. Wenn wir uns nicht sahen, haben wir doch den Kontakt mit Telefonaten gehalten, so lange, bis wir uns wieder trafen, dann waren wir wieder verliebt, wie ganz am Anfang. Nach jeder Trennung hatte ich weniger Hoffnung, dass es wirklich noch einmal richtig klappen könnte. Und als dann India auftauchte, war das für mich ein Zeichen, dass ich jetzt in einer neuen Liebe mehr Glück finden konnte."

„Und, war es dann mit India anders?"

„Ja, India hat eine Trennung niemals vorausgesetzt. Im Gegenteil, sie tat immer unheimlich sicher. Das bewies mir auch, dass sie sich manchmal ganz schön zickig gegen mich benahm. Das wagt sich keine, die Angst um die Beständigkeit der Beziehung hat. Diese Erfahrung war neu für mich. Ich hatte das Gefühl, dass sie mir und der Beziehung vertraut. Manuela sagte mir oft, das sei alles nur gespielt, weil India das Geld von meiner Familie im Auge hätte. Aber das war nicht so. Ich glaube, das hat sie alles eben nur mitgenommen, weil es eben da war."

„Wie war das denn mit den Uhren? Hast du die mal in dem Museum gesehen?"

„Ja, einmal ganz am Anfang. Da haben wir dieses Museum besucht, und natürlich ihren Onkel. Da liegt sogar diese erste Spieluhr, die sie bekommen hat. Später hat sie immer mal wieder ein Foto davon gezeigt."

„Und weißt du auch, wovon sie das teure Musikinternat bezahlt hat?"

„Sie hat nicht schlecht verdient als Kunsthistorikerin. Sie hat außerdem diese Umweltprüfungen auch für einige Organisationen gegen Bezahlung unternommen. Natürlich habe ich sie auch ganz gut unterstützt. Sogar meine Eltern, die einen Narren an ihr gefressen hatten, steckten ihr ständig etwas zu."

„Wie war sie denn zu deinen Eltern?"

„Zu denen war sie ganz lieb und zuvorkommend, und natürlich total bescheiden. Und sie hat keine Gelegenheit versäumt, ihnen eine Freude zu machen."

„Kanntest du sie schon zu der Zeit, als Tim geboren wurde?"

„Ach, du meinst, er könnte mein Sohn sein? Nein, zu der Zeit kannte ich sie noch nicht. Der Kommissar hat mir auch schon die Urkunde von Tims Vater gezeigt, jedenfalls eine Kopie davon. Tim ist nicht mein Sohn, wenn du das meinst. Und jetzt wirst du bestimmt auch wissen, ob ich mit Manuela in dieser Zeit zusammen war, als Lars gezeugt wurde."

Ich schwieg, und wartete darauf, dass er weiter überlegte.

„Also, lass mich einmal nachrechnen", fuhr er fort. „Als er geboren wurde, waren wir auf jeden Fall schon wieder getrennt. Und das andere …?" Er überlegte und rechnete angestrengt.

„Es ist ja nun doch schon ziemlich lange her, Abigail. Fast neun Jahre, da habe ich nicht mehr alles so genau im Gedächtnis. Es ist aber nicht ganz ausgeschlossen, dass wir uns vor etwa neun Jahren einmal kurz getroffen haben. Ich erinnere mich an einen Ausflug in das Blumenviertel und ein Picknick, dass wir dort veranstaltet haben. Das wäre natürlich ein Zufall, wenn es gerade dort passiert wäre. Ich bin mir aber nicht ganz sicher, ob das genau auf diese Zeit fällt."

„Könntest du dich denn mit dem Gedanken anfreunden, der Vater eines achtjährigen Jungen zu sein?"

„Im Moment weiß ich das wirklich nicht. Ich bin zu durcheinander. Und es ist alles noch so unwirklich. Erst Indias Tod, dann der von Manuela. Jetzt tauchen plötzlich zwei Jungen auf, von denen bisher niemand etwas gewusst hat. Das ist wirklich etwas viel. Und dann dieser ganze Verdacht, der über mir schwebt, der Kommissar, der mir ständig etwas anhängen will, der mich am liebsten schon hinter Gittern sähe, das alles ist wirklich zu viel."

Ich nickte. „Am besten redest du einmal mit dem Arzt, vielleicht kann er dir eine Kur verschreiben, die könntest du im Augenblick sicher ganz gut gebrauchen."

Er seufzte. „So unter Verdacht gestellt kann ich mich sicherlich nicht entspannen", wandte er ein. „Und vermutlich lässt mich dieser Neubert auch gar nicht irgendwohin, wo er mich nicht beobachten kann."

„Da hast du sicher Recht, Tobias. Deswegen hoffe ich auch, dass Ermanno schnelle Ergebnisse bringen kann."

„Kann er das denn? Ist er gut?"

„Wir haben schon mehrmals sehr erfolgreich zusammengearbeitet. Außerdem ist er noch vernetzt mit Kollegen, die helfen sich oft untereinander."

„Du bist ein Schatz, Abigail, danke! Das werde ich dir nicht vergessen. Wenn du mal etwas brauchst, ich werde dir das wieder gutmachen."

„Ach, Quatsch! Ich kann einfach Ungerechtigkeit nicht leiden, auch nicht Menschen, die negativ voreingenommen sind, wie der Kommissar zum Beispiel. Aber jetzt lass ich dich erst mal wieder in Ruhe, damit du dich erholen kannst. Erst hat dich der Kommissar genervt und geschockt, und nun ich schon wieder. Hast du einen Therapeuten hier, mit dem du alles besprechen kannst."

„Zuerst war es mir ein bisschen peinlich. Wir Männer tun uns ja damit noch etwas schwer. Aber nachdem mir das Gespräch mit einem Therapeuten hier vorhin wirklich gut getan hat, werde ich die Sache auch wiederholen. Und ich beherzige deinen Rat, ich werde mich jetzt hier noch etwas ausruhen, bevor mich dieser Neubert wieder weiter nervt."

Er umarmte mich zum Abschied, und ich winkte ihm noch einmal zu, als ich das Zimmer verließ.

***

19. Kapitel

Als ich mein Auto wieder vor dem Schloss auf dem Parkplatz abstellte, versuchte ich, Rolf telefonisch zu erreichen. Aber, wie ich schon vermutet hatte, meldete sich nur der Anrufbeantworter des Telefons: die Mailbox. Die Geschichte war einfach zu lang und zu kompliziert, um das Geschehene aufs Band zu sprechen, daher beschloss ich, es später noch einmal zu versuchen. Ein leichtes Ziehen in der Magengegend teilte mir mit, dass ich offenbar ihm gegenüber ein schlechtes Gewissen hatte, weil ich momentan so beschäftigt gewesen war. Ich beruhigte mich aber wieder damit, dass es ihm offenbar genauso erging und beruhigte meinen Magen mit einem Riegel Schokolade.

In der Schlosshalle erwartete mich Theresa und umarmte mich freudig.

„Schön, dass du endlich da bist! Mein Vater, den du ja auch noch gut aus Italien kennst, ist gerade bei Moro. Die beiden führen ein Männergespräch. Weißt du, ohne dich ist das Schloss hier ziemlich leer, und ich hatte ganz schlimme Gedanken. Du kennst ja meine Sensibilität."

Ich sah sie fragend an. „Ja, ich kenne deine mit Sensibilität im Allgemeinen. Aber was ist jetzt passiert?"

„Du kennst mich doch, auch meine Verbindung zu den schicksalhaften Geschehnissen. Und du erinnerst dich bestimmt noch gut an den heißen, energiegeladenen Ätna. All diese schlimmen Dinge, die da auf Sizilien geschehen sind, es liegt einfach in der Luft. Und ich habe das Gefühl, auch etwas davon in der Aura mit mir herum zu tragen, solange mein Giorgio noch irgendwo in der Weltgeschichte herumirrt. Jetzt bin ich erst kurze Zeit hier in Sankt Augustine, wieder einmal. Und was ist passiert, schon geschehen wieder zwei mysteriöse Unfälle, die tödlich enden. Du kannst dich doch bestimmt noch gut an Luciana erinnern, deren Tod auch so ein dramatischer und tragischer Unfall war?!"

„Natürlich kann ich das. Aber das hat weder etwas mit dem Ätna, noch mit Sizilien, noch mit Sankt Augustine und ganz bestimmt nicht etwas mit dir zu tun. Da musst du dir keine Sorgen machen! Solche Dinge passieren überall."

Sie schüttelte den Kopf. „Ich bin Halbitalienerin. Meine Vorfahren auf Sizilien, die wissen das besser. Es gibt magische Orte und magische Menschen. Es ist da wie ein Magnetismus, und die Dinge und die Menschen und die Ereignisse ziehen sich an. Ich hatte meinen Vater schon gebeten, wieder zurück zu fahren nach Catania, aber er will partout im Moment nicht von hier fort. Er hat sich so stark mit Rossini angefreundet, und die beiden haben auch einen Narren aneinander gefressen."

Ich lachte. „Das kann ich auch gut verstehen. Moro hat bestimmt manches Mal Heimweh nach dem sonnigen Süden, der so herzlich und ja auch manchmal ein bisschen dramatisch ist. Aber du, du hast ganz bestimmt nichts damit zu tun. Und ich bin auch ganz sicher, dass Giorgio eines Tages wieder zu dir zurückkommt. Wir wissen es beide, du und ich, dass er dich immer noch liebt."

Sie sah mich traurig an. „Aber es ist eine tragische Liebe wie in Cavalleria Rusticana. Shakespeare wusste schon, warum er Romeo und Julia nach Italien schickte."

Ich lächelte und nahm sie in die Arme. „Komm, Süße! Wir vertreiben jetzt die Dramatik! Wir sehen uns jetzt einmal an, wie sich die Kinder hier im Schloss eingewöhnen, von denen du bestimmt schon etwas gehört hast."

Theresa nickte. „Oh, ja. Die sind ganz süß. Ich habe sie sogar schon gesehen. Aber jetzt sitzen sie alle in Rossinis Werkstatt und glotzen sich diese Filmszenen an. Die Kinder machen ihre Witze darüber, denn von Liebe verstehen sie noch gar nichts. Mich hatte man auch dazu eingeladen, aber ich kann nicht gut zusehen, wie sich andere umarmen und küssen."

Ich lachte. „Aber das ist doch nur Theater, das sind doch nur Filmszenen!"

Sie schielte mich von der Seite her an und beobachtete mich. „So? Und das sagst gerade du? Ich habe die Szene gesehen, in der du dich mit Ermanno küsst. Ich glaube, diese Bilder werden deinem Rolf überhaupt nicht gefallen. Es sieht total profihaft aus, ganz echt. Und du kannst mir nicht erzählen, dass du nichts dabei empfunden hast."

Ich hatte das Gefühl, dass mein Gesicht warm wurde. Hatte ich sogar rote Wangen? Ich versuchte, ihr unschuldig in die Augen zu sehen. „Natürlich empfindet man etwas, wenn man einen so liebenswerten Mann küsst wie Ermanno. Aber das hat nichts mit Liebe zu tun, und schon gar nicht mit meinen Gefühlen zu Rolf. Das ist etwas ganz anderes."

Jetzt lachte Theresa. „Ja, das glaube ich dir sogar. Dass das etwas ganz anderes ist als mit Rolf. Es ist viel heißer, viel intensiver. Man sieht ganz deutlich, was ihr Beide für einander empfindet."

„Ach, das siehst nur du so. Du hast es ja eben selber gesagt: Du bist so ungeheuer sensibel und empfindsam. Du bist ja auch eine große Künstlerin mit unheimlich vielen Sinnesnerven und Empfindungsantennen. Du bist sinnlich pur und nicht nur künstlerisch hochsensibel, sondern auch gewissermaßen hellfühlig und hellsichtig, eben wie eine echte Künstlerin. Deswegen nimmst du schon ganz geringe Dinge wahr und empfindest sie ganz stark."

Sie lachte noch mehr. „Du brauchst mich gar nicht so zu loben, und meine künstlerische Ader so hervorzuheben. Damit willst du nur vom Thema ablenken und mich blenden, damit ich nicht hinter eure Geheimnisse komme. Vielleicht gibst du es ja noch nicht vor dir selber zu, vielleicht willst du es nicht wahrhaben. Aber vertraue mir, meinen Gefühlen und meinen Erfahrungen: Diese Gefühle zwischen euch sind etwas ganz Besonderes."

Ich legte ihr den Finger auf den Mund. „Bitte sprich nicht so! Und versprich mir auch, dass du mit keinem anderen darüber sprichst. Das hört sich ja tatsächlich so an, als würde ich Rolf betrügen. Ich bin mit ihm verlobt, und ich vertraue ihm, und er vertraut mir. Du weißt doch, wie gefährlich Gedanken und Worte sind, sie machen sich manchmal selbstständig und werden wahr. Also tu mir bitte den Gefallen und spricht nicht mehr drüber! Stattdessen könntest du mir ein bisschen bei meinen Recherchen helfen."

Sie lächelte versöhnt. „Also gut, Abigail, dann vergessen wir das Ganze schnell einmal wieder. Vielleicht werden wir noch einmal darauf zurückkommen. Aber jetzt werde ich erst einmal schweigen. Wie kann ich dir helfen?"

„"Ich würde ganz gern möglichst unauffällig noch mehr von den Kindern über ihre Mütter herausfinden, damit wir von den Opfern ein bisschen auf einen Täter schließen können. Kannst du mir folgen, Theresa?"

„Vielleicht hast du dich ein bisschen umständlich ausgedrückt. Aber ich glaube, ich habe dich verstanden. Wir versuchen jetzt mit den Kindern irgendetwas zu unternehmen, damit wir sie ganz unauffällig zum Reden bringen können. Was hältst du denn davon, wenn wir Sie einladen, mit uns in den Rosenturm zu kommen wo ich immer noch ein winziges Atelier habe. Dort könnte man mit ihnen Figuren modellieren. Das ist manchmal auch eine sehr therapeutische Beschäftigung."

„Das ist eine glänzende Idee, wir werden sie sofort fragen, ob sie Lust haben, mit uns zu kommen. Bei diesen Filmszenen ist es ihnen doch bestimmt längst langweilig geworden."

„Vielleicht", lautete Theresas etwas zweifelnde Antwort.

Wir klopften leise an die Ateliertür und winkten die beiden Jungen heraus, die ganz hinten an der Wand saßen und sich gerade kichernd unterhielten.

„Es ist erstaunlich, wie flexibel Kinder sind!" bemerkte ich. „Beide haben gerade ihre Mutter verloren, und trotzdem können sie so dasitzen, ihren Kummer vergessen und sogar lachen."

„Ja, wie bei Babys. In der einen Minute lachen sie, und in der nächsten weinen und schreien sie fürchterlich. Aber du musst natürlich auch bedenken, dass für Tim diese India nicht eine wirkliche

Bezugsperson war, sondern nur jemand, der ab und zu zu Besuch kam. Und wie es bei Lars ist, wenn ich seinen Typ so auf Anhieb gleich richtig wahrgenommen habe, so ist er derjenige, der sich nicht gern etwas anmerken lässt. Vielleicht hält er es mit seinen acht Jahren auch schon für unmännlich, seine Gefühle so stark zu zeigen. Ich glaube jedenfalls, dass er seinen Kummer drinnen in seinem Herzen verschließt."

„Ganz sicher hast du da recht, Theresa. In dieser Richtung habe ich mir über die beiden Kinder noch keine Gedanken gemacht. Ehrlich gesagt, da muss ich gestehen, dass ich im Moment einfach mit allen Kräften versuche, Tobias aus den Fängen von diesem Kommissar Neubert zu befreien. Tobias war für mich im Moment derjenige, dem es am schlimmsten geht. Er hat die Frau verloren, die er am meisten liebt, seine Verlobte India. Er hat seine Exfreundin Manuela verloren, mit der er auch sehr viele Jahre seines Lebens immer wieder zusammen war, und er muss sich vor Neubert schützen, der jede Gelegenheit ergreift, um ihn hinter Gitter zu bringen. Das tat mir eben sehr leid. Aber deine Gedanken sind absolut richtig. Kinder sind da vermutlich doch hilfloser, sie wissen noch gar nicht, wie man mit solchen Situationen umgeht, mit Verlusten und diesem ganzen kriminellen Drumherum. Und jetzt werden beide vermutlich auch noch völlig aus ihrer bisherigen Umgebung herausgerissen, das wird sehr schwer sein. Ich werde Adelaide dabei helfen, damit sich die Kinder etwas heimisch fühlen werden."

„Nun mach dir mal nicht gleich ins Hemd", riet sie mir. „Ich weiß doch, dass du auch ein Herz für

Kinder hast. Und dem Tobias werden wir auch helfen."

Sie winkte den Kindern und machte ihnen ein Zeichen, dass wir sie im Flur erwarteten.

Erwartungsvoll kamen sie auf uns zu.

„Habt ihr Beiden Lust, mit uns in den Rosenturm zu kommen und ein bisschen mit Modelliermasse zu spielen?" fragte sie die Beiden.

Lars und Tim sahen sich an und schüttelten dann wie auf Kommando den Kopf.

„Nee", sagten sie wie aus einem Mund.

„Heute nicht", fügte Lars hinzu.

„Aber trotzdem danke!" sagte Tim höflich.

Ich überlegte fieberhaft. Womit konnte ich sie locken? Ein Fußball lag nicht in meiner Sichtweite. Woher konnte ich jetzt so schnell einen nehmen?

Doch dann kam mir eine andere Idee.

„Was haltet ihr denn von Pferden und Ponys? Ganz in der Nähe gibt es hier einen Gutshof, der gehört zwei Frauen, die Zwillinge sind. Sie beide sind meine Freundinnen und freuen sich bestimmt auch, wenn sie euch kennen lernen können."

Wieder sahen sich die beiden an.

Offensichtlich verstanden sie sich ohne Worte. Nach kurzem Überlegen nickten sie.

„Okay, wir kommen mit", teilte uns Tim mit.

„Haben die auch noch andere Tiere?" wollte Lars wissen

Ich überlegte kurz „Ja, jetzt erinnere ich mich. Ich weiß von ein paar Ziegen und ein paar Schafen, von Hühnern, einem Esel und ein paar Häschen oder Kaninchen. Seit dem Jasmin und Senta auch „Ferien auf dem Bauernhof" anbieten, gibt es dort auch ein paar Streicheltiere."

Die beiden schnappten sich ihre Jacken und Mützen und folgten uns zu meinem Auto. Bei der Gelegenheit zeigte ich ihnen während einer kleinen Rundfahrt, an der Kirche, am Gemeindezentrum, am Rosenturm und am historischen Gasthof vorbei, den kleinen sehenswerten Ort.

„Und?" Theresa sah die beiden erwartungsvoll an. „Gefällt es euch hier? Könnt ihr euch vorstellen, hier eine Weile zu bleiben?"

Lars war nicht ganz überzeugt aus. „Ich glaube, das ist eher etwas für ältere Leute, aber Wittentine ist ja nicht weit, dort gibt es ja dann auch ein Kino, ein Sportstudio und sogar einen Fußballverein."

Tim hatte sich aufmerksam umgesehen. „Doch, mir gefällt es hier. Ich glaube, hier komme ich sogar ein bisschen zum komponieren. Das habe ich früher schon einmal getan."

Theresa sah ihn erstaunt an. „Du bist erst sechs Jahre alt. Wann hast du denn angefangen? Kanntest du da überhaupt schon die Noten?"

„Nein. Ich habe komponiert, da kannte ich noch keine Noten. Dort wo ich wohnte, gab es ein Klavier, und da habe ich dann schon als kleines Kind jeden Tag daran gesessen."

„Sicher hast du schon von klein an Fußball gespielt?" wandte ich mich an Lars.

Er nickte eifrig. „Oh, ja. Im Heim haben alle jungen Fußball gespielt. Ich war auch schon in einem Verein, bevor ich in die Schule ging. Vielleicht mache ich später auch mal was mit Sport."

Ich hatte Jasmin schon eine kurze Nachricht geschrieben, dass wir ihr einen Besuch abstatten wollten, um mit den Kindern die Tiere anzuschauen, daher wunderte ich mich nicht, dass sie uns schon am Tor erwartete.

Wir begrüßen uns herzlich mit einer Umarmung, was die Kinder aus einiger Entfernung neugierig und etwas befremdet beobachteten. Möglicherweise waren sie beide nicht so viel Herzlichkeit und Gastfreundschaft gewohnt, wie man sie hier fast überall in Sankt Augustine kannte.

„Senta hilft Emma gerade bei ihrer Wohnungsauflösung, denn sie zieht nun auch für immer zu uns", freute sich Jasmin für ihre Schwester. „Die beiden verbindet eine unzertrennliche Freundschaft, die sich so unglaublich schnell entwickelt hat."

Senta, die sich zu uns gesellte, führte uns zu den Ställen, zuerst zu den Ponys, die sehr zutraulich waren und den beiden Jungen sehr gefielen.

„Auf den Ponys dürft ihr auch beim nächsten Mal reiten", versprach ihnen Jasmin. „Seid ihr schon einmal geritten?"

Die beiden schüttelten den Kopf.

„Bei uns im Musikinternat hatten wir leider dafür keine Zeit", bedauerte Tim.

„Und bei uns im Heim hatte keiner für ein so teures Hobby genug Geld", bemerkte Lars altklug.

„Glücklicherweise wurden uns zum Beispiel die Trikots immer von Firmen gestiftet, sonst hätten wir uns auch keine kaufen können. Und zum Glück ist Fußballspielen nicht so teuer."

Die beiden Jungen hatten ihren Spaß bei allen Tieren, denen Senta und Jasmin eine Heimat gaben. Sie fütterten und streichelten sie und plauderten munter drauflos.

„Das tut ihnen richtig gut", flüsterte mir Theresa ins Ohr. „Das ist jetzt die richtige Ablenkung, die sie in einem solchen Fall brauchen."

„Ja, Tiere sind immer sehr hilfreich, sowohl bei kranken Kindern, als auch in solchen Situationen."

„Haben Sie auch ein Hund?" wandte sich Lars an Senta.

„Ja, dann kommt einmal mit ins Haus, da sind im Moment die beiden Hunde, und die zwei Katzen haben sich bei diesem kalten Wetter auch heute Nachtrinnen verzogen. Wollt ihr die auch mal sehen?"

Die beiden nickten eifrig und folgten ihr ins Haus, wo sie zunächst die Katzen am Kachelkamin vorfanden und ausgiebig streichelten.

„Ich habe mir schon immer einen Hund gewünscht", erzählte Lars. „Aber meine Mutter hat gesagt, dass wir dafür weder genügend Geld noch genug Zeit haben. Dürfen wir dann öfters einmal hierher kommen und mit den Tieren spielen?"

„Natürlich. Die sind nämlich auch Kinder gewohnt und freuen sich immer, wenn sich jemand mit ihnen beschäftigt. Denn meine Schwester und ich, haben nicht so viel Zeit, das ist ein großer Gutshof, da fällt immer viel Arbeit an, besonders auch mit den Pferden."

„Prima", freute sich auch Tim.

Als dann Jasmin auch noch die Hunde aus einem anderen Zimmer beibrachte, war die Freude groß. Und beide Jungen beschäftigten sich ausgiebig mit ihnen.

Etwas später trug Jasmin einen großen Kuchen herein, wir halfen ihr den Tisch zu decken, und bald saßen wir alle um den Esstisch herum und ließen uns

Kaffee, Kakao, Kuchen, diverse Plätzchen und den übrig gebliebenen Christstollen schmecken. Mit keinem Wort erwähnten die beiden ihre Mütter, und so ließen wir es auch gut sein und fanden uns damit ab, dass wir heute keine neuen Ergebnisse für unsere Recherchen finden konnten. Dafür stellten wir aber erfreut fest, dass sich die Kinder auch hier schnell zu Hause fühlten und auf diese Weise die schweren Augenblicke etwas in Vergessenheit gerieten.

Als wir mit den Kindern in ihr neues Zuhause zurückfuhren, unterhielten sie sich eifrig auf der Rückbank über die Tiere und ihre Erfahrungen, die sie mit ihnen gemacht hatten.

Im Schloss angekommen hatte gerade die Jury im Atelier ihre Entscheidung getroffen und begegnete uns auf dem Weg in die Schlossküche, wo Adelaide einen Lunch vorbereitet hatte. Mit Erstaunen stellten wir fest, dass die Kinder, die gerade noch Kuchen gefüttert hatten, auch jetzt herzhaft zulangten. Offenbar hatten diese furchtbaren Begebenheiten ihrem Appetit nicht geschadet.

Adelaide kam auf mich zu. „Ihr hattet die Kinder heraus gerufen, du und Theresa? Das war eine gute Idee. Es wurde ihnen nämlich schon langweilig, und dann konnten wir ganz in Ruhe die Prämierung vornehmen. Es wird bestimmt nachher sehr spannend. Diesen Brunch hat das Ehepaar Bühler vom Gasthof gestiftet. Sie konnten leider selbst nicht kommen, weil sie heute Abend eine geschlossene Gesellschaft bewirten müssen."

„Wir waren mit den Kindern bei Senta und Jasmin auf dem Gutshof. Dort haben sie sich schon mit den Tieren angefreundet. Ich glaube, das wird eine gute

Abwechslung für sie sein in der nächsten Zeit", vermutete ich.

„Niklas war eben auch hier und hat einzelne Personen noch einmal genauestens befragt. Bisher hat sich noch nichts Neues ergeben. Er glaubt, im Augenblick nur sehr schwache Spuren zu verfolgen. Wie denkst du darüber, Abigail? Wer gehört deiner Meinung nach zu den besonders Verdächtigen?"

Ich berichtete ihr von den Notizzetteln, die Tobias in Indias Mantel gefunden hatte und von seinem Verdacht bezüglich der Firma Pollmann und auch wegen seines Bruders in der Schuhfabrik.

„Trotzdem finde ich, dass wir die Rivalinnen von India weiter im Auge behalten sollten", beendete ich meinen Bericht.

Sie nickte. „Ja, Ricarda, Ulrike und Linda sind noch in der engeren Wahl, aber auch Maren, die Tobias in der Bibliothek gefunden hat, macht sich durch diese Tatsache nicht unverdächtiger. Eifersucht und übertriebener Ehrgeiz, gepaart mit Konkurrenzkampf war schon für manche Tat ein Motiv. Ich denke da sollte die Polizei dranbleiben."

„Genau, Adelaide. Und dort werde ich auch weiter ansetzen, während Ermanno sich um die verdächtigen Fälle im Industrieviertel kümmert. Es ist unglaublich, sollten diese Verdachtsmomente sich als Wahrheit herausstellen. Eine so renommierte Schuhfirma kann sich solch ein Betrug eigentlich nicht leisten. Und der arme Herr Körner, der würde das seinem Sohn bestimmt auch nicht zutrauen, einen solchen Betrug durchzuziehen. Selbst Tobias ist noch ganz verwirrt und kann sich das nicht vorstellen. Allerdings hat India wohl etliche Namen und Telefonnummern aufgeschrieben, auch Adressen von

Firmen im fernen Osten. Das wird sich alles nachprüfen lassen."

„So etwas muss doch auffallen", überlegte Ada. „Irgendwo überprüft doch jemand diese Schuhe auch. Man kann doch sicher feststellen, ob alle Firmenstempel und alles andere echt ist. Es kommt mir sehr merkwürdig vor, dass das bisher noch keiner entdeckt hat. Aber andererseits kann ich mir auch nicht vorstellen, dass sich India solche Sachen einfach nur so ausgedacht und aus der Luft gesaugt hat. So etwas kann man sich doch nicht einfach zurechtlegen. Oder was kann sie da vorgehabt haben? Wollte sie irgendwelche Personen gegeneinander ausspielen? Aber dann auch die Sache mit Pollmanns Firma und der Umweltverschmutzung. So etwas ist doch auch nachkontrollierbar. Warum ist das bisher bei einer Kontrolle nicht aufgefallen? Ist Tobias denn sicher, dass sie diese Zettel selber geschrieben hat? Möglicherweise hat der Täter ihr die nur in die Manteltasche gesteckt, damit die Polizei erst mal in dieser Richtung fahndet. Dann hatte der wirkliche Täter Zeit, irgendetwas zu vertuschen und seine eigenen Spuren zu verwischen."

Ich überlegte. „Das ist eine wirklich gute Überlegung, Ada. Daran habe ich noch gar nicht gedacht. Und Tobias sicher auch nicht. Das werde ich ihm schnellstens mitteilen. Trotzdem kann es natürlich nicht schaden, dass Ermanno in diese Richtung inzwischen schon ermittelt hat."

In diesem Augenblick meldete sich mein Handy, es war Rolf. „Schön, dass ich dich endlich einmal erreiche." Seine Stimme klang ehrlich erfreut. „Habe ich irgendetwas verpasst? Ist wieder irgendetwas Schlimmes geschehen?"

Ich berichtete ihm die weiteren Geschehnisse, allerdings ließ ich die Kussszene und die dazugehörige, erwartete Preisverleihung aus. „Du siehst, es ist also schon ganz schön aufregend hier. Mit den Kindern dagegen wirklich erfreulich, da wir sie momentan gut von ihrem Kummer ablenken können. Da haben wir nun zwar noch keinen Ermittlungserfolg, aber immerhin ein paar Lichtblicke."

„Das freut mich für dich", beteuerte er mir. „Und ich bin froh, dass du nicht gerade in akuter Gefahr schriebst. Solange du noch niemandem, der verdächtig ist, sichtbar folgst, kann ich also unbesorgt sein."

„Das kannst du sowieso. Ich passe gut auf mich auf. Aber wie sieht es denn mit dir aus? Bist du inzwischen mit Vera fertig geworden?"

„Nein. Wir sind erst gerade am Anfang. Da gibt es wirklich unheimlich viel, was sie mir zu erzählen hat. Und die Bilder dazu sind schon sehr vielfältig geworden."

In meinen Gedanken tauchten eine ganze Reihe von Bildern auf. Ich sah Rolf vor mir, in angeregten Gesprächen mit einer gut aussehenden Frau, die glücklich war, dass sie einen Mann getroffen hatte, der ihr zuhörte. Ich kannte es von meinen Artgenossinnen, dass sie solche Männer wie seltene Schmuckstücke empfanden und in der Regel alles daran setzten, solch ein Exemplar für sich zu ergattern. Und ganz sicher kannte sie dazu auch den Trick, den alle Frauen anwandten und bewunderte ihn und seine Arbeit ausgiebig.

„Das freut mich für dich, dass deine Arbeit im Moment sinnvoll ist, nicht nur für deinen Chef, sondern auch für dich. Dann wirst du vermutlich noch eine Weile wegbleiben?"

„Ja, das glaube ich auch, mit Vera wird es noch ein paar Tage dauern, und danach sind ja die nächsten Personen an der Reihe, Abigail."

„Wenn es dir Spaß macht, kannst du mir auch einmal ein paar Probefotos schicken, von deiner aktuellen Arbeit. Dann kann ich auch meinen Senf dazu abgeben", sagte ich leichthin.

Er lachte, wie es mir vorkam etwas gekünstelt. „Du möchtest ein Foto von Vera sehen? Das geht leider nicht. Ich bin bei meinem Chef so unter Vertrag, dass ich die unfertigen Arbeiten niemandem zeigen darf, nicht einmal dir."

„Schade, da ich momentan mit so vielen Künstlern umgeben bin, bilde ich mir ein, auch schon etwas Kunstverstand zu haben. Aber dann muss ich wohl notgedrungen warten, bis du mit deiner Arbeit fertig bist. Na ja, von hier kann ich dir ja auch keine Fotos schicken. Die meisten Ermittlungen müssen geheim bleiben."

„Und? Wie geht es Ermanno?" Er versuchte ebenfalls, seine Frage harmlos klingen zu lassen.

„Ich glaube, es geht ihm gut. Heute ist er in Wittentine und versucht sein Glück dort im Industriegebiet. Vermutlich knüpft er Kontakte, die er dann für seine Recherchen gebrauchen kann."

Ich hatte das Gefühl, dass wir beide noch mehr Fragen auf dem Herzen hatten, aber keiner von uns beiden traute sich offenbar, sie auszusprechen.

„Dann hoffe ich, dass du gut weiterkommst, mein Schatz!" wünschte er mir. „Und sieh zu, dass du dich weiterhin nicht in die Gefahrenzonen begibst. Ich möchte dich schließlich lebend wiedersehen."

„Oh ja, das werde ich versuchen", versprach ich ihm. „Und das gleiche gilt auch für dich." Und damit meinte ich nicht nur, dass ich hoffte, ihn lebend wieder zu sehen, sondern stellte mir auch die unterschiedlichsten Gefahrenzonen lebhaft vor.

Wir verabschiedeten uns mit einer reduzierten Zahl an Telefonküssen, und ich atmete erleichtert auf, als die Verbindung getrennt war. Hätte ich ihm etwas von Ermanno erzählen müssen? Ich fühlte in mich hinein. Nein, entschied ich. Ich hatte doch vor, diesem Kuss keine große Bedeutung in meinem zukünftigen Leben beizumessen. Und außerdem war Rolf auch nicht bereit, mir etwas von der Arbeit mit Laura zu erzählen.

Adelaide hatte inzwischen Moro an den Tisch geführt, wo sie sich mit Theresa und Giovanni bei einem kleinen Imbiss unterhielten.

Ich fand es an der Zeit, mich weiter um meine Recherchen zu kümmern und machte mich auf die Suche nach Maren.

Sie saß auf der langen Bank neben Bernhard Schmidt vor einem kleinen Bierfässchen und ließ das schäumende Getränk in ein Glas fließen.

Ich grüßte sie. „Hast du soweit alles gut überstanden, nach diesem aufregenden Tag gestern?"

„Meine Nacht war nicht so gut", erzählte sie mir. „Das war doch alles etwas viel. Tobias hat mir auch so leid getan, jetzt mit seinem ganzen Kummer und dazu noch mit den Verdächtigungen. Ich musste immer an ihn denken, wie er so verzweifelt hier am Fenster stand, als ich ihn gefunden habe."

„Das kann ich mir vorstellen, dass das sehr schlimm für dich war", beteuerte ich ihr. „War er denn überhaupt ansprechbar? Ich kann mir vorstellen, dass er einen richtigen Schock hatte."

„Ja, als ich ihn so regungslos da stehen sah, wusste ich zuerst gar nicht, was los war. Ich dachte einfach, es wäre ihm nicht gut, und deswegen hätte er das Fenster geöffnet, um frische Luft zu schnappen. Aber dann machte er ein paar so verzweifelte Handbewegungen. Sprechen konnte er nicht. Als ich dann näher kam, zeigte er nach draußen, wo ich Manuela liegen sah. Dann habe ich natürlich schnell geschaltet und alle wichtigen Personen informiert, zur Hilfe natürlich, aber auch bei der Polizei angerufen, denn nachdem diese schreckliche Sache mit India geschehen war, ist meine heile Welt etwas aus den Fugen geraten, und ich erwarte auch in jedem Moment das Schlimmste."

„Du Arme!" bedauerte ich sie. „Gut, dass du trotz dieser schockierenden Erlebnisse so schnell reagiert hast. Zwar hat es Manuela nicht mehr helfen können, aber das konnte ja niemand wissen. Wenn du dich noch einmal daran erinnerst, als du gestern in die Bibliothek gegangen bist, ist dir irgendjemand begegnet, der aus dieser Richtung kam?"

„Lass mich einmal kurz überlegen. Den Flur haben ein paar Frauen überquert, die wohl von der Toilette kamen. Aber das war nicht die Richtung von der Bibliothek. Sie waren auch sehr lustig und kicherten, offenbar hatten sie schon etwas getrunken."

„Wie gut, dass du nüchtern warst, Maren, sonst hättest du nicht so schnell reagieren können. Und das in deinem etwas hinderlichen My-fair-Lady-Kostüm. Wo hattest du denn deinen Mister Higgins gelassen?"

„Ah, du meinst diesen netten Schauspieler aus Kevins Team. Der hatte sich gerade eine neue

Kostümhose geholt, seine war nämlich geplatzt. Das war ihm furchtbar peinlich, aber ich habe mich natürlich amüsiert und musste mich sehr zusammennehmen, nicht laut los zu lachen. Als er sich gerade verabschieden wollte, setzte dann diese sehr laute Musik ein, und da ich sehr empfindliche Ohren habe und das Gefühl hatte, Kopfschmerzen zu bekommen, bin ich dann in die Bibliothek. So eine ruhige Minute tut manchmal gut."

„Aber auch da hast du dann niemanden mehr vorgefunden außer Tobias", erinnerte ich mich. „Und es kann sich auch niemand irgendwo in einer Ecke versteckt haben, oder?"

Bernhard mischte sich ein. „Und du glaubst immer noch nicht, dass Tobias der Täter ist, Abigail?"

Ich schüttelte den Kopf. „Für mich hat er gar kein Motiv. India hat er so sehr geliebt, dass er ihr bestimmt nichts tun würde. Es ist logisch: Da er nichts getan hatte, musste er sich auch nicht vor irgendwelchen Aussagen von Manuela fürchten. Daher glaube ich wirklich, dass sie wusste, wer der Täter war, wer schuld ist an Indias Tod. Und der wollte natürlich Manuela zum Schweigen bringen, bevor sie Tobias irgendetwas erzählen konnte. Ist das für dich etwa nicht logisch?"

„Du sprichst immer von irgendeinem unsichtbaren Täter. Wer soll das denn sein? Und welches Motiv soll er haben. Als Maren in die Bibliothek trat, war doch Manuela gerade erst heruntergefallen, das hat mir Kommissar Neubert selbst berichtet. Als Maren in die Bibliothek kam, war aber nur Tobias am Fenster und im Raum. Wohin soll dann der Täter so schnell verschwunden sein?"

„Das weiß ich auch nicht. Das werde ich noch zu klären versuchen, aber auf jeden Fall, gibt es jede Menge anderer Menschen, die ein stärkeres Motiv haben als Tobias. Und bei denen werde ich zuerst einmal recherchieren. Ermanno ist bereits schon einigen Personen auf der Spur."

Er kniff die Augen zusammen. „Ach ja, Ermanno! Man hat mir erzählt, dass ihr eine besonders erotische Filmszene zusammen gedreht habt. Na, ja, ich habe sie noch nicht gesehen. Aber nach diesem Lunch haben wir doch alle die Gelegenheit, eure Schauspielkunst zu bewundern. Ich bin schon sehr gespannt darauf. Darf ich etwas darüber in die Zeitung schreiben?"

„Tu, was du nicht lassen kannst. Solch eine Tageszeitung ist etwas sehr Vergängliches. Was da heute drinsteht, ist morgen schon wieder vergessen. Schließlich habe ich keinen ganzen Film gedreht, über den es sich lohnte, einen Bericht zu schreiben. Die Paare, die diesen Spaß hier mitgemacht haben, waren sicher stark motiviert wegen der Reise nach Hollywood."

Er lächelte süffisant. „Diese Reise, wirklich! Sagen wir mal, du würdest sie mit Ermanno gewinnen, wie würdest du das umsetzen? Hattest du mir nicht diese Tage noch mehrmals versichert, dass du verlobt bist?"

Ich machte eine wegwerfende Handbewegung. „Aber sicher! Sowas von! Wir sind nun auch schon länger verlobt, Rolf und ich. Und eben haben wir noch miteinander telefoniert und uns einiges von dem berichtet, was wir erlebt und getan haben. In all dieser Zeit haben wir auch ein großes Vertrauen zueinander entwickelt", schwindelte ich, denn momentan konnte ich davon nicht viel empfinden. „Die Reise würde ich natürlich gegebenenfalls mit Ermanno machen. Schließlich hatte er ja auch zum Erfolg dieser Szene beigetragen. Ihm stünde natürlich Hollywood genauso zu wie mir. Und was ist auch schon dabei? Mein Verlobter ist auch dauernd unterwegs und hat beruflich mit sehr, sehr vielen schönen Frauen zu tun. Was müsste ich da eifersüchtig sein! Also ist er natürlich auch nicht eifersüchtig auf Ermanno, er kennt ihn übrigens schon sehr lange und weiß, dass er mir schon mehrmals das Leben gerettet hat."

Bernhard gab es nicht auf. „Das war eine sehr lange Verteidigungsrede, finde ich. Wen wolltest du jetzt damit überzeugen? Mich oder dich? So wie man über diese Szene munkelt, hat schon manch einer die Ahnung bekommen, dass es da nicht nur um Schauspiel geht."

„Die Leute reden immer viel. Manche haben auch sehr viel Fantasie. Manche sehen immer das, was sie gern sehen wollen. Das ist besonders bei Skandalen so, aber auch bei heimlichen Affären. Die dichtet man schnell irgendjemandem an, weil sie nicht nur romantisch, sondern auch so prickelnd sind. Schließlich kenne ich auch mein Leser-Publikum ein bisschen. Und in den Tageszeitungen und Klatschblättern wird so etwas auch immer erwartet, sonst wäre doch die Welt viel zu langweilig. Ich vermute einmal, dass du mit denen ganz schön konform bist."

„Ich bin ein sehr realistischer Mensch, Abigail. Deswegen kommuniziere ich auch ständig mit dem Kommissar Neubert. Bei ihm bin ich an der neutralen, sachlichen Quelle. Ich sehe ebenso die

Realität und die Tatsachen im Fall Tobias, wie auch bei euch, bei dir und Ermanno. Wenn zwei Menschen, ein Mann und eine Frau, die keine Schauspieler sind, eine Liebesszene so gut realisieren, dass man erwägt, sie zu prämieren, dann gibt einem das doch zu denken, nicht wahr?"

„Hast du schon einmal versucht, eine Dreigroschenoper zu schreiben, Bernhard? Da geht es auch immer um solch ganz simple Schlussfolgerungen. Meistens weiß man auf schon auf der ersten Seite, wie die Geschichte endet. Das Schema ist auch ganz einfach: Herz, Schmerz und ein schmalziges Happy End. Ich kann dir sogar einen geeigneten Verlag dafür nennen."

Ich wandte mich ab von ihm. „Bis später Maren!"

Laura trat neben mich. „Bevor du jetzt weiter hier irgendwelche Recherchen anstellst, solltest du dir lieber im Vorführraum einen Platz reservieren, damit du die Preisverleihung von der ersten Reihe aus verfolgen kannst", riet sie mir.

„Tut mir leid", bedauerte ich, „ich suche erst noch den Higgins. Kannst du mir dabei helfen?"

„Wen suchst du?"

„Den Schauspieler, der gestern mit Maren das Paar Eliza Doolittle und Professor Higgins aus „My fair Lady" gespielt hat. Der steht gerade noch auf meinem Programm, bevor ich mich auf etwas anderes konzentrieren kann."

Sie zeigte auf einen großen schlanken Mann mit rötlichen Haaren „Das ist Jacques, ein sehr guter Schauspieler aus Kevins Team. Er ist zwar in Frankreich geboren, aber in Amerika aufgewachsen. Ein ganz charmanter Kerl. Du wirst dich freuen, ihn kennenzulernen."

„Danke dir, Süße! Ich werde mich beeilen", versprach ich ihr und bahnte mir den Weg zu dem jungen Mann, der an einem Glas Wein nippte.

„Hast du einen Augenblick Zeit, Jacques?" wandte ich mich an ihn.

„Hey, Abigail. Eigentlich kenne ich dich schon von meinem letzten Besuch hier, als Kevin den Kostümfilm gedreht hat. Aber da sind wir uns noch nicht näher vorgestellt worden, ich glaube, nur einmal kurz aneinander vorbeigegangen. Laura hat mir allerdings schon einiges von dir erzählt, von ihrer besten Freundin aus Deutschland. Was kann ich für dich tun?"

„Mir fehlen da noch ein paar Minuten im Ablauf des gestrigen Tages, den ich so ein bisschen zu rekonstruieren versuche. Vermutlich bist du da drüber auch schon von Niklas oder diesem Neubert ausgefragt worden. Wie war das gestern, als deine Hose platzte. Tut mir leid, dass ich dich jetzt darauf anspreche, aber diese Minuten waren wohl gestern gerade sehr wichtig. Maren hatte dich also selbstverständlich nicht „zum Kostüm" begleitet, oder."

„Also, zuerst hatte ich Hunger und wollte in die Küche gehen, um einen kleinen Imbiss zu nehmen. Dorthin wollte mich Maren auch begleiten. Dann haben wir uns durch die Menschen gezwängt hat, ich bin über irgendeine Requisite gestiegen, die jemand neben der Tür abgestellt hatte, und die offensichtlich umgekippt war. Dabei ist dann meine Hose geplatzt."

„Kannst du dich denn noch daran erinnern, welche Requisite es war?"

„Ja, das war eine Leiter. Keine echte, eine Attrappe aus Pappmaschee oder Plastik, das kann ich nicht mehr so genau sagen. Auf jeden Fall war sie schwarz."

„Oh, das ist interessant. Kann sie zu einem Schornsteinfegerkostüm gehört haben?"

Jacques überlegte einen kurzen Augenblick lang und nickte dann „Richtig, jetzt wo du das sagst, erinnere ich mich, auch kurz vorher einen Schornsteinfeger gesehen zu haben, der aus der Tür ging."

„Ist dir bei diesem Schornsteinfeger irgendetwas aufgefallen?"

„Nein, eigentlich nicht. Höchstens, dass er es ein bisschen eilig hatte. Da habe ich noch gedacht, da muss aber einer dringend zur Toilette."

„Konntest du erkennen, ob der Schornsteinfeger ein Mann oder eine Frau war?"

„Nein. Oder vielleicht doch? Ich denke einmal, eher eine Frau. Auf jeden Fall jemand mit einer schlanken Gestalt."

Ich zückte mein Handy und zeigte ihm ein Foto von Manuela. „Kann es diese Frau gewesen sein?"

Er sah sich das Foto genau an „Ja, doch. So eine Figur hatte diese Person. Ein bisschen der sportliche Typ. Aber das ist doch diejenige, die aus dem Fenster gefallen ist. Von der war doch heute ein Foto in der Zeitung. Und der Kommissar hat uns heute auch schon mit solch einem Foto in der Hand befragt."

„Richtig, Jacques. Vielleicht hast du mir sogar einen wichtigen Hinweis gegeben. Maren war zu dieser Zeit noch an deiner Seite, nicht wahr?"

„Ja, und als dann meine Hose geplatzt war, vollführten sie im Ballsaal gerade einen Musikwechsel, um anderen Kostümen auch die Chance zu geben, sich mit entsprechender Musik zu präsentieren. Es war recht laute Musik, und Maren hielt sich den Kopf. Draußen vor der Tür haben wir uns dann getrennt, ich habe aus dem Fundus eine neue Hose bekommen und Maren spazierte schnurstracks zur Bibliothek, in der sie dann Tobias gefunden hat."

„Weißt du noch ungefähr, wie viel Zeit vergangen ist, von dem Augenblick an, wo der Schornsteinfeger aus dem Raum eilte und dabei die Leiter abstellte, bis hin zu dem Augenblick, indem du über dieses Requisit gefallen bist?"

„Lass mich überlegen! Ich habe gesehen, wie der Schornsteinfeger aus der Tür eilte. Nicht gesehen habe ich, wie sie die Leiter neben der Tür abstellte. Aber das kann daran liegen, dass sich dort zu dem Zeitpunkt an der Tür alles etwas knubbelte. Wir haben danach vielleicht noch so drei oder vier Tänze getanzt. Also lass es einmal eine Viertelstunde gewesen sein. Danach haben wir dann auch den Saal verlassen."

Ich atmete tief. „Jetzt müsste ich noch irgendeine Uhrzeit dazu haben. Das wäre grandios. Aber so etwas hast du vermutlich nicht für mich."

Er lächelte mich an. „Doch. Und das kann ich dir auch ganz leicht erklären. Maren und ich wollten uns nämlich später in der Schlossküche zu einem Imbiss treffen. Ich sagte ihr noch, das mit der Hose wird jetzt etwa eine Viertelstunde dauern. Dann sehen wir uns am besten um Viertel nach elf am Buffet. Also haben wir uns um 11:00 Uhr an der Saaltüre getrennt."

„Gut, das ist prima. Alles andere kann ich dann weiter recherchieren. Du hast mir sehr geholfen, Jacques. Dann sehen wir uns bestimmt später bei der Preisverleihung."

Er lächelte. „Das freut mich, dass ich dir weiterhelfen konnte. Bis später also, und noch viel Erfolg!"

Ich trat beiseite, und da ich Niklas nicht gleich unter den Anwesenden fand, wählte ich seine Telefonnummer.

„Hallo Abigail, was gibt's?" meldete er sich.

„Kannst du mir den Todeszeitpunkt von Manuela sagen?"

„Den genauen Zeitpunkt habe ich noch nicht von der Pathologie. Jedenfalls noch nicht auf die Minute. Aber immerhin weiß ich, wann man sie dort unten auf dem Boden liegend gefunden hat. Einer vom Kamerateam von Kevin war nämlich im Garten gewesen, um mit Moros Erlaubnis dort ein paar Fotos zu machen. Der hat sie zuerst gesehen, zuerst gefunden und sofort die Polizei und die Rettung alarmiert. Das war genau um 11:00 Uhr. Etwa fünf Minuten später hat dann auch Maren die Polizei und Rettung angerufen. Warum wolltest du das wissen?"

„Ach, seit wann weißt du das mit dem Kameramann?"

„Schon etwas länger, ist das für dich wichtig, Abigail?"

„Ja, dann hätte ich mir die letzte Recherche sparen können. Maren war bei mir auch immer noch bei den Verdächtigen. Aber gut, dann kann ich sie jetzt von der Liste streichen."

„Ja, das kannst du. Wer ist denn jetzt noch auf der Liste deiner Verdächtigen? Vielleicht kann ich dir da noch weiterhelfen, damit du den Personenkreis einengen kannst."

„Also, Tobias ist weiterhin für mich nicht verdächtig. Als Rivalinnen für India und Manuela bleiben da noch Linda, die Krankenschwester und Ulrike, die

Verkäuferin, obwohl ich sie vom Typ her nicht zu den Kriminellen zähle.."

„Das weiß man allerdings nie", warf er ein. „Und sonst?"

„Dann sind es noch die Personenkreise im Industriegebiet. Ermanno hat dir doch ganz bestimmt schon von diesen Schmierzetteln erzählt, die Tobias in Indias Mantel gefunden hat."

„Ja, das hat er. Und wir haben da tatsächlich auch schon recherchiert und einiges herausgefunden."

„Darfst du mir auch schon etwas darüber berichten, Niklas?"

Er lachte. „Ja, das kann ich. Der junge Fabrikant Pollmann hat tatsächlich nach Indias Besuch in seinen Produktionsanlagen neue Filter einbauen lassen, die wesentlich zur Verringerung der Umweltverschmutzung beitragen. Dafür haben wir auch schon die Belege."

„Und was bedeutet das jetzt für den Fall India?"

„Das Motiv verringert sich etwas. Jetzt könnten sie natürlich sagen, diese Verbesserung war vorgesehen, und das schon, bevor India uns überprüft hat. Inwieweit India doch noch mit einer Anzeige Angst verbreitet hat, und jemanden zu einer übereilten Handlung provoziert haben kann, das muss natürlich noch überprüft werden. Ermanno hat es tatsächlich fertig gebracht, sich Zugang zu den Personalakten der Firma zu verschaffen, mit der Erlaubnis der sehr liebenswerten Frau von Pollmanns Sohn. Du weißt ja, wie charmant er sein kann."

„Ja, ich weiß. Und er ist ein genialer Detektiv. Ich bin gespannt, welche Ausrede ihm dazu eingefallen ist. Welche Firma lässt schon einen Fremden in die Personalakten sehen?"

„Mit dem Schuhgeschäft Körner sind wir auch schon weitergekommen", fuhr Niklas fort. „Da kommt wirklich Erstaunliches an den Tag. Wir sollten Tobias noch eine Weile damit verschonen, damit er da nicht schon wieder schockiert wird."

„Was ist denn dabei herausgekommen?"

„Das ist wirklich sehr abenteuerlich. Und das müssen wir natürlich auch abgeben an das Betrugsdezernat. Die Körners haben tatsächlich bei Verona eine Firma mit dem Namen „Scarpabella", und von der werden die Schuhe dann nach Wittentine geschickt, als italienische Schuhe. Diese Firma bezieht aber ihre Schuhe aus einer zweiten Fabrik aus Kalabrien. Und jeder, der nun meint, dass dort die Schuhe hergestellt werden, ist auf dem Holzweg. Diese Firma in Kalabrien bezieht nämlich die Schuhe aus dem Nahen Osten. In Kalabrien werden sie nur noch ein bisschen aufgemotzt und mit Schildern und Stempeln versehen."

„Das hört sich für mich ziemlich kompliziert an, Niklas. Dann könnten sie behaupten, dass sie tatsächlich nur Rohmaterial aus dem Nahen Osten beziehen. Die Fertigstellung ist dann tatsächlich in Italien. Das könnte sehr knifflig werden."

„Deswegen geben wir das auch an das entsprechende Dezernat ab. Die kennen sich damit besser aus. Tatsache ist aber trotzdem, dass es der Firma Körner hier bestimmt nicht recht sein wird, wenn diese ganze Herstellungsprozedur in Deutschland bei den Abnehmern ans Tageslicht kommt. Somit haben wir dann doch für unseren Unfall mit Todesfolge wieder ein komplettes Motiv."

„Und wie sieht es da aus? Käme da vielleicht der Juniorchef als Täter infrage? Oder sind sie so reich, dass sie sich selbst nicht die Finger schmutzig machen und dafür jemanden beauftragen können. Habt ihr da auch schon die Charaktere überprüft?"

„Nein, so weit sind wir noch nicht. Trotzdem laufen unsere Untersuchungen schon auf Hochtouren. Bei India suchen wir ja auch noch nach dem großen Unbekannten. Bei Manuela ist der Täterkreis schon etwas eingeschränkter, da ist es doch vermutlich jemand gewesen, der zum Fest geladen war."

„Nicht unbedingt. Immerhin war es ja wieder einmal ein Kostümfest. Da kann sich schon einer einschleichen", wandte ich ein.

„Ben und sein Kollege haben aber am Tor Ausweise und Einladungen kontrolliert. Da war es schwierig, sich dazwischen zu mogeln. Terrassentüren und Fenster unten waren auch alle verschlossen und sind auch nicht beschädigt. Es gibt nirgendwo Einbruchspuren."

„Dann blieb aber noch das Fenster der Bibliothek", überlegte ich.

„Es war keine Leiter draußen. Es gibt auch kein Spalier, nicht einmal eine Regenrinne, an der man hoch klettern könnte. Trotzdem, es mag Leute geben, die auch eine solche Wand bezwingen können. Wir werden auch da einmal recherchieren. Aber wer wusste schon, dass die Putzfrauen, dieses Fenster nach dem Reinigen immer geöffnet lassen? Für eine geplante Tat war diese Maßnahme, dieser Weg, zu unsicher und gewagt. Wir konzentrieren da unsere Recherche auf die Anwesenden des Ballabends."

„Und wie sieht es mit Pollmann Junior und dem alten Körner aus? Die waren doch beide anwesend. Haben die ein Alibi für die Tatzeit im Fall Manuela?"

„Pollmann Junior und Senior und Körner haben beide ein Alibi für die Tatzeit des Unfalls von India, und alle Pollmanns und Körners haben ein Alibi für die Zeit des Unfalles von Manuela, bis auf diesen Richard Körner, den Bruder von Tobias."

„Und was ist mit dem?"

„Er hat gesagt, zum Zeitpunkt des Unfalles von India, habe er zu Hause Home Office gemacht, sein Handy war tatsächlich zu dem Zeitpunkt zu Hause, aber das sagt ja nichts. Und während des Unfalles von Manuela war er angeblich auch zu Hause, während seine Frau eine Freundin besucht hat. Wieder war sein Handy tatsächlich bei ihm zu Hause, aber wie gesagt, wenn man solch eine Tat vorhat, kann man auch das Handy zu Hause lassen."

Ich staunte. „Wie habt ihr das denn so schnell schon herausgefunden? Du wurdest doch erst vor kurzer Zeit über diese gekritzelten Zettel von India informiert!"

„Aha, nein. Das haben wir schon vorher recherchiert. Das hatte jetzt gar nichts mit der Schuhfabrik zu tun. Auf ihn sind wir gekommen, weil seine Frau Hanna so merkwürdige Dinge über ihn gesagt hat."

„Oh, davon weiß ich ja noch gar nichts. Ist das denn geheim?"

„Für die Allgemeinheit schon, Abigail. Aber da wir zusammenarbeiten, kann ich dir auch schon etwas darüber berichten. Vielleicht kannst du uns später sogar dabei weiterhelfen."

Ich freute mich. „Jetzt wird es interessant. Vielleicht kommen wir nun endlich weiter."

„Die Ehe der beiden scheint nicht besonders gut zu funktionieren. Sie sagte uns klipp und klar, dass sie ihrem Mann kein Alibi geben könnte, weil sie grundsätzlich niemals wisse, wo er sich gerade aufhalte. Zum Zeitpunkt von Indias Unfall sei sie in der Stadt bei einem Arzt gewesen. Der hat es uns inzwischen auch telefonisch bestätigt. Sie beschuldigte ihren Mann auch, schon öfters untreu gewesen zu sein und ließ durchblicken, dass sie vermutete, ihr Mann habe ein Verhältnis mit India. Sie hat auch sehr viel Negatives über India erzählt, der sie auch nichts Gutes zutraut. Da kann natürlich auch sehr viel Eifersucht im Spiel sein, begründet oder unbegründet."

„Das ist aber mal wieder eine ganz verzwickte Sache. Hier bei diesem Ehepaar werden uns ja gleich zwei Täter mit Motiv präsentiert. Richard konnte Angst vor India haben, weil sie den Betrug der Schuhfirma entdeckt hatte. Und Hanna hat Eifersucht als Motiv. Wenn das nicht reicht? Kennst du die beiden schon?"

„Bisher erst nur flüchtig, noch nicht genug, um verhärtete Spuren zu haben. Aber wir sind natürlich dran und lassen die beiden nicht aus den Augen."

„Vielleicht kann ich euch da ein bisschen helfen", schlug ich ihm vor.

„Das wäre in diesem Stadium zu auffällig, wie gesagt, etwas später gern. Mein Kollege verfolgt die beiden schon intensiv, besonders diesen Richard. Aber bei der Überprüfung von der Krankenschwester Linda haben wir tatsächlich erfahren, dass eine Kollegin sie bezichtigt, Medikamentensüchtig zu sein. Da könntest du noch einmal nachhören. Denn aus dieser Sicht heraus gibt es auch manches Motiv."

„Okay, dann werde ich mal ein bisschen an ihr dran bleiben. Gibt es da etwas Besonderes zu Ulrike?"

„Ja, sie ist psychisch auch nicht ganz stabil. Sie ist Verkäuferin, und von einer Kollegin haben wir erfahren, dass eine Kollegin an ihr schon mal eine Art Kaufrausch erlebt hat, woraus sich auch verschiedene Motive ergeben. Diese Verdachtsmomente müssen sich allerdings erst erhärten."

„Natürlich Boss", scherzte ich. „Ich knüpfe mir die beiden mal vor. Sind Richard und Hanna denn heute Abend hier im Schloss?"

„Nein, obwohl sie gestern beide eingeladen waren, haben sie es vorgezogen, fernzubleiben, und daher interessiert sie auch diese Preisverleihung für die Filmszenen nicht."

Laura trat neben mich. „Du bist ganz in dein Gespräch vertieft und hast gar nicht gemerkt, dass alle anderen schon vorausgegangen sind zur Preisverleihung. Willst du denn nicht mit dabei sein? Das wird bestimmt sehr interessant."

„Also gut, Niklas. Wir sehen uns bestimmt gleich hier irgendwo. Ich werde jetzt Laura zu dem Spektakel folgen. Bis später dann!"

„Bis später! Ciao", verabschiedete sich der Kommissar, und ich folgte eilig meiner Freundin in den Saal, wo sich die anderen schon versammelt hatten. Einen Platz fand ich nur noch in der hintersten Reihe, wo ich mich in Gedanken versunken hinsetzte und über das Gespräch mit Niklas nachdachte.

„Ist hier noch ein Platz frei, schöne Frau?"

Ich entdeckte Ermanno, der neben mir stand. „Gern, ich habe dich schon vermisst. Als Team sind wir einfach besser."

Er setzte sich neben mich und lächelte. „Und ich hatte gedacht, du würdest mich auch privat ein bisschen vermissen."

Ich lachte. „Vielleicht ein ganz kleines bisschen. Aber jetzt bin ich schrecklich neugierig. Was hast du alles herausbekommen?"

„Wenn du mich so fragst, und leider gehe ich auch immer ein bisschen nach dem Bauchgefühl wie du, ist da noch kein Täter dabei, der in das von mir selbst erstellte Täter-Profil passt. Die Motive sind mir alle noch zu fade. Wenn es um die Firmenbelange geht, dann muss man doch immer sagen, diese Bosse haben doch alle mit Geld die Möglichkeit, sich gute Anwälte zu holen. Da kann ich mir schlecht vorstellen, dass sie wegen der vagen Verdächtigungen von India gleich einen so unprofessionellen „Mord" inszeniert haben. Der Pollmann hat inzwischen alle Sicherheitsvorschriften beachtet, da läuft jetzt alles tadellos. Und der Körner findet bestimmt mit viel Geld auch einen Staranwalt, der ihm das offizielle Recht gibt, diese Schuhe als italienische Schuhe zu deklarieren. Es ist mir einfach nicht spektakulär genug für das Motiv, mit dem man sich dann die Mühe für eine solch stümperhafte Unfallinszenierung geben könnte."

„Und das Ehepaar Körner? Wie sieht es da mit Eifersucht aus und ähnlichen Motiven, Ermanno?"

„Auf den ersten Blick kann ich mir das auch nicht vorstellen, denn die beiden scheinen schon seit längerer Zeit getrennte Wege zu gehen. Nach außen hin sieht es so aus, als würde das den Beiden gefallen, aber es gibt natürlich auch diese schwelenden Brandherde. Das muss man noch einmal genauer untersuchen."

„Niklas will mich da vorerst raushalten. Wirst du da mit recherchieren, Ermanno?"

„Wer quatscht denn da hinten immer noch", beschwerte sich Kevin. „Ich möchte euch jetzt alle bitten, die privaten Gespräche einzustellen. Wir sehen uns jetzt die Szenen an, die prämiert werden. Da es so viele kleine Filme sind, die uns sehr gut gefallen haben, gibt es nun auch weitere Preise, die wir ausgesetzt haben. Der erste Preis bleibt diese Reise nach Hollywood für zwei Personen, den zweiten und dritten Preis haben wir hinzugefügt. Jeweils eine Wochenendreise nach Paris, der Stadt der Liebe. Dazu noch Minipreise für Platz vier, fünf und sechs."

Die Anwesenden klatschten und sahen gespannt auf die große Filmwand.

„Und? Was für ein Gefühl hast du?" fragte mich Ermanno flüsternd.

„Zu den Körners?"

„Nein zu der Preisverleihung."

„Ehrlich gesagt, überhaupt keines. Ich habe ja auch noch keine Vergleichsfilme gesehen ich weiß nicht, wie gut die anderen waren. Immerhin sind da ja einige Profis dabei. Vielleicht hätte man doch die Profis von den Laien trennen sollen, dann auch mit getrennten Bewertungen. Wäre das nicht gerechter?"

Er lächelte. „Manchmal kann man das nicht voneinander unterscheiden."

Der Raum verdunkelte sich, wir sahen gebannt auf die Leinwand, auf der die erste Szene erschien.

Als erstes zeigte sich die Schlussszene aus dem Film „Der Abschied von Susanna". Sie wurde gespielt von zwei Schauspielern aus Kevins Team. Kevin erklärte uns kurz die Handlung dieser Geschichte. Dabei handelte es sich um das Erwachsenwerden einer Frau, die zu Beginn ihrer Ehe ein unscheinbares, bescheidenes Mauerblümchen gewesen war und sich dann zu einer lebenslustigen, mutigen und selbstbewussten Frau entwickelt hatte. Hierbei bestand nun ständig und fortlaufend die Gefahr, dass sich das Paar durch die Entwicklung entfremdete. Doch am Ende dieses Films fanden sich die beiden zu einem neuen Glück. Susanna änderte nun stolz ihren Namen in Elisabeth, der bisher lediglich ihr zweiter Vorname gewesen war, und der sie nicht nur an ihre Großmutter erinnerte, sondern sie auch zu dieser Entwicklung motiviert hatte.

In der Schlussszene standen die beiden Eheleute im Garten vor einer welken Pflanze, die es nicht geschafft hatte, sich bei neuen Witterungsbedingungen am Leben zu erhalten. Das erinnerte die beiden an ihre eigene Geschichte, die auch großen Gefahren ausgesetzt gewesen war. Die Frau und der Mann betrachteten die Pflanze zuerst traurig, dann fanden sich ihre Blicke, erst noch betrübt und ernst. Zuerst wandelte sich der Ausdruck auf dem Gesicht der Frau in ein verständnisvolles Lächeln, auf das er nach einigen Sekunden in gleicher Weise reagierte

Am Ende der Szene ergriff er ihre Hand küsste sie zart, worauf sie seine Hand mit ihrer erst an ihre Wange und dann ebenfalls an ihren Mund führte.

Die Kamera zog sich nun langsam zurück, das Paar wurde immer kleiner, bis letztendlich nur noch zwei winzige Punkte in einem großen Garten zu sehen waren, die zu einem einzigen Punkt verschmolzen.

Als die beiden Worte „THE END" erschienen, klatschten die Zuschauer begeistert und gratulierten den Gewinnern, die nach vorn auf die Bühne gerufen wurden und denen der sechste Preis von Laura und

Kevin überreicht wurde: Ein Gutschein für ein Dinner zu Zweit im historischen Gasthof „Zur Traube".

Den fünften Preis erhielten Niklas und Jasmin für ihre ergreifende Abschiedsszene von Caesar und Kleopatra.

Tatsächlich zeigte Jasmin ein großes Talent bei dem dramatischen Abschied von Caesar, während ihre schönen Augen ihn sehnsuchtsvoll ansahen. Niklas wirkte ein wenig unbeholfen, aber gerade das passte zu dem sonst so mutigen Imperator, der in gefühlvollen und sensiblen Liebesdingen offenbar doch etwas schüchtern zu sein schien. Als sich die Kamera dann auf seine Augen richtete, schaffte auch er es schließlich, das Publikum mit seinen großen melancholischen Augen und dem fragenden Ausdruck darin zu faszinieren.

Wie wachsende Knospen der Pflanzen streckten sich beide ihre Hände entgegen, wie magnetisch voneinander angezogen, bis sich ihre Fingerspitzen in einer magischen Berührung fanden. Hier vergrößerte die Kamera am Ende die Hände und die Finger, bis man die winzigen Linien erkennen konnte, die sich langsam wandelten in eine Landkarte mit Straßen und Gebirgen auf denen man Caesar sah, der sich in einem Wagen entfernte.

Auch diese Szene erntete sehr großen Beifall, Niklas und Jasmin nahmen den Gutschein für ein Konzert und ein anschließendes Dinner im Gasthof zur Traube unter Beifall strahlend entgegen.

Den vierten Preis erhielten Maren und Jacques für die Schlussszene der Inszenierung von „My fair Lady". Jacques spielte den Professor Higgins selbstbewusst und voll hochnäsiger Arroganz, die er noch bis fast zum letzten Augenblick aufrecht erhielt, während Maren den in der deutschen Sprache mit Berliner Dialekt versehenen Part der Eliza zum Vergnügen aller in perfekter Weise wiedergab. Die Komik der Szene, die sprechenden Blicke, bedurften keiner Zärtlichkeit und keines Kusses, um dennoch als liebes Geständnis zu wirken.

Sie ernteten reichlich Beifall und freuten sich über Konzertkarten, zwei Eintrittskarten für eine Oper und ebenfalls einen Gutschein für ein Dinner zu Zweit im Gasthof „Zur Traube".

Den dritten Preis, eine Wochenendreise, inklusive des Fluges nach Paris, erhielten die Krankenschwester Linda in ihrem Kostüm als Badenixe und Simon Hecht, der einen munteren, voll Tatendrang sprühenden Fischer mimte.

Die Zuschauer amüsierten sich über seine drolligen Verrenkungen, als er den scheinbaren Fisch, der sich dann als Badenixe entpuppte, mit Mühe an Land zog, freuten sich über die Mimik in seinem Gesicht, als er die Überraschung wiedergab, und klatschten Beifall, als er seinen Fund von der Angel entfernte und von allen Seiten wie einen gefangenen Fisch begutachtete. Jetzt hatte die wendige Nixe ihren Auftritt. Wie ein glitschiger Fisch wand sich Linda aus seinen Händen und versuchte, ihm zu entkommen. Er jedoch wollte sich seinen Fang nicht nehmen lassen und stolperte ihr hinterher, bis er sie erreichte und zu umarmen suchte. Hier hatten die beiden nun eine Art Tanz einstudiert, bei dem sie sich wie in einem Musical miteinander drehten, sich wieder voneinander entfernten und in Umarmungen wiederfanden. Beide zeigten fast schlangenartige Bewegungen, mit denen sie das Publikum verblüfften und begeisterten. Dabei ergänzten sie sich so hervorragend, dass man den Eindruck hatte, sie seien ein schon lange eingespieltes, erprobtes Paar.

Den zweiten Preis erhielten Conny, eine Kindergärtnerin aus Sankt Augustine und ihr Partner Philipp, ein Krankenpfleger, für die Schlussszene des Filmes. „Berliner Blut".

Dieser Streifen handelte von einem modernen Othello, der seine geliebte Frau Desdemona aus Eifersucht tötete und danach sich selbst umbrachte. Die beiden Laien-Schauspieler gaben sich der Szene mit intensivem Gefühl hin, die dramatische Darbietung berührte die Zuschauer und veranlasste sie zu einem tosenden Beifall.

Immer wieder musste sich das Paar auf der Bühne vor dem Publikum vorbeugen, der Beifall wollte nicht enden.

Und dann kam, was ich insgeheim schon befürchtet hatte. Meiner Meinung nach nicht unparteiisch, hatte die Jury die Filmszene von „Rosen sterben nie" zur besten Szene gekürt.

Mit klopfendem Herzen sah ich auf der Leinwand, wie ich mich verzweifelt um Haltung bemühte, während ich auf dem Bett lag. Ich musste zugeben, meine Traurigkeit sah ziemlich echt aus. Und das war es in diesem Moment wohl auch gewesen, erinnerte ich mich.

Kurz darauf trat Ermanno in den Raum, setzte sich auf den Rand meines Bettes und beugte sich zu mir. Seine Worte wusste ich auswendig, als er mit Nachdruck zu mir sagte: „Margareta, Liebste, ich hoffe, du hast dir nicht allzu viele Sorgen gemacht, denn sie sind alle umsonst, weil ich mich mit der Frau verloben werde, die ich liebe."

Dann ergriff er meine Hand, küsste sie sanft, so wie ich es von ihm auch schon ein andermal erlebt hatte. Die Kamera richtete sich nun auf mein Gesicht, auf dem sich große Erleichterung breit machte. Mein Lächeln wirkt jedoch unsicher, schüchtern und etwas ängstlich, fand ich. Mit, aus welchen Gründen auch immer, bewegter Stimme, hörte ich mich in der Szene sagen:„Ich habe es mir immer gewünscht, ich habe davon geträumt, dann ist es wohl Schicksal". Auf mich wirkt es jetzt ein wenig kitschig.

Dann kam der Augenblick, vor dem ich mich insgeheim fürchtete. Die Kamera zeigte es in Großaufnahme: Ermanno küsste mich, erst sanft, vorsichtig, dann voller Leidenschaft, und ich zeigte nicht nur keine Abwehrreaktion, sondern gab mich ihm willig hin. Das wirkte absolut echt!

Während der Beifallsjubel losbrach, zog mich Ermanno hoch und führte mich zur Bühne, wohin ich ihm traumwandlerisch folgte. Und so standen wir dann dort eine Weile, während ich mich wie ein begossener Pudel fühlte, dem der rauschender Beifall wie ein Gewitter in den Ohren klingt, während der Regen auf ihn niederprasselt. Immer wieder mussten wir uns verbeugen. Schließlich kamen Niklas und Jacques auf die Bühne und hoben uns zur Freude der Anwesenden hoch in die Luft, um uns im wahrsten Sinne des Wortes hochleben zu lassen.

Ich wünschte mir innig, dass dieses Spektakel ein Ende nehmen würde, aber die Zuschauer genossen diese Szene lange und reichlich und amüsierten sich.

Hatte ich gehofft, dass ich mich nun in eine stille Ecke verdrücken konnte, so wurde ich umgehend eines Besseren belehrt.

Nach einer umständlichen Preisverleihung, bei der uns Kevin noch einmal extra beglückwünschte und sämtliche Gutscheine für die Reise nach Amerika wortreich in die Hände drückte, umringte uns das Publikum und führte uns wie bei einem Brautzug in Moros Atelier, wo man uns aufforderte, den Kuss noch einmal zu wiederholen.

Ich weigerte mich standhaft, dieser Bitte nachzukommen und reduzierte die Zugabe auf einen Ehrentanz, zu dem uns Adelaide eine alte Schallplatte von Mario Lanza mit dem Song „Come Prima" auflegte.

Zuerst war ich noch ein wenig sauer, weil ich mich von den Umstehenden dazu genötigt fühlte, aber je länger ich tanzte und von Ermanno gehalten, geführt und gedreht wurde, umso mehr vergaß ich alles um mich herum und genoss diesen Tanz mit ihm. Als die Musik verklang, erwachte ich entspannt aus der Welt des Rhythmus und der Musik.

***

20. Kapitel

Nachdem wir unter Beifall den Tanz beendet hatten, bat der Journalist Bernhard Schmitz Ermanno um ein Interview für seine Zeitung. Doch der italienische Hobbydetektiv lehnte eine Befragung ab, gestattete dem Journalisten allerdings stattdessen eine ausgiebige persönliche Unterhaltung.

Adelaide brachte mir ein Glas Champagner. „Den hast du dir heute verdient", meinte sie lächelnd. „Ihr seid schon ein schönes Paar, und euer Schauspieltalent ist bewundernswert."

Ich machte eine wegwerfende Handbewegung. „Na ja, eigentlich hatten wir den ersten Preis nicht verdient. Aber offensichtlich war die Jury absolut parteiisch, oder?"

Sie lachte. „Nein. Das war wirklich der schönste Filmkuss, den ich seit Langem gesehen habe. Das findet übrigens auch mein Mann. Er ist ganz begeistert von euch beiden."

„Das wundert mich allerdings nicht, schließlich ist er ja auch Italiener wie Ermanno. Da sind sich die Beiden bestimmt einig."

„Weißt du schon, wann ihr diese Reise nach Hollywood unternehmt, Abigail?"

„Nein, das hat auch wirklich noch Zeit. Offiziell ist der Winter ja noch gar nicht einmal vorbei, und momentan bin ich auch in Gedanken noch gar nicht frei für einen Urlaub. Mein Kopf ist ganz auf die Recherchen wegen India und Manuela eingestellt. Wie geht es eigentlich unseren neuen Mitbewohnern, Tim und Lars? Ich habe sie noch gar nicht gesehen heute Abend?"

„Denen geht es sehr gut. Sie wollten heute Abend gemeinsam mit Lena und Michi im Fernsehen die Übertragung eines Fußballspiels sehen. Dazu haben sie auch Kartoffelchips und Cola bekommen und freuten sich auf ein paar Stunden ohne Erwachsene. Natürlich sehen wir immer einmal heimlich nach ihnen, das ist klar. Und Ben ist auch in ihrer Nähe und passt ein bisschen auf sie auf."

„Fußball?" wunderte ich mich. „ Alle vier? Auch Lena, als Mädchen? Und Tim, der doch sonst nur sein Klavierspiel im Kopf hat?"

Wie gut, dass ich Adelaide auf ein anderes Thema gebracht hatte!

„Ja, alle vier. Gemeinsam macht ihn das offenbar Spaß. Selbst Tim freute sich auf einen Abend mit den neuen Freunden, von denen er vorher offensichtlich nicht allzu viele hatte. Da macht man eben manchmal im Freundeskreis auch einmal etwas, das man sonst nicht tut. Die Gemeinsamkeit ist es, die ihnen Freude macht."

„Prima. Das hätte ich wirklich nicht gedacht, dass sich Tim und Lars so gut hier einfinden können, besonders nach diesen Schicksalsschlägen."

„Du kannst dich noch mehr freuen, Abigail. Michis Mutter hat sich bereit erklärt, mit den beiden Jungen auch zu Therapiestunden zu gehen, damit sie all das Schlimme, das geschehen ist, auch richtig verarbeiten können. Es fügt sich wirklich alles sehr gut, und darüber bin ich glücklich. Wie gut, dass Moro damals dieses große Schlosse gekauft hat! Anfangs hatte ich wirklich gedacht, es ist viel zu groß für ihn. Aber jetzt hatte sich gezeigt, dass es schon für so Vieles nützlich war, für das Museum, für die kleinen Ferienwohnungen und nun auch für alleinerziehende

Mütter und Waisenkinder. Wir müssen noch einen besonderen Namen für dieses Heim finden, darüber können wir einmal nachdenken. Du hast doch so viel Fantasie, vielleicht fällt dir ein hübscher dazu ein."

Ich nickte. „Irgendein Name, der halb italienisch und halb deutsch ist. Das würde passen. Ich denke einmal darüber nach. Leider habe ich gerade gesehen, dass sowohl Maren als auch Linda schon nach Hause gegangen sind. Ich hätte sie gerne noch einmal interviewt, weil sie immer noch auf meiner Verdächtigen-Liste stehen."

Sie lachte laut. „Du machst wohl keinen Augenblick mal Pause! Nach diesem schönen, romantischen Abend denkst du immer noch an die Arbeit?! Die beiden laufen dir doch nicht davon, morgen ist auch noch ein Tag. Und zu deinem Trost, nicht nur der unsympathische Neubert, sondern auch der kompetente Niklas ermittelt mit seinem Team. Denen darfst du auch ruhig noch etwas Arbeit übrig lassen."

„Du hast ja Recht. Und ich habe auch meinen Rolf etwas vernachlässigt in der letzten Zeit. Das muss ich unbedingt ändern. Ich habe das Gefühl, dass wir uns sonst ganz schön auseinanderleben."

Theresa gesellte sich zu uns und sah mich strahlend an. „Ah, da ist ja meine Lieblingsschauspielerin. Du solltest wirklich den Beruf wechseln. Hat dir Kevin noch nicht irgendeine Rolle angeboten?"

Bevor ich eine Antwort geben konnte, verabschiedete sich Ada von uns. „Mein Moro wartet, es ist schon spät für ihn. Ein Wunder, dass er es überhaupt so lange ausgehalten hat. Aber es hat ihm auch so viel Spaß gemacht. Da hatte er keine Zeit, um müde zu werden."

Ich umarmte sie kurz zum Abschied und wandte mich dann an Theresa. „Da nimmst du mich aber ganz schön auf den Arm, meine Liebe. Ich denke, heute Abend geht es nach dem Spruch: Wer den Schaden hat, braucht für den Spott nicht zu sorgen."

Theresa amüsierte sich. „Nach einem Schaden hat es wirklich nicht ausgesehen. Für mich sah das so aus, als ob du viel Spaß daran gehabt hättest. Hast du eigentlich keine Angst, dass Rolf dieses Video einmal zu sehen bekommt?"

„Was habt ihr denn heute Abend nur immer mit Rolf?!" beschwerte ich mich.

Sie grinste. „Ich habe mir nur gerade sein Gesicht vorgestellt, wie es aussieht, wenn er diesen Kuss sieht. Bist du sicher, dass er dir glaubt, dass das ein Filmkuss war?"

„Ach sicher!" wehrte ich ab. „Du wirkst irgendwie heute sehr glücklich! Ist etwas passiert?"

„Ja. Giorgio hat mir eine Nachricht auf das Handy geschickt. Nicht viel, aber immerhin ein Lebenszeichen."

Ich sah sie erfreut an. „Was hat er dir geschrieben?"

„„Hallo Theresa, es geht mir gut, und das wünsche ich dir auch, Giorgio". Das ist natürlich keine Liebeserklärung, und auch kein Zeichen, ob er noch irgendwelche Gefühle für mich hat, aber immerhin ist das ein Anfang. Er denkt immer noch an mich, und vielleicht ist er auch nicht mehr so böse auf mich."

„Ich glaube gar nicht, dass er jemals böse auf dich war, Theresa! Schließlich war es ein Unfall, den Luciana selbst provoziert hat, weil sie euch beide oder mindestens Giorgio töten wollte. Du wolltest schließlich nur einen Mord verhindern und Giorgio retten. Das war Notwehr. Das hat auch die Polizei so gesehen, und deswegen bist du auch von jedem Verdacht freigesprochen worden."

„Vielleicht sind es wirklich andere Beweggründe, dass er sich nicht mehr gemeldet hat", überlegte sie. „Ich habe schon oft darüber nachgedacht. Durch die Kugel, die sich aus der Pistole gelöst hat, wurde ein Mensch getötet. Das war zwar die Frau, von der er sich scheiden lassen wollte, aber es war auch die Person, mit der er einige Jahre lang das Leben geteilt hat. Ich glaube schon, dass ich ihm unheimlich war, weil ich das Ganze ausgelöst habe. Ich selbst habe lange gebraucht, das in irgendeiner Form mehr schlecht als recht zu verarbeiten. Daran kannst du dich bestimmt noch erinnern."

„Ja, Theresa, daran erinnere ich mich noch. Vielleicht kannst du mir jetzt mit deinem Wissen etwas weiterhelfen? Falls es dir nicht zu sehr wehtut, wenn du darüber redest."

„Ach so, du meinst, weil diese beiden Fälle mit India und Manuela auch Unfälle sind? Bei India bin ich nicht ganz so davon überzeugt. Denn warum hat der Täter ihr eine Praline mit einem Betäubungsmittel gefüttert, wenn er ihr nichts tun wollte."

„Vielleicht ging es doch um die Uhr", überlegte ich. „Vielleicht sind wir jetzt mit der Eifersucht und den Delikten im Industrieviertel auf dem völlig falschen Weg. Gehen wir doch noch einmal davon aus, dass es irgendjemand, warum auch immer, auf diese Uhr abgesehen hatte. Der wollte einfach India betäuben, um ihr dann die Armbanduhr zu stehlen. Das ist doch erst einmal logisch. Und derjenige wurde dann durch die Schritte von einer Putzfrau gestört, zumal das Stehlen der Uhr ja nicht so einfach ging wegen der Sicherheitskette. Vielleicht wusste er davon, und hatte ein Spezialwerkzeug mit. Vielleicht wusste er's auch nicht, und hat deswegen so schnell aufgegeben."

„Oder aber er war auch im Schock wie ich damals in Catania in Giorgios Haus. Stell dir vor, ich war in einem solchen Zustand, dass ich nicht einmal bemerkte, dass ich die Pistole immer noch in der Hand hielt, als ich aus dem Haus lief. Erst irgendwo auf der Straße ist mir das aufgefallen, und dann habe ich sie sofort in den Kanal geworfen, Ach nein, das war doch so etwas wie ein Brunnen, oder? Jetzt weiß ich es selbst schon nicht mehr so genau. Jetzt verdränge ich das Ganze schon wieder, um nicht mehr daran erinnert zu werden."

Ich dachte nach. „Gut. Dann kann es bei dieser Theorie also auch so gewesen sein bei India, wie ich es gerade angenommen habe. Und wie war es dann bei Manuela? Sie hat zuerst mit Tobias gesprochen und ihn gebeten, schnell ins Schloss zu kommen, um ihm etwas Wichtiges zu sagen. Warum hat sie ihm denn nicht am Telefon schon den Namen des Täters mitgeteilt, wenn es das war, was sie ihm mitteilen wollte?"

Theresa überlegte. „Vermutlich weil der Täter in der Nähe war, und das Gespräch mithören konnte. Vielleicht hatte sie das sogar am Anfang vor, aber der Täter kam im Laufe des Gesprächs näher an sie heran. Und dann traute sie sich nicht mehr, seinen Namen auszusprechen. Sicher hatte sie auch Angst vor ihm."

„Aber was mir gar nicht in den Kopf will, ist, warum hat sich der Täter verraten? Wo und wann hat er mit ihr gesprochen?"

„Sicherlich kurz vorher. Weißt du denn, was sie kurz vorher gemacht hat, Abigail?"

„Also, als ich mit ihr gesprochen habe, da hat sie sicherlich noch nichts gewusst, sonst hätte sie sich mir gegenüber bestimmt auffälliger genommen. Nein, ich denke, das war später. Irgendwann und irgendwo im Ballsaal muss es gewesen sein. Und von dort ist sie ja dann gegen Viertel vor Elf aus dem Ballsaal in die Bibliothek, wo sie sich mit Tobias verabredet hatte. Entweder ist ihr der Täter dorthin gefolgt, oder er hat dort auf sie gewartet, weil er gehört hat, dass sie sich da mit Tobias verabredete. Aber ich glaube eher, dass er ihr gefolgt ist, denn vorher waren noch die Putzfrauen in der Bibliothek."

„Aber was nutzt dir das denn jetzt, Abigail? Sie kann mit jedem im Ballsaal gesprochen haben, also kann auch jeder der Täter sein. Und dann ist es aber mit Sicherheit kein Unfall gewesen. Er hat sie bestimmt hinaus gestoßen, damit sie nichts mehr sagen konnte. Oder glaubst du etwa, er wollte sie nur überreden, Tobias nichts weiter zu sagen? Das hört sich für mich sehr unglaubwürdig an."

„Du glaubst also, dass es bei Manuela einen Mord war, Theresa?"

„Ja, das glaube ich. Es war ja so kurz nach dem anderen Unfall. Ich kann mich noch gut an die Zeit erinnern, als mir das mit Luciana passiert ist. Da war ich noch lange in so einem traumatischen Zustand. Da weißt du dann wirklich nicht mehr, was du tust. Vielleicht ist der Täter immer noch traumatisiert. Da kommt es ihm dann vielleicht auch gar nicht wie ein Mord vor, wenn er in diesem über sich selbst verzweifelten Zustand jemanden aus dem Fenster wirft, nachdem er schon einmal einem Menschen den Tod gebracht hat."

Ich zog die Augenbrauen hoch. „Du hast ja ziemlich merkwürdige Theorien. Aber so ganz abwegig sind sie nicht. Du meinst, das ist so ähnlich, wie wenn man einmal die Hemmschwelle übertreten hat, nach dem Motto: Wer einmal einen Tod verschuldet hat, der hat beim zweiten Mal keine so große Hemmung mehr?"

„Aber das Ganze nutzt uns überhaupt nichts, solange wir nicht wissen, mit wem sich Manuela abgegeben hat kurz vor ihrem Tod. Hat das die Polizei dann schon ausreichend überprüft?"

„Neubert ganz bestimmt nicht. Der hält Tobias für den Schuldigen und die ganze Geschichte von ihm für erfunden. Aber Niklas hat schon im Anschluss an diesen schrecklichen Unfall kurz die Anwesenden im Ballsaal interviewt."

„Falls der Täter überhaupt wieder in den Ballsaal zurückgegangen ist", wandte Theresa ein. „Dann muss er sehr kaltblütig und nervenstark gewesen sein. Wir könnten auch Ben einmal fragen, wer zu dem Zeitpunkt das Schloss verlassen hat, oder wer sich irgendwo auffällig in der Schlossküche oder irgendwo anders herumgedrückt hat."

Ich seufzte. „Diesmal ist es wirklich schwer. Die Richtungen laufen eben alle ganz auseinander. Wenn ich wenigstens nur einen Tatverdächtigen zu verfolgen hätte, wäre das viel einfacher."

Theresa lachte mich aus. „Du hättest doch besser zur Polizei gehen sollen, beruflich, meine ich. Ich bin ganz sicher, dass Niklas und Neubert mit ihren Teams in die verschiedenen Richtungen ermitteln, solange weiter noch nichts Konkretes da ist. Weißt du, was ich glaube?"

„Was?"

„Du steigerst dich jetzt nur so da hinein, weil du aus deinem eigenen Leben davonlaufen willst. Im Moment ist bei dir im Partnerschaftsleben ein Durcheinander, das spüre ich. Rolf und du, ihr seht euch viel zu selten. Und deine Gefühle zu Ermanno hast du auch noch nicht analysiert."

Ich seufzte. „Vielleicht hast du Recht. Aber in diesem Fall liegt es wohl auch daran, dass das Motiv noch im Dunkeln liegt, hier geht es um Verschiedenes, die Armbanduhr oder um Eifersucht, von wem auch immer oder um diese Umweltangelegenheiten, bzw. die Schuhfabrik mit ihren Betrügereien."

„Wenn du mich fragst, liebe Abigail, dann ging es um die Uhr. Die ganze Art und Weise der Ausführung der Tat ist trotz der raffiniert geimpften Praline sehr dilettantisch. Vor allen Dingen aber ist der Ort sehr schlecht gewählt für irgendein Verbrechen, deswegen glaube ich nicht an irgendeine Aktion von Pollmann oder Körner. Sie hätten India irgendwo draußen in der Prärie abfangen können. Wer auch immer in dieses Gemeindezentrum hineingegangen ist, kann meiner Meinung nach auch keine schlimme Tat vorgehabt haben. Ganz bestimmt keinen Mord. Da waren die Putzfrauen in der Nähe, da war Tobias gewesen, und auch Manuela in der Kaffeeküche. Ein Profi hätte sich darüber vorher informiert und bestimmt einen anderen Ort gewählt."

Ich nickte. „Warum bin ich bisher selbst nicht darauf gekommen? Manchmal macht man die Sachen komplizierter als sie sind. Ich habe mir eingebildet, das könnten auch Ablenkmanöver von Profis sein.

Aber erzähl ruhig weiter! Wie war es genau gewesen? Wie stellst du dir das vor?"

„Hm. Auf jeden Fall wollte der Täter India kurz außer Gefecht setzen mit der Praline und ihr dann die Uhr abnehmen. Dann wollte er sich wieder entfernen, das ist doch ganz klar, mehr war da nicht. Also musst du dann jetzt nur noch überlegen, wer alles gewusst hat, wie wertvoll die Uhr war und wer Geld brauchte."

Ich lachte. „Das macht den Täterkreis auch nicht kleiner. Es stand in der Zeitung."

Ermanno trat zu uns fragte lächelnd. „Kann das sein, dass ihr immer noch über die Geschehnisse fachsimpelt? Oder habe ich mich da gerade verhört?"

„Du hast Recht, Ermanno. Es lässt mir einfach keine Ruhe. So kenne ich mich selbst auch nicht, dass ich mich in einen Fall derart hineinsteigere und darin verwickele. Vielleicht, weil mir India so sympathisch war, weil sie mir so bescheiden vorkam? Und vielleicht habe ich bei Manuela ein schlechtes Gewissen, weil ich sie auch als Täterin verdächtigte?"

„Das kann sicher eine Rolle dabei spielen", tröstete er mich. „Vielleicht ist es aber auch, weil du diesem Kommissar Neubert nicht sehr viel Gutes zutraust und befürchtest, dass er Tobias doch noch festnimmt. Dass du ihm nicht viel zutraust, diesem Kommissar aus Wittentine, kann ich verstehen. Mir ist er auch nicht sympathisch. Aber Niklas Meyer und seinem Team kannst du vertrauen, und auch ich habe einige Dinge in die Wege geleitet, die Aufklärungen bringen, sogar in Verona und Kalabrien. Es läuft wirklich alles sehr gut, und für die kurze Zeit sind wir in unseren Ermittlungen schon sehr weit gekommen. Zwischendurch musst du aber ein bisschen entspannen. Ich glaube, du kannst dir schon einmal überlegen, wann wir unsere Reise noch Hollywood antreten."

„Habe ich dir das nicht schon gesagt? Natürlich, wenn dieser Fall abgeschlossen ist, das verspreche ich dir."

„Hast du auch schon mit Rolf darüber gesprochen?"

„Er hat im Moment genauso viel zu tun wie ich. Ich glaube, er steckt gerade in derselben Klemme", sagte ich zweideutig.

„Was hältst du denn dann davon, wenn du mit mir nach Kalabrien fliegst und dir diese italienische Schuhfabrik einmal ansiehst? Das wäre auch eine Abwechslung für dich."

„Ach nein! Dort kann man bestimmt nicht den Täter finden, der die vermeintlichen oder echten Unfälle hier verursacht hat."

Er amüsierte sich. „Nein, aber du könntest dort Bekanntschaft mit der echten Mafia machen. Die sind nicht ganz so zimperlich."

Ich holte tief Luft. „Ich glaube, darauf habe ich im Moment auch keine Lust. Du könntest mir aber schon weiterhelfen, wenn du dich daran erinnerst, mit wem sich Manuela beim Kostümball im Saal unterhalten hat, oder mit wem sie getanzt hat. Das würde mir schon sehr viel weiterhelfen."

„Oh, da kann ich dir tatsächlich weiterhelfen. Und auf diese Personen gebe ich selbst im Augenblick besonders Acht. Ich bin schließlich ein Detektiv, der hat seine Augen überall. Und sie ist mir einfach aufgefallen, weil sie mit ihrem schwarzen Schornsteinfegerkostüm so originell aussah zwischen all den zauberhaften, glitzernden Märchenkostümen, Prinzen und Prinzessinnen."

„Das weißt du?" fragte ich überrascht. „Und da hast du mir bis jetzt noch nichts darüber gesagt? Wer war es? Mit wem hat sie gesprochen oder getanzt?"

„Das kann ich dir sagen. Gesprochen hat sie mit Linda und dem Journalisten Bernhard Schmidt. Getanzt hat sie nur ein einziges Mal, und zwar mit dem Schauspieler Oliver aus der Laienspielgruppe von Simon Hecht. Danach ist sie um ein Viertel vor Elf aus dem Ballsaal geeilt, wie mir Niklas inzwischen berichtet hat."

***

21. Kapitel

„Warum hast du mir das bisher verschwiegen? Dann hätte ich diese drei erst mal besonders stark beobachtet, Ermanno?"

„Linda hattest du sowieso im Visier, und ich fand es gar nicht schlecht, dass du die anderen Spuren inzwischen weiter verfolgst, bei denen du ja auch sehr erfolgreich warst. Inzwischen ist es mir ganz gut gelungen, über diese drei Personen etwas herauszufinden. Aber das wollte ich dir eigentlich erst morgen sagen, weil ich vorhatte, diesen schönen Abend mit dir zu genießen."

„Du bist unmöglich", schimpfte ich mit ihm. „Und ich hatte gehofft, dass wenigstens wir immer ehrlich und offen zueinander sind."

Er sah mir forschend in die Augen. „Wenigstens wir? Wer ist denn nicht zu dir ehrlich?"

„Ach das ist doch nur so einer Redensart."

„Ich lass euch dann erst einmal allein", meinte Theresa schmunzelnd. „Ihr schafft das auch schon ohne mich." Damit verschwand sie.

„Jetzt kannst du mich nicht mehr länger warten lassen, Ermanno. Was hast du über diese drei Personen herausgefunden?"

„Nun, es hat sich tatsächlich bestätigt, dass Linda verdächtigt wurde, mehrmals Medikamente entwendet zu haben. Aber man konnte es ihr letztendlich nicht nachweisen. Ihre Kollegin Mona behauptet, dass sie heimlich Drogen nimmt, aber auch dafür fehlt mir bis jetzt noch der Beweis."

„Menschen, die drogensüchtig sind, brauchen immer Geld. Aber ich kann es mir nicht vorstellen, wie sie diese Uhr dann zu Geld gemacht hätte. Es sei denn, dass sie durch die Drogenhändler auch Kontakte zu kriminellen Kreisen hat."

„Ja, das habe ich mir auch gedacht. Solche Menschen stehlen einfach er nur Geld oder Portmonees, aber selten Schmuck, den sie dann auch noch verkaufen müssen jedenfalls nicht so als Laien wie Linda eine ist, Abigail."

„Richtig. Aber welche Verbindung hatte Bernhard zu India? Hast du schon etwas über ihn herausgefunden, Ermanno?"

„Nach seiner Version hat er sie beim Interview am Tag vorher kennengelernt, bei dem sie ihm auch verraten hat, dass diese Uhr sehr wertvoll ist, was er dann auch sofort im Zeitungsartikel erwähnt hat."

„Dann hatten sie doch offensichtlich einen guten Kontakt zueinander", fand ich. „Aber ich glaube nicht, dass er so dumm ist, die Uhr stehlen zu wollen, nachdem er der erste war, der ja über einen höheren Wert der Uhr informiert wurde. Damit würde er sich doch sofort selbst verdächtigen. So blöd kann selbst er nicht sein."

„Solche ähnlichen Gedankengänge hatte ich auch, genau wie du. Er lernt sie im Interview kennen, erfährt von ihr Geheimnisse, die er in der Zeitung preisgibt und macht sich dann über diese Uhr her? Nein, das passt irgendwie nicht. Anders wäre es gewesen, wenn sie ihm den Wert der Uhr verraten hätte, er aber davon nichts in der Zeitung geschrieben und die Uhr dann heimlich gestohlen hätte. Außerdem habe ich mich ein bisschen über ihn und seine Frau informiert. Sie sind schon ziemlich lange verheiratet, und finanziell geht es ihnen momentan nicht schlecht. Das Blättchen von Sankt Augustine bezahlt ihn nämlich ganz gut. Da scheint er auch einen ganz guten Job zu machen. Man redet über ihn als einen fleißigen und kompetenten Mitarbeiter. Da komme ich also im Moment nicht weiter."

Ich nickte. „Ja, ich mag ihn zwar überhaupt nicht, aber ich sehe auch momentan kein Motiv. Denn selbst wenn er sich spontan in sie verliebt hätte, gibt ihm das kein Motiv, sie zu betäuben und den Unfall zu verursachen. Und wie sieht es aus jetzt mit diesem Laien-Schauspieler, diesem Oliver?"

„Der war tatsächlich an diesem Morgen auch in der Nähe des Gemeindezentrums. Insofern hat er kein Alibi. Aber er hat auch kein Motiv. Deswegen habe ich ihn gefragt, über was er sich mit Manuela unterhalten hat, aber es war nicht viel aus ihm herauszubekommen. Er meinte, sie hätten sich beim Tanzen so gut wie gar nicht unterhalten, was ich ihm aber noch nicht ganz abnehme, da ich sie beide reden sah. Daher bin ich nicht ganz sicher, ob er etwas mit der Tat zu tun hat, oder ob er nur irgendetwas wusste, was Manuela in Gedanken zu dem Täter führte. Hast du Lust, ihn morgen einmal zu interviewen?"

„Natürlich, gern. Hauptsache wir kommen weiter. Was ist das denn für ein Typ? Hat er wenigstens irgendein Hobby, was mir einen Grund gibt, ihn zu interviewen."

„Er will Psychologie studieren, sein Hobby ist diese Laienspielgruppe, er tanzt wohl ganz gern und begibt sich oft in esoterische Kreise."

„Dann habe ich schon einen Anknüpfungspunkt, Ermanno. Durch Adelaide kenne ich mich da auch ein bisschen aus. Sie macht Horoskope und hat früher auch schon einmal mit Karten gearbeitet. Damals, als sie noch allein im Rosenturm lebte, konnte man sie auch um Rat fragen in allen Lebenslagen. Sie nannte sich damals „Die Melusine vom Rosenturm".

Ermanno lächelte. „Damit könnte sie bei uns in Italien ganz groß herauskommen. Da ist man sehr offen für solche spirituelle Bereiche. Damit können wir aber doch jetzt für heute dann dieses Thema hoffentlich abschließen. Trinken wir noch ein Gläschen Wein zusammen, um uns noch etwas zu entspannen?"

„Danke, nein!" lehnte ich ab. „Der Tag war wieder einmal so aufregend, von Anfang bis Ende. Ich bin wirklich sehr müde und brauche jetzt ein paar Stunden Schlaf, vorher vielleicht noch eine entspannende Badewanne."

Er grinste frech. „Zum Rückenwaschen brauchst du vermutlich auch niemanden."

Ich lächelte. „Du hast es erfasst. Ich habe eine Massagebürste mit einem sehr langen Griff, darauf freut sich mein Rücken jetzt schon."

„Schade", meinte er immer noch grinsend. „Nach unserem Kuss dachte ich mir, dass wir jetzt Freunde sind."

„Sind wir ja auch. Aber ich versichere dir, das war nur ein Filmkuss."

„Mit dieser Deutung wirst du noch Probleme kriegen", prophezeite er mir, nahm mich in den Arm, küsste mich auf die Wange und wünschte mir eine gute Nacht.

Ich floh aus seinem Arm mit einem leisen „Schlaf gut", winkte ihm, Adelaide und Theresa noch einmal zu und verließ den Raum.

Nachdenklich trabte ich die Treppe hinauf zu Rolfs Wohnung. Was war das nur alles für ein Durcheinander! Es gab neue Verdachtsmomente im

Fall India und Manuela, und in meinen eigenen Gefühlen herrschte momentan auch ein Chaos.

Als ich etwas später in der Badewanne lag, versuchte ich, diese Knoten zu entwirren. Ich begann mit meinen eigenen Gefühlen.

Wie stand ich momentan zu Rolf? Er war so weit weg, nicht nur von meinen Augen, sondern auch in meinen Gefühlen. Hatten wir uns durch die Entfernung auseinandergelebt? Waren wir doch nicht imstande, eine Fernbeziehung zu führen, wenn andere verführerische Partner in unserer Nähe auftauchten?

Ja, Ermanno machte großen Eindruck auf mich. Schon beim ersten Treffen in Mühlwald in Norditalien damals hatte ich gespürt, dass uns etwas Besonderes verband. Welche Art von Anziehung war das? Irgendetwas Erotisches? Gab es irgendwelche anderen Gemeinsamkeiten im Bereich des Seelenlebens? Fühlten wir ähnlich oder gab es sonst irgendwelche Gemeinsamkeiten?

Ich entspannte mich im warmen, duftenden Wasser und atmete tief. Ich gestand mir ein, dass von meinen Vermutungen einiges zutraf. Vielleicht sogar von allem etwas, und das war sicherlich jetzt sehr stark maßgeblich für leicht verliebte Gefühle zu Ermanno, da Rolf so weit weg war und ich ihn offenbar vermisste.

Meine Gefühle für Rolf würden sicherlich sofort wieder da sein, wenn er hier plötzlich vor mir stand. Liebte ich ihn dann überhaupt, wenn in seiner Abwesenheit ein Ermanno ihn so leicht ersetzen konnte? Waren es wirklich Gefühle für Ermanno, oder er hatte ich nur Sehnsucht nach Rolf?

Ich entdeckte, dass sich diese Gefühle nicht so schnell klären ließen, daher beschloss ich, gleich nach dem Bad meinen Verlobten anzurufen.

Nachdem ich die Nummernfolge auf mein Handy eingetippt hatte, musste ich nicht lange warten. Rolf meldete sich sofort. „Hallo Abigail! Schön dass du anrufst! Das hatte ich auch gerade vor. Wie geht es dir? Und was macht die Arbeit?"

„Oh, so viele Fragen auf einmal! Aber die habe ich tatsächlich auch an dich. Zuerst zu der Frage, wie es mir geht: Ich glaube, ich bin ein bisschen durcheinander. Es ist sehr viel im Moment, und vor allen Dingen kann man noch in keine Richtung klar sehen. Tatsächlich ist das bei den Verdächtigen auch so. Anstatt dass wir bei einer bestimmten Person konkrete Richtungen verfolgen können, tauchen neue vage Spuren auf. Nach diesen beiden tödlichen Unfällen verfolgt die Polizei nun auch Verdächtigungen im Betrugsfall mit den Schuhen. Wir kommen nicht wirklich weiter, so sieht es jedenfalls für mich im Moment aus. Und wie ist es bei dir?"

„Mir geht es gut. Bei der Arbeit komme ich auch sehr gut voran und Vera hilft mir dabei sehr. Wir sind schon sehr gute Freunde geworden, und ich glaube, wenn du sie einmal kennenlernst, dann werdet ihr beide euch auch sehr gut befreunden können. In manchen Dingen seid ihr euch sogar sehr ähnlich."

„In welchen denn zum Beispiel?"

„Ihr seid beide sehr ehrgeizig und wollt eure Sache immer 100-prozentig machen. Dann habt ihr auch beide ein ähnliches, unschuldiges Lächeln, du und Vera, wenn ihr etwas verkehrt gemacht habt."

„Was hat sie denn verkehrt gemacht?"

„Sie hatte meine Fotos sortieren wollen, um mir etwas Gutes zu tun. Aber dabei hat sie mir alles durcheinandergebracht, weil ich ein ganz bestimmtes Schema hatte, nachdem ich sie geordnet habe."

„Wie kommt sie denn an deine Fotos, Rolf?"

„Ich wohne im Moment in ihrem Fremdenzimmer. Die Miete zahlt mir mein Chef dafür. Das ist besser, als wenn ich jeden Tag den weiten Weg hier herauskomme."

„Gut, dass du mir das sagst", behauptete ich. „Stell dir vor, wenn ich dich einmal spontan besucht hätte, wäre ich doch erschrocken, dich nicht in deinem Pensionszimmer vorzufinden, besonders dann in der Nacht." Gut, dass er das schelmische Lächeln auf mein Gesicht nicht sehen konnte.

Er wohnte also bei ihr, sie waren also Tag und Nacht zusammen. Nagte da irgendetwas in meinen Gefühlen? Er hatte das so lässig gesagt, auf jeden Fall so, als wäre nichts zwischen ihnen, jedenfalls nichts, dass unsere Verlobung gefährden konnte.

Ich musste ganz ehrlich zu mir sein: Gefiel es mir nun, dass er bei ihr war oder nicht?

Nein, es gefiel mir nicht.

Vor meinen Augen sah ich das Bild eines Silvesterkrachers, den man in einen brennenden Ofen wirft, als ich zu ihm sagte: „Auf dem Kostümball haben wir bei einem Finalszenen-Wettbewerb mitgemacht, Ermanno und ich. Es ging um ganz hübsche Preise, zum Beispiel Karten für Theater und Konzerte, aber auch um Reisen. Wir haben eine Reise nach Hollywood gewonnen."

„Oh, ihr beide habt eine Szene gedreht und eine Reise nach Hollywood gewonnen, war das denn der erste Preis?"

„Ja, der dritte und zweite Preis ging nach Paris, der Stadt der Liebe. Aber der erste Preis ist eine Woche Hollywood inklusive Flug."

„Und was habt ihr gespielt? Kenne ich den Film?"

„Ich weiß nicht, ob du ihn kennst. Ich kannte ihn jedenfalls vorher noch nicht. Es war die Schlussszene des Films: „Rosen sterben nie". Eine Liebesszene."

„Vermutlich wart ihr sehr gut, wenn ihr den ersten Preis gekommen habt."

„Jeder hatte einen Satz zu sagen, und dann gab es noch den üblichen Filmkuss für ein romantisches Ende."

An einer kleinen Sprachpause erkannte ich, dass Rolf offenbar überlegte. Seine Stimme klang etwas belegt, als er weitersprach. „Und? Wie war es? Haben sich deine Erwartungen erfüllt? Weißt du jetzt, welche Gefühle du für Ermanno hast?"

„Nicht sicher, Rolf. Ja, irgendwelche Gefühle habe ich für ihn, aber ich kann sie noch nicht eindeutig einordnen. Das liegt daran, dass sich in dieser Szene nicht Abigail und Ermanno geküsst haben, sondern Margareta und Ernst Wilhelm. Darauf hatte ich mich ganz stark konzentriert."

„Du machst dir selbst etwas vor, Abigail. War der Kuss schön oder nicht?"

„Hast du Vera geküsst?"

„Sie hat mich einmal flüchtig geküsst, ja. Aber ich habe ihr auch gesagt, dass ich, obwohl ich sie sehr mag, die Beziehung mit dir nicht einfach so aufs Spiel setzen möchte. Siehst du das anders?"

Jetzt brauchte ich einige Sekunden um zu überlegen.

„Dann sitzen wir wohl im selben Boot, oder er in zwei gleichen Booten", versuchte ich einen Scherz.

„Ich überlege mir auch die ganze Zeit, ob es einfach

nicht gut ist, dass wir fast immer getrennt sind. Wenn ich mir nicht dein Foto ab und zu anschauen würde, wüsste ich tatsächlich gar nicht mehr, wie du aussiehst. Es ist einfach zu wenig für ein verlobtes Paar, wenn man sich nur zwei Tage im Monat sieht."

„Ja Abigail. Und in dieser ganzen Zeit unserer Verlobung waren wir niemals mehr als zwei oder drei Tage hintereinander zusammen. Bis auf die Zeit in Venedig, an die denke ich immer. Und die war doch wunderschön."

„Oh ja, das war wirklich eine schöne Zeit. Und nicht nur, weil es ein Urlaub war, und ein Urlaub immer anders ist als der Alltag. Wie haben es nur Adelaide und Moro geschafft, mehrere Jahrzehnte lang ihre Liebe zueinander zu bewahren, obwohl sie sich nicht gesehen haben, ja sogar eine Zeit lang nicht einmal schreiben konnten? Kannst du dir so etwas vorstellen, Rolf?"

„Ich glaube schon, dass auch sie ihre Versuchungen hatten. Und soviel ich weiß, hatte Moro auch Abenteuer mit anderen Frauen. Immerhin waren sie ja auch beide mehrere Jahre lang mit anderen Partnern verheiratet gewesen. Viele Jahre lang bewahrten sie sich einfach dieses Sonntagsgefühl, dass sie auf den anderen projizierten."

„Nein. So profan und unromantisch würde ich das nicht sehen. Als sie sich kennenlernten, war er sechsundzwanzig und sie war siebzehn. Adelaide hat mir versichert, dass sie heute noch dasselbe fühlt, Rolf. Nicht das gleiche, sondern dasselbe, das sie immer im Herzen trug, auch wenn sie es manchmal etwas weniger spürte. Zum Beispiel, wenn sie andere Sorgen hatte."

„Und wir? Sind wir vielleicht auch in solch einem Tief, weil wir beide momentan auch zu viel um die Ohren haben, zu viel anderes, auf das wir uns konzentrieren müssen?"

„Ich weiß es nicht, Rolf. Heute jedenfalls nicht. Aber ich muss es unbedingt so bald wie möglich herausfinden. Wir sind ja schließlich keine Kinder mehr. Und wir hatten beide unsere Erfahrungen aus vergangenen Beziehungen. Und trotzdem haben wir uns beide vorgestellt, dass es eine lohnende Zukunft für uns beide gäbe. Eine Zukunft mit Liebe."

„Ja, Abigail. Und diesen Gedanken finde ich immer noch schön. Die Gefühle, die ich für dich habe, habe ich für niemanden anders."

„Und die Gefühle für Vera?"

„Das ist wieder etwas völlig anderes. Ich glaube, jeder Mensch verursacht in den Gefühlen ein anderes Echo."

„Meinst du, es ist besser, wir klären das in unseren Gefühlen, wenn wir uns einmal wieder sehen?"

„Ich glaube nicht, das hört sich so an, als könnte man das mit dem Verstand klären. Aber das geht nicht. Ich weiß, dass ich bei dir bleiben möchte. Aber du solltest doch erst herausfinden, was dir Ermanno bedeutet. Und ich habe hier noch ein paar Tage bei Vera zu tun. Ich denke, in diesen Tagen werde ich auch erkennen, ob es Freundschaft ist oder mehr.

„Ach, Rolf! Ich glaube bei dir und bei mir, in dieser Beziehung fehlt etwas. Wir sind doch gar nicht so richtig eifersüchtig. Natürlich hat es mich geärgert, dass du jetzt einfach so bei Vera bist, und dich hat es vielleicht doch gestört, dass Ermanno jetzt hier mit mir arbeitet. Aber vielleicht war das ja nur verletzte Eitelkeit oder ein sich zurückgesetzt fühlen. Weißt du, so wie hier bei Theresa, möglicherweise auch bei India, da geht es um Eifersucht. Das ist auch ein brennendes Feuer wie die Liebe. Aus diesem Grund hat schon mancher einen Mord begangen. So schlimm muss es bei uns ja nicht sein, aber dieses verrückte Gefühl, das fehlt doch ganz bei uns."

„Wir sind ja auch nicht verrückt, Abigail. Wir sind vernünftige, disziplinierte Menschen. Auch Adelaide war damals auf Moro eifersüchtig, als er sich mit diesem Skihasen abgegeben hat. Auch später noch, als er sich nach mancher schönen Frau mehr als nur umgedreht hat. Trotzdem hat sie ihn nicht umgebracht, nein, sie konnte ihm mit ihren Gefühlen alles verzeihen, weil sie seine Mentalität verstand. Wir, du und ich, haben eben eine andere Mentalität."

„Ja, so meine ich das eigentlich auch nicht. Ein bisschen fehlen mir halt die brennenden Flammen. Was soll ich dir jetzt wünschen?"

„Wünschen wir uns erst mal eine gute Nacht", entschied er. „Wir müssen nicht alles sofort entscheiden. Wir sind beide keine böswilligen und intriganten Menschen. Hören wir einfach einmal in uns hinein, was wir wirklich wollen und fühlen. Mehr können wir jetzt nicht tun."

Ich seufzte. „Also gut, dann wünschen wir uns erst einmal eine gute Nacht. Du bist schon ein besonderer Mann, Rolf. Was auch immer passiert, ich wünsche dir, dass du glücklich wirst."

„Halt, nein! Das klingt schon so, als wolltest du dich von mir verabschieden. Natürlich wünsche ich dir das auch ganz generell. Schlaf gut, Abigail! Wir werden das irgendwie schaffen."

In stillem, gegenseitigm Einverständnis ließen wir heute die Telefonküsse ausfallen.

***

22. Kapitel

In dieser Nacht schwebten die Träume mit wilden Fantasien durch meinen unruhigen Schlaf. Zuerst sah ich mich mit Rolf in Venedig, wo das Hochwasser um uns herum zu steigen begann, bis mich mein Verlobter auf den Arm nahm und in eine Gondel hob und uns rettete. Er ruderte weit aufs Meer hinaus bis zu einer einsamen Insel, auf der es nichts gab, womit man überleben konnte. Plötzlich erschien Ermanno auf einem Flugdrachen und bat mich, mit ihm zu kommen. Er streckte die Arme nach mir aus, und ich zögerte noch, seine Hände zu ergreifen, als ich aufwachte.

In einem späteren Traum befand ich mich mit Ermanno auf dem Ätna. Der Schnee lag auf den verschneiten Gipfeln, offenbar war es Winter. Unter uns bebte die Erde, und ich hatte Angst vor einem Lavaausbruch. Ich drückte mich ganz eng an den charmanten Italiener, der seine Arme schützend um mich legte.

„Was sollen wir nur tun?" Ängstlich blickte ich in seine dunklen Augen. „Hier stehen wir mitten im Schnee, ganz nah am Krater. Wenn der Vulkan jetzt ausbricht, sind so verloren."

Er sah mich liebevoll an. „Du musst dir keine Sorgen machen. Hier ist so viel Schnee, so viel Eis, da erkaltet die Lava sofort. Sie wird uns nichts anhaben können."

In diesem Moment erwachte ich. Was für ein Traum! Aber was hatte er zu bedeuten. Ja, aus dem ersten Traum konnte ich mir etwas zusammenreimen. Rolf wollte unsere Partnerschaft retten, aber ich fürchtete, mit ihm irgendwo zu stranden und mich dann doch von Ermanno wegtragen zu lassen.

Aber der zweite Traum zeigte mir, dass ich mich auch vor der Partnerschaft mit Ermanno fürchtete. Seine Aussage, dass Eis werde die Lava aufhalten, war definitiv falsch. Fürchtete ich also, dass auch er sich über unsere eventuelle Partnerschaft nur Illusionen machte?

In diesem Augenblick riss mich das Summen des Telefons aus den Gedanken.

Niklas meldete sich, der mich fragte, ob ich schon bereit sei für ein Interview, denn nach Rücksprache mit Ermanno, halte er es für klug, mir Oliver für ein Stündchen vorbeizuschicken, der wohl gerade einen Termin bei der örtlichen Kriminalpolizei gehabt hatte, um seine Aussagen zu machen.

„Ist er schon auf dem Weg?" erkundigte ich mich bei dem Kommissar.

„Ja, ich hatte ihn schon losgeschickt. Habe ihn aber vorsorglich gewarnt, dass du vielleicht auch für heute Vormittag andere Pläne hast, und er dann mit dir einen neuen Termin vereinbaren müsste. Er hatte kein Problem damit, er meinte, wenn du keine Zeit hast, könnte er sich einmal das Museum anschauen, das habe er sich schon immer einmal vorgenommen."

„Gut. Dann weiß ich Bescheid, ich muss mich jetzt etwas beeilen, weil ich noch im Bett liege nach einer etwas unruhigen Nacht."

Er lachte. „Für eine Katzenwäsche wird es noch reichen. Der Weg vom Kommissariat bis zum Schloss zieht sich ja doch ein Stück aus der Stadt hinaus."

Mit einem kurzen „Ciao" verabschiedete ich mich und beeilte mich mit der Morgentoilette. In der

Kaffeemaschine lief gerade das duftende Getränk in die Kanne, als es an meiner Wohnungstür klopfte.

Ein Mann, der mich von der Figur her an einen Bär erinnerte, zeigte mir sein bärtiges Gesicht. Mit den dunklen, lockigen Haaren konnte ich ihn mir gut in einem Krippenspiel als Josef oder auch als einen verwegenen Räuber vorstellen.

Ich bat ihn ins Wohnzimmer, wo er sich als Oliver Heimann vorstellte und mich mit einem festen Händedruck begrüßte.

Nachdem ich ihm einen Platz angeboten und ihm eine Tasse Kaffee eingeschenkt hatte, begann ich ziemlich umständlich. „Nun haben Sie schon meinen Freund Niklas Meyer, den Kommissar kennengelernt. Er ist ein sehr netter und kompetenter Kommissar. Er hat auch schon viele Kriminalfälle gelöst, und manchmal habe ich ihm schon ein bisschen dabei geholfen."

„Ja, ich kenne ihn auch ein wenig vom Sport. Wir haben früher einmal zusammen Fußball gespielt. Das heißt, er war mein Trainer. Aber wir können jetzt ruhig wieder Du zueinander sagen. Wir waren doch zusammen auf dem Kostümball, bei dem wir beschlossen haben, all diese Förmlichkeiten sein zu lassen. Ganz abgesehen davon habe ich auch früher schon hier in der Zeitung von Sankt Augustine ständig etwas über deine Erfolge gelesen. Niklas teilte mir mit, dass du mich auch gerne interviewen möchtest wegen meiner Hobbys. Oder hast du einfach nur noch ein paar Fragen wegen dem Kriminalfall?"

Ich rührte in meiner Kaffeetasse. „Am liebsten wäre mir beides."

Lächelnd antwortete er: „Das kannst du haben, Abigail. Über mich gibt es nicht allzu viel zu erzählen, weil ich eher der Typ bin, der anderen zuhört. Meist bin ich der stille Beobachter, der sich irgendetwas zusammenreimt oder nach Ursachen forscht."

„Das ist gut. Dann hast du den richtigen Beruf gewählt. Und in der Laienspielgruppe bist du schon länger?"

„Ja, schon von Anfang an, seitdem sie gegründet wurde. Daher kenne ich dann auch die meisten ganz gut, die da mitspielen. Nur India kannte ich vorher nicht, genau wie die anderen, weil sie sich erst meldete für das Casting der Hauptdarstellerin für das Märchen. Ich habe dir übrigens schon einen kurzen Lebenslauf von mir hier aufgeschrieben." Er reichte mir mehrere beschriebene Blätter.

„Da hast du dir aber schon eine ganz schöne Arbeit gemacht", staunte ich. „Für was darf ich das verwenden?"

„Für alles, was du willst. Am liebsten wäre es mir natürlich, wenn du mich auch weitervermitteln könntest, so wie du das damals mit Laura gemacht hast. Es hat sich herumgesprochen, dass du gute Beziehungen zu Managern und Produzenten hast."

„Das ist wahr, Oliver. Und mit deiner Figur und mit deinem Aussehen gibt es bestimmt einige Möglichkeiten für dein Engagement. Hast du auch schon einmal mit Kevin gesprochen?"

„Wir haben uns kurz vorgestellt am Abend des Kostümballs, aber einen großen Eindruck habe ich nicht auf den Starregisseur gemacht. Das hatte ich allerdings auch nicht erwartet. Von meinem Typ gibt es da drüben wahrscheinlich noch mehr Schauspieler.

Ein Engagement in Deutschland würde mir auch schon reichen."

„Da weiß ich tatsächlich jemanden für dich, seine Adresse gebe ich dir dann später. Kannst du mir verraten, was du mit Manuela beim Tanzen gesprochen hast?"

„Ja, das kann ich. Wir haben nicht viel gesprochen, aber an das, was wir sprachen, kann ich mich noch sehr gut erinnern. Ich sagte zu ihr: „Eigentlich finde ich es ziemlich pietätlos, den Kostümball wirklich abzuhalten, nachdem India so tragisch sterben musste." Manuela meinte zuerst: „Ach, so ist eben das Leben. Freud und Leid liegen immer dicht nebeneinander. Damit habe ich mich schon abgefunden. Was hättest du denn stattdessen getan? Etwa alles abgesagt. So auf die Schnelle ist das doch auch gar nicht möglich." Ich habe sie dann angeschaut, und war etwas enttäuscht über ihre kühle Reaktion, weil ich sie sonst in der Kaffeeküche bei den Proben als temperamentvolle Frau kennengelernt hatte. Dann habe ich ihr geantwortet, etwas ärgerlich und wohl auch unterkühlt: „Wenn man das will, dann findet man immer einen Weg. Schließlich gibt es auch die Presse mit Funk und Fernsehen, und nicht zu vergessen die Zeitungs-Presse, die auch immer noch eine sehr große Bedeutung hat. Die Presse ist doch überall. Immer irgendwo, wenn es brennt, ist die Presse an erster Stelle." Das war schon alles, was ich gesagt habe. Und sie hat dann nur noch etwas gemurmelt. Ja, vielleicht war sie dann ein bisschen abwesend. Die Worte, die sie murmelte konnte ich nicht verstehen, außer, dass sie aus meinem Satz noch einmal das Wort „Presse" wiederholt hat und danach „die Presse ist überall"."

Nachdenklich sah ich Oliver an. Eine vage Ahnung keimte in mir. „Kennst du eigentlich Bernhard Schmidt näher, den Mann von der Presse aus Sankt Augustine?"

„Aber klar. Den kennt doch jeder. Er ist ein komischer Kauz, man muss ihn mögen oder nicht. Ich habe ihn mir ausgesucht, so ein bisschen als psychologisches Studienobjekt, weil er auch ein ziemlich bewegtes Leben hinter sich hat mit vielen Aufs und Abs. Und das in allen Bereichen, finanziell, aber auch in seiner Partnerschaft."

„Woher weißt du denn so viel über ihn?"

„Ich wohne seit Jahren im Nachbarhaus, weiß von der Krankheit seiner Frau und habe da so einiges mitbekommen. Sie ist ja auch nicht ganz einfach, es gab Zeiten da hatten sie sich auch wirklich auseinander gelebt. Und weil ich ein Mensch bin, dem viele etwas erzählen, da hat mir seine Frau auch schon mal etwas am Gartenzaun gebeichtet. Es ist noch gar nicht solange her, da hat sie befürchtet, dass er ein Verhältnis mit einer anderen hatte. Mit dem Geld gab es auch das eine oder andere Mal Probleme. Auf jeden Fall ist er nicht der, der er vorgibt zu sein."

„Hatte Bernhard irgendeine Beziehung zu einer Frau, die du kennst? Oder war seine Frau einfach nur grundlos eifersüchtig und hat fantasiert? Kannst du dir so etwas vorstellen, Oliver?"

„So ganz grundlos kann das nicht gewesen sein. Da hat sie mir mal ganz konkret etwas gesagt. Er hatte einmal dienstliche Aufträge in London, und als seine Frau seinen Koffer auspackte, dufteten seine Anziehsachen sehr auffällig nach einem Damen-Parfum. Als sie ihn später darauf ansprach, wurde er sehr wütend. Er meinte, dieses Parfum habe im

Hotel, und zwar im Badezimmer herumgestanden, kostenlos zum Bedienen, so wie es manchmal dort Duschgel oder Seifen gibt. Sie aber wollte ihm das nicht glauben und hat heimlich in diesem Hotel angerufen. Das hat sie dann auch ganz geschickt gemacht, sodass man dort keinen Verdacht schöpfte."
„Was hat sie denn gesagt?"
„Sie behauptete, ihr Mann habe etwas Parfum aus dem Hotel mitgebracht. Das sei doch sicher ein Versehen gewesen, ob sie es zurückschicken sollte. Aber man sagte ihr, das müsse ein Irrtum sein, denn dort in den Badezimmern gäbe es nur Duschgel und Seife, kein Parfum. Von da an hat sie natürlich ihrem Mann nicht mehr getraut, und sie haben auch jetzt keine echte Beziehung mehr."
„Wirklich? Er hat mir gesagt, dass er eine gute Ehe führt, seit vielen Jahren. Überhaupt hat er mir vorgespielt, dass sein Leben zum großen Teil in Ordnung sei. Ich glaube, da muss ich mal ein bisschen nachhaken, Oliver."
Er schüttelte verständnislos den Kopf. „Du bringst ihn doch jetzt nicht etwa deswegen mit dem Unfall an India zusammen?! Nein, das ist wirklich zu weit hergeholt. Da gibt es zu viele Männer, die ähnliche Probleme haben. Außerdem bin ich der Meinung, dass es im Fall India um die Uhr ging."
Meine Gedanken rotierten. „Die Presse…London…Und die Uhr. Ja, vielleicht auch. Du sagtest, Bernhard habe auch finanzielle Schwierigkeiten zwischendurch gehabt? Die Uhr war vom Pfandleiher, von Kuhlmann. Aber wir wissen nicht, wem sie vorher gehörte."
„Ach, Unsinn! Wie soll denn Bernhard an solch eine teure Uhr kommen, Abigail?"

„Vielleicht wusste er auch erst nicht, dass es solch eine wertvolle Uhr war", überlegte ich.

Oliver sah mich an, als hätte ich den Verstand verloren. „Nein, jetzt konstruierst du dir aber irgendeinen Blödsinn zusammen. Schließlich hatten die beiden doch am Tag vorher ein Interview. Da ist doch alles völlig normal gelaufen. Warum sollte er dann am anderen Tag hingehen, ausgerechnet in das Gemeindezentrum und dort diesen Unfall inszenieren. Nein, das ergibt alles gar keinen Sinn."

„Für mich schon, Oliver! Und jetzt musst du mich bitte entschuldigen. Denn ich habe noch etwas vor. Wir können uns gerne noch einmal zu einem weiteren Gespräch verabreden. Und danke schon einmal für deine Biografie. Ich werde auf jeden Fall dir auch noch die Telefonnummer von diesem Manager geben und dich bei ihm anmelden, wenn du magst. Aber jetzt habe ich es furchtbar eilig."

Ich stand auf, und er erhob sich etwas widerwillig, folgte dann aber meiner Bitte und verließ die Wohnung mit einem freundlichen Gruß.

Nachdem er sich entfernt hatte, wählte ich Bernhards Telefonnummer, ich hatte Glück, er meldete sich sofort.

„Hallo Abigail. Das ist aber mal eine freudige Überraschung, die berühmte Kollegin meldet sich bei mir. Was kann ich für dich tun?"

„Ich habe mir gedacht, wir könnten vielleicht doch in Zukunft etwas mehr zusammenarbeiten", schwindelte ich. „Können wir uns vielleicht irgendwo treffen?"

Er schien zu überlegen, denn einen Augenblick lang war es still. „Das ist im Moment etwas schwierig. Um was geht es denn genau?"

Jetzt musste ich mir schnell etwas ausdenken, meine Gedanken arbeiteten fieberhaft. „Ich hatte mir das so vorgestellt, ich frage meinen Chef, ob es da Platz gibt für irgendetwas Gemeinsames, vielleicht irgendeine besondere kulturelle Spalte bezüglich des Museums in Sankt Augustine und du könntest vielleicht wegen der gleichen Angelegenheit deinen Chef vom Mittagsblättchen fragen."

„Warum liegt dir denn plötzlich so viel an einer Zusammenarbeit mit mir? Du bist doch bereits gut im Geschäft. Was versprichst du dir davon?" fragte er, etwas misstrauisch.

„Ich verspreche mir davon, dass man gemeinsame Ideen hat. Ansonsten hatte ich auch eher an dich gedacht, weil du mich doch neulich darauf angesprochen hast."

„Richtig, das hatte ich schon fast vergessen. Denn in der Zwischenzeit schien es mir, als wärst du nicht sehr daran interessiert, Abigail."

„Ja, ich hatte einfach zu viel im Kopf. Es war so ein Durcheinander."

„Und das ist jetzt nicht mehr? Ist denn etwas passiert?"

„Wenn du so willst, leider nicht. Wir kommen einfach nicht weiter. Da muss ich eben etwas Geduld haben und mich inzwischen um andere Dinge kümmern. Ich habe da so ein paar Vorschläge, wie man das Ganze realisieren könnte."

„Gut, Abigail. Dann komm einfach zu uns nach Hause. Meine Frau wird dir gern ein Kaffee kochen. Das Wetter ist sowieso nicht sehr einladend, da habe ich zu einem Spaziergang keine Lust. Aber bei uns ist es recht gemütlich. Du bringst einfach alle

Unterlagen mit, und wir schauen uns das einmal zusammen an."

„Schick mir am besten noch mal eine Wegbeschreibung zu deinem Haus, damit ich es finde! Der Mensch von heute ist ja ziemlich faul und guckt nicht mehr in eine Straßenkarte."

„Wann wirst du hier sein?" erkundigte er sich.

„Ich geh jetzt gleich los", versprach ich ihm.

„Gut, dann bis gleich! Ich setze schon einmal den Kaffee auf, Abigail."

„Ich dachte, das macht deine Frau?"

„Ja, das spielt doch keine Rolle. Ich kann ihr auch die Arbeit abnehmen. Der Kaffee schmeckt doch gleich, egal wer ihn macht. Bis gleich dann!"

Während ich mir dem Mantel anzog, schickte er mir die Wegbeschreibung auf das Handy, und ich spazierte los.

Meine Gedanken eilten schon voraus. Irgendetwas musste Manuela eingefallen sein, das mit der Presse zu tun gehabt hatte, und der einzige Journalist, der mit uns allen zu tun gehabt hatte, auch mit India, das war nun einmal Bernhard Schmitz. Er hatte dieses Interview mit India am Vortag gehabt. Er hatte den Wert der Uhr gekannt, spätestens, nachdem sie es ihm gesagt hatte. Aber vielleicht war auch er derjenige gewesen, der die Uhr zum Pfandleiher getragen hatte. Irgendein Geheimnis musste die Sache bergen, aber ich war mir sicher, dass Bernhard damit zu tun hatte. Er war mir von Anfang an sehr unsympathisch gewesen, und mein Bauchgefühl täuschte mich selten. Aber wie konnte ich das am besten aus ihm herauskitzeln, dieses Geheimnis? Ich musste ihn provozieren, denn er hatte bisher bewiesen, dass er ziemlich clever war.

Als ich an dem Haus ankam, sah ich ihn schon am Fenster stehen, er beeilte sich, mir die Tür zu öffnen, bevor ich klingelte.

„Komm herein, Abigail", forderte er mich auf. „Hast du die Unterlagen mitgebracht?"

„Ach, ich hab doch alles im Kopf", redete ich mich heraus. „Wozu brauche ich da noch Unterlagen."

„Dann setzen wir uns ins Wohnzimmer", schlug er mir vor. „Da ist es gemütlich, und da habe ich auch schon den Kaffeetisch gedeckt. „Es gibt sogar noch ein paar selbst gebackene Plätzchen."

Das Wohnzimmer war einfach eingerichtet, kein Möbelstück schien besonders teuer zu sein. Ein paar Drucke schmückten die Wände, mehrere, blühende Zimmerpflanzen belebten den schlichten Raum.

Ich setzte mich in die Ecke und sah mich um, ob ich irgendetwas fand, das zu ihm passte, das ihn näher beschrieb. Aber außer einem ganz normalen Fernseher und einem modernen Radio entdeckte ich nichts Persöhnliches.

„Kann ich deine Frau auch begrüßen?" erkundigte ich mich.

„Sie hat noch zu tun, sie kommt später", teilte er mir mit und setzte sich mir gegenüber. „Und jetzt sag mir einmal, was du wirklich hier willst. Denn was du eben am Telefon gesagt hast, davon glaube ich dir kein Wort."

„Warum denn nicht, Bernhard?"

„Meinst du, ich hätte nicht gemerkt, dass ich dir unsympathisch bin? Und jetzt hast du dir irgendetwas Verrücktes in den Kopf gesetzt? Stimmt es?"

Wenn er so misstrauisch war, konnte das nur bedeuten, dass er ein schlechtes Gewissen hatte und auch ahnte, um was es ging. Ich entschied mich, die

Katze aus dem Sack zu lassen und ihn zu provozieren.

„Wie war das jetzt genau mit India? Was ist da genau passiert?"

„Wie soll ich das wissen?" stellte er mir eine Gegenfrage und sah mich etwas nervös an.

„Es kommt immer alles irgendwann an den Tag", prophezeite ich, „auch wenn man sich das gar nicht vorstellen kann. Und manchmal tut es auch gut, wenn man sein Gewissen erleichtern kann. Es war doch kein Mord, Bernhard. Und wie war das jetzt mit der Uhr? Du wirst sehen, es tut dir gut, wenn du mir alles erzählst, wenn du endlich einmal mit einem Menschen darüber sprechen kannst."

***

23. Kapitel

Bernhard sah mich resigniert an. „Also gut Abigail, dann erzähle ich dir die ganze Geschichte, von Anfang an. Du hast sicher schon viele, ähnliche Geschichten gehört, sie ist auch keine Entschuldigung, nur eine Erklärung.

In meiner Familie war alles früher genauso bescheiden, wie in der von India. Und so habe ich gelernt, mit wenig Geld auszukommen. Später habe ich dann Britta geheiratet, und sie hat mich immer fühlen lassen, dass es ihr nicht genug war, was ich verdiente. Mehr als einen Blumenstrauß und eine Schachtel Pralinen, waren von meinem kleinen Verdienst nicht mehr drin. Als die Journalisten von den Zeitungen alle langsam von der Vollzeitbeschäftigung zur Teilzeit und später zu freiberuflichen Mitarbeitern gemacht wurden, war ich ziemlich arm. Meine Frau war immer etwas kränklich, und konnte daher nicht mitverdienen. Aber eines Tages fand sie dann doch einen Job in einem Blumenladen. Das war für sie nicht einfach, denn es war dort meistens kälter, als sie es vertrug. Sie tat mir sehr leid, und obwohl sie jetzt selbst etwas Geld zur Verfügung hatte, jammerte sie doch oft, dass ich nicht genügend Geld mit nach Haus brachte. Da erbte ich von einer weit entfernten Tante diese antike Uhr, kurz bevor meine Frau ihren Geburtstag feierte. Und es fiel mir nichts Besseres ein, als zum Pfandleihhaus zu gehen, und sie dort zu hinterlassen, um mir etwas Bargeld zu besorgen. Ich wusste zu dem Zeitpunkt nicht, dass der Besitzer verreist und nur einen Vertreter eingestellt hatte, und so vertraute ich der

Kompetenz von Toni, einem Studenten. Von diesem Geld kaufte ich dann ganz großzügig einige wunderschöne Geburtstagsgeschenke für meine Frau, und ich freute mich sehr auf das Gesicht, das sie beim Anblick dieser Sachen machen würde.

Als der Geburtstag kam und sie ihre Geschenke auspackte, sah sie mich entsetzt an und schimpfte mit mir, weil ich so verschwenderisch mit unserem Geld umgegangen sei.

Aber endlich beruhigte sie sich, freute sich und bedankte sich auch bei mir. In der nächsten Zeit versuchte ich, das Geld aufzutreiben, um damit die Uhr wieder zurückzuholen in der dafür vorgesehenen Frist. Aber ich schaffte es nicht, die 300 Euro aufzutreiben, und so musste ich die Uhr im Pfandhaus lassen, wo sie Tobias dann später erwarb.

Bei einigen Briefen meiner verstorbenen Tante, las ich dann etwas später, dass die Uhr einen höheren Wert besaß, als ich gedacht hatte.

Inzwischen hatte ich meinen neuen Job beim Regionalsender, daher besserten sich meine Geldverhältnisse. Mit diesen doppelten Einnahmen kamen wir gut über die Runden, und so hatte ich bald die 300 Euro beisammen und spazierte zum Antiquitätenladen, wo Toni, der Vertreter von Herrn Kuhlmann immer noch das Regiment führte. Ich legte ihm die 300 Euro hin, und bat ihn um die Rückgabe der Uhr. Der aber bedauerte, dass er mir nicht helfen könnte, da er die Uhr inzwischen verkauft habe und meine Rückholfrist verstrichen sei. Dass Herr Kuhlmann gar nichts davon wusste, konnte ich nicht ahnen. Denn diesen seltsamen Vertrag hatte Toni allein aufgesetzt. Normalerweise werden die Sachen erst nach einer längeren Frist zu einem bestimmten Termin wieder versteigert. Diesen Termin hätte ich dann sicherlich wahrgenommen. Während ich weiter nach dem genauen Wert der Uhr recherchierte und bald herausfand, wie wertvoll sie in Wirklichkeit war, suchte ich auch nach dem Käufer meiner Uhr, denn bei Tonis schlechtem Gewissen war es ein Leichtes, ihn dazu zu bewegen, mir den Namen und die Adresse des Käufers zu nennen.

Dann überschlugen sich die Ereignisse. Toni ging zur Bundeswehr, wurde nach Afghanistan geschickt und schon kurz nach seiner Ankunft getötet. An ihn konnte ich mich also gar nicht mehr wegen eines Ersatzes wenden. Und bei Kuhlmann wusste ich, würde ich auf taube Ohren stoßen, denn der würde mir die ganze Geschichte nicht glauben, weil er ja nichts von einer Uhr wusste.

Gleichzeitig las ich in unserem Mittagsblatt, dass sich der Sohn des Schuhfabrikanten mit India Kelly verlobt hatte, der im Rathaus einen kleinen Empfang gab, anlässlich seiner Verlobung, weil er nämlich auch für kulturelle Belange unseres Städtchens zuständig ist und sich durch seine Erfolge und Arbeiten schon in seinen jungen Jahren einen guten Namen gemacht hat.

Also spazierte ich als Vertretung unseres Regionalsenders und auch des Mittagsblattes zum Empfang und entdeckte an India Kellys Arm meine wertvolle Uhr.

Ich schwieg und überlegte fieberhaft, was nun zu tun sei. Ich besaß nicht einmal ein Foto von der Uhr, lediglich den Brief, der das Begleitschreiben meiner Tante gewesen war, und den späteren Brief aus ihren Unterlagen, in dem die Uhr ein zweites Mal erwähnt wurde.

So wartete ich eine Gelegenheit ab, einen Zeitpunkt, der mir günstig schien, India allein zu treffen.

Es gelang mir schließlich, sie frühmorgens beim Joggen am Fluss anzusprechen. Und ich erzählte ihr die Geschichte, wahrheitsgemäß von Anfang an. Von der Erbschaft, von unserem Geldmangel, vom Geburtstag meiner Frau, vom Antiquitätenladen, und von Toni der Aushilfskraft. Ich bat India darum, mir die Uhr zurück zu verkaufen.

Aber sie lachte mich aus. „Sie können mir viel erzählen. Diese Uhr hat mir mein Verlobter geschenkt, und damit gehört sie mir. Sicherlich haben Sie sich die ganze Geschichte nur ausgedacht. Vermutlich sind Sie ein Betrüger. Aber selbst wenn das stimmt, was Sie sagen. Ich werde sie Ihnen niemals zurückgeben. Weder einfach nur so zurückgeben, noch Ihnen verkaufen. Ich liebe diese Uhr, sie ist etwas ganz Besonderes. Sie bedeutet mir sehr viel. Nicht nur weil sie ein Geschenk meines Verlobten ist, sondern weil ich alles das, was einmal in meinen Besitz kommt, nicht wieder hergebe. Da können Sie machen, was Sie wollen. Selbst wenn Sie vor Gericht gehen, werden Sie kein Recht bekommen. Denn die Eltern meines Verlobten haben sehr viel Geld, und sie sind vernarrt in mich und sie tun einfach alles für mich. Alles, was ich mir wünsche. Also gehen Sie jetzt! Und lassen Sie mich in Ruhe!"

Natürlich war ich sehr enttäuscht. Und dann habe ich versucht, aus dem Umkreis meiner Tante irgendjemanden zu finden, der bezeugen konnte, dass sie diese Uhr besessen hatte. Aber da gab es niemanden, keine anderen Verwandten mehr, und auch im Freundeskreis nur noch eine einzige alte Dame im Altersheim, die dement war.

Was sollte ich also tun? Ich war verzweifelt. Meiner Frau wollte ich von dieser ganzen Sache auch nichts erzählen, und wir hatten sowieso gerade eine Ehekrise, weil sie immer noch sehr unzufrieden war, obwohl wir inzwischen genug Geld zum Leben hatten.

Zu der Zeit erkannte ich, dass sie zu den vielen Menschen gehört, die nie zufrieden sind, die immer mehr haben müssen, als sie gerade besitzen.

India gewöhnte sich nun an, hier in Deutschland nicht mehr ohne ihren Verlobten auf die Straße zu gehen, vermutlich wollte sie es vermeiden, mich irgendwo allein zu treffen.

Zu dieser Zeit hatte mein Chef für mich einen Auftrag, der mich nach London führte, und ich fand heraus, dass India ebenfalls für zwei Wochen in London weilte und an der Universität Vorträge gab. Es war nicht schwer für mich, das herauszufinden, denn ich hatte die Familie Körner dazu überredet, im Mittagsblatt Werbung für das Schuhgeschäft zu inserieren. Mit Richard Körner befreundete ich mich, ging häufig abends mit ihm ein Bierchen trinken, und erfuhr so alles problemlos, was ich über India wissen wollte.

Nun fuhr ich nach London und passte sie dort an der Universität ab. Natürlich wies sie mich sofort zurück und wurde auch sehr böse. Doch das erschreckte mich nicht. Ich wollte endlich erreichen, dass sie verstand, wie viel mir die Uhr bedeutete. So wartete ich auf irgendeine günstige Gelegenheit und folgte ihr heimlich überallhin. Sie traf sich mit einer Frau, die ganz offensichtlich zum Rotlichtmilieu gehörte.

Heimlich am Nebentisch in einer kleinen Bar belauschte ich die beiden, und fand bald heraus, dass auch India ihr Taschengeld eine kurze Zeit lang in ihrem Leben als Callgirl aufgebessert hatte.

Ich stand von meinem Tisch auf, ging an den Nachbartisch und grüßte India freundlich. „Oh, guten Tag liebe Frau Kelly! Welch ein Zufall, dass ich sie hier gerade in London treffe! Es ist hier ganz schlimm mit diesen Restaurants, sie haben einfach keine verschwiegenen Eckchen, wo man sich ungestört unterhalten kann. Vielleicht treffen wir uns ja einmal zufällig wieder!"

Sie erschrak, und sie ahnte, dass ich alles mitgehört hatte. Nun reimte sie sich wohl zusammen, dass ich möglicherweise alles ihrem Verlobten erzählen würde.

Sie schrieb mir die Adresse eines Hotels auf und bat mich, am Abend dort in ein ganz bestimmtes Zimmer zu kommen.

Natürlich zögerte ich nicht, ihre Einladung anzunehmen. Ich war darauf gefasst, dass sie mir dort eine Szene machen würde.

Aber das tat sie nicht, und ich war sehr erstaunt, als es Champagner gab und sie mir davon ein Glas einschenkte. Sie sprach nicht von ihrer Vergangenheit und sie sprach auch nicht von der Uhr. Nein, sie erzählte von London, von ihrer Arbeit und trank mit mir den Champagner aus.

Dann plötzlich zog sie ihre Bluse aus, ihren Rock, zeigte mir ihre schwarze Spitzenwäsche und ihren makellosen Körper. Sie selbst haben India gekannt, Sie wissen, wie verführerisch sie sein konnte. Und ich ließ mich von ihr verführen. Ich blieb die halbe Nacht bei ihr, dann schickte sie mich in mein Hotel.

Am anderen Tag suchte ich sie wieder auf, und fragte sie, was das denn nun gewesen sei, ob sie Gefühle für mich entdeckt hätte? Aber sie sah mich nur kurz an und bat mich, am kommenden Abend im gleichen Hotel zur gleichen Zeit auf sie zu warten. Als ich dieses Mal in das Hotel eilte, hoffte ich, eine zweite Liebesnacht zu erleben.

Aber weit gefehlt, sie lächelte geheimnisvoll, als sie mir mitteilte: „Ich habe uns gestern Abend gefilmt, und schon ein paar Fotoabzüge davon gemacht. Wenn du mich weiter nach dieser Uhr drängst, schicke ich deiner Frau einen Abzug."

Ich erschrak, aber dann fasste ich mich schnell wieder. „Wenn du das meiner Frau schickst, dann könnte ich doch auch mit dem Foto zu deinem Verlobten gehen. Meinst du vielleicht dem wäre das Recht? Damit haben wir uns doch gewissermaßen beide in der Hand."

Sie lachte laut. „Meinst du vielleicht, ich wäre auf Tobias angewiesen? Mittlerweile bin ich eine Frau, die sehr gut in der Welt zurechtkommt, auch allein, ohne Tobias. Ich habe überall sehr viele Bekannte und Freunde, und ich kann mich überall so benehmen, dass man mich sofort ins Herz schließt. Ich kenne auch ein paar nette Männer, die würden mich sofort mit Kusshand nehmen, wenn ich meine Verlobung löse."

Ich sah sie sprachlos an. „Dann bist du aber eine verdammt gute Schauspielerin."

Sie lachte. „Ich werde demnächst auch als Laienschauspielerin fungieren, du wirst sehen, wie gut ich sein werde.""

Ich unterbrach Bernhard. „Dann hatte Manuela doch Recht, dass sie Tobias oft schlecht behandelt hat. Er wollte das nur nicht so einsehen. Er hatte sich wirklich nur ein Illusionsbild von ihr gemacht."

Er nickte. „Aber was dann kam, damit hatten wir beide nicht gerechnet. Wir hatten an diesem Abend nur zwei Gläser Champagner getrunken, und doch kam sie plötzlich auf mich zu, küsste mich und begann, mich auszuziehen. Diesmal blieb ich die ganze Nacht, und sie schickte mich nicht fort. Bis zu ihrem Abflug trafen wir uns jede Nacht in dem Hotel, und als wir beide wieder nach Deutschland zurückflogen, wussten wir, dass das nicht so weitergehen konnte. Natürlich trafen wir uns in Deutschland sehr selten, meist in einer weiter entfernten Stadt. Meine Frau und Tobias merkten nichts, und wenn wir uns trafen, India und ich, dann versank die Welt um uns herum. Wir hatten uns wirklich ineinander verliebt.

Eines Tages sagte ich zu India. „Meine Ehe ist nicht mehr gut, ich denke, ich werde mich scheiden lassen. Wirst du dich auch von Tobias trennen?"

Sie schüttelte den Kopf. „Ach nein, es gefällt mir doch alles so gut mit ihm. Auch seine Eltern erfüllen mir jeden Wunsch. Und sie haben doch alle sehr, sehr viel mehr Geld als du. Ich werde doch keinen armen Mann heiraten. Es läuft doch so alles ganz wunderbar. Wir haben ab und zu unseren Spaß, und in unserem Leben haben wir keine Wünsche."

Wir begannen uns zu streiten, und ich erinnerte sie wieder an die Uhr. Ich sagte ihr auch, dass sie bald kein Druckmittel mehr gegen mich haben würde, da ich mich ja doch scheiden lassen wollte."

„Solltest du mich immer weiter mit dieser Uhr erpressen, dann werde ich dafür sorgen, dass du bald keinen Job mehr hast", verkündete sie mir. „Und es ist überhaupt besser, wenn wir uns trennen."

Das wollte ich natürlich auch nicht.

Ich versuchte, ihr klarzumachen, wie sehr ich sie liebte. Aber sie wollte plötzlich nichts mehr davon wissen. Sie beendete unsere Beziehung. Ich wusste nicht, wie ich mir helfen sollte. Ich vermisste sie, und ich spürte, dass ich von ihr genauso abhängig war, wie Tobias, der all ihre Launen ertrug, sie aber trotzdem unvermindert liebte.

Diese Hilflosigkeit machte mir sehr zu schaffen, die Hilflosigkeit meinen Gefühlen gegenüber. Und dann empfand ich außer dieser Hilflosigkeit auch noch eine Wut, dass sie mich so in der Hand hatte. Und ich war wütend, dass sie meine Uhr auch weiter behalten wollte. Immer wieder versuchte ich, sie kurz zu treffen, und bat sie, mir doch das Erbstück zurückzugeben. Aber sie blieb hart, und lachte mich sogar aus.

Dann kam der Morgen mit dem Interview. Ich warnte sie. „Wenn du mir die Uhr nicht zurückgibst, wenn ich sie dir nicht abkaufen kann, dann werde ich im Mittagsblatt bekannt geben, wie hoch ihr Wert ist. Und dann werden auch andere aufmerksam werden, auch Tobias. Natürlich stritten wir uns, und sie meinte, dass ich das wohl nicht wagen würde, weil ich sie ja doch liebte.

Aber ich tat es, um mir zu beweisen, dass sie mich nicht ganz in der Hand hatte, dass ich mich nicht ganz einschüchtern ließ. Und ich fasste einen Plan. Ich besorgte mir eine Schachtel Cognac Kirschen und in einer weiter entfernten Stadt eine kleine Spritze. Am anderen Morgen präparierte ich eine Praline und nahm eine kleine Zange mit, mit der ich das

Sicherheitskettchen der Uhr aufschneiden wollte. Außerdem vergrößerte ich in meiner Dunkelkammer ein Foto, das mich und sie in einer eindeutigen Position zeigte. Ich versteckte es in einem riesengroßen Staubsauger.

Als ich am anderen Morgen dann kurz nach Tobias verkleidet als Raumpflegerin zu ihr in den Bühnenraum kam, hatte sie gerade das Glasherz in der Hand, um es zu säubern. Aber als sie mich sah, fiel es ihr aus der Hand und zerbrach. Sie schimpfte mit mir, dass ich den Wert der Uhr in der Zeitung verraten hatte. Da holte ich das Bild aus dem Staubsauger stellte es auf den gläsernen Untergrund, dass es so richtig blitzte und leuchtete. Sie war total entsetzt und bat mich, es sofort wegzunehmen. Ich holte die Schachtel Konfekt heraus und sagte: „Gut, ich gehe gleich. Und weil ich heute keinen Champagner dabei habe, können wir hier beide eine süße Praline genießen. Das sind Herzkirschen, und sie erinnern uns daran, dass unsere Herzen nicht aus Glas sind."

Sie sah mich groß an. „Warum sollte ich eine davon essen? Du hast sie bestimmt vergiftet."

Jetzt zeigte ich ihr, dass ich nicht dumm war. „Schau! Ich werde die übrigen fünf essen, damit du mir glaubst, dass ich sie nicht vergiftet habe."

„Ach, nein! Du wirst nur eine vergiftet haben und weißt natürlich genau, welche!"

Ich hatte die präparierte Praline in meiner Jackentasche versteckt und sagte zu ihr: „

In diesem Riegel sind genau sechs Cognac-Kirschen. Du darfst mir jetzt fünf von ihnen ganz beliebig heraussuchen, und du isst dann die sechste Praline. Glaubst du mir nun, dass da kein Gift drin ist? Oder meinst du etwa, ich ginge das Risiko ein, mich hier vor allen Leuten selbst zu vergiften."

Sie nickte leicht. „Da ist natürlich was Wahres dran. Aber dann packst du auch ganz gewiss dieses Foto wieder ein und verschwindest. Ist das klar?"

„Natürlich. Das verspreche ich dir, ganz hochheilig, dass ich gleich alle meine Sachen wieder einpacke und verschwinde und dich auch nicht mehr belästigen werde."

Nun steckte sie mir einzelnen ganz langsam alle fünf Pralinen in den Mund und sah zu, wie ich sie aß. Sie wartete auch ab, ob irgendetwas mit mir geschehen würde.

Dann nahm ich den kleinen Karton in die Hand. Aber anstatt ihr die Praline von dem Riegel zu geben, steckte ich ihr die mit dem Betäubungsmittel in den Mund. Kurz darauf wirkte es und ich wollte sie auffangen. Aber ich stolperte über einen Stuhl, und sie fiel über den Staubsauger, so unglücklich, dass sie sich das Genick brach. Da wusste ich nicht mehr, was ich tat. Panik kroch in mir hoch. Eilig packte ich das Bild in den Staubsauger und verließ den Raum. Durch den Hinterausgang verließ ich dann die Halle und schlich den Weg über die Felder nach Hause, den gleichen Schleichweg, den damals immer Jette und Benjamin von der Kirche aus zum Wunderbaum genommen hatten. An der Kirche hatte ich mein Auto geparkt, dort verstaute ich den Staubsauger, zog mir im Auto rasch die Frauenkleider aus. Da meine Frau arbeiten war, konnte ich alles unbemerkt wieder im Haus und in den Schränken verstauen. Natürlich war keine Zeit mehr gewesen, India die Uhr abzunehmen. Und ich hätte es auch gar nicht fertig gebracht. Ich habe sie sehr geliebt, und dass alles so endete, ist ganz fürchterlich für mich, ja, und natürlich auch für alle anderen. Aber ich habe es nicht so gewollt, das müssen mir alle glauben."

„Das glaube ich dir auch", versicherte ich ihm und meinte es ehrlich. „Warum bist du denn da nicht sofort zur Polizei gegangen? Den Unfall hätte man doch aufklären können."

„Vielleicht glaubst du mir diese ganze Geschichte, aber die Polizei? Schon allein wegen dieser präparierten Praline, könnte man doch auch auf andere Gedanken kommen. Außerdem wollte ich natürlich nicht, dass meine Frau von der ganzen Sache erfuhr. Jetzt, wo India nicht mehr lebte, gab es ja auch kein Grund mehr, mich scheiden zu lassen. In dem Moment war das Leben für mich sowieso trüb und freudlos geworden, da konnte ich auch bei meiner Frau bleiben, und ein wenig für meine Schuld büßen, indem ich sie unterstützte und ihr Meckern ertrug."

„Aber was ist dann weiter gewesen? Was hast du dann mit Manuela zu tun gehabt? Denn offensichtlich ist sie doch auf die Idee gekommen, dass du etwas mit der Sache zu tun hattest. Als Oliver über die Presse sprach, ist es ihr ja offensichtlich eingefallen. Was ist dann passiert?"

„Tatsächlich bin ich an dem Morgen, als ich zu India ins Gemeindezentrum ging, an der offenen Küchentür vorbeigekommen, allerdings in meiner Verkleidung als Putzfrau. Dort stand Manuela und bereitete das Frühstück vor, den Kaffee, und einen kleinen Imbiss für die Putzfrauen. Sie sah mich mit meinem Kopftuch, und ich erkannte an ihrem Blick, dass ihr irgendetwas komisch vorkam. Vermutlich konnte sie dieses Gesicht, das sie da unter dem

Kopftuch sah, nicht zuordnen, wusste nur, dass sie es von irgendwo her kannte. Nun hatte ich beim Kostümball den Auftrag gehabt, für den Sender und für das Blättchen Berichte zu schreiben, aber es machte mir immer noch Sorgen, dass mich Manuela irgendwann einmal wieder erkennen könnte. Deswegen hielt ich mich an diesem Abend in ihrer Nähe auf, aber wandte ihr vorsichtshalber immer nur den Rücken zu. Plötzlich löste sie sich von Oliver und verzog sich in eine Ecke, natürlich folgte ich ihr sofort und hörte, wie sie Tobias anrief und ihn bat, sofort vorbeizukommen. Offenbar hatte sie mich nun doch identifiziert. Sie teilte ihm mit, dass sie sich sehr sicher sei, wer für den Tod von India verantwortlich sei. Dann verabredete sie sich mit ihm in der Bibliothek. Sie stellte ihre Leiter im Ballsaal neben der Tür ab und eilte hinaus. Ich folgte ihr unauffällig und fand sie dann in der Nähe des offenen Fensters. Als sie mich sah, erschrak sie und warnte mich vor Tobias, der gleich kommen würde. „Er weiß Bescheid", sagte sie. „Du kannst es ruhig zugeben. Ich habe ihm gesagt, dass ich dich erkannt habe." Ich teilte ihr mit, dass ich ihr Telefongespräch mit angehört habe, und dass Tobias keinesfalls etwas Genaues wisse. Da wurde sie sehr wütend, wie ich mir allerdings nachher zusammengereimt habe, vermutlich aus einer Angst heraus, die sie nicht zeigen wollte. „Er wird gleich hier sein, dann kannst du dich auf etwas gefasst machen", drohte sie mir. „Wir alle sind deinetwegen verdächtigt worden. Natürlich mochte ich India auch nicht, aber ich hätte sie niemals umgebracht, wie du. Und ich werde es allen sagen, Tobias, aber auch der Polizei, dass du vorsätzlich gehandelt hast, denn ich habe dich verkleidet als Putzfrau gesehen, und dich nur nicht sofort erkannt. Jetzt wirst du natürlich wegen Mordes verurteilt, dafür werde ich sorgen."

„Und jetzt wirst du mir sicher erzählen, dass ihr miteinander gekämpft habt, und sie dann aus dem Fenster gefallen ist. Stimmt es? Und du wirst wieder behaupten, dass du keine Schuld daran hattest", vermutete ich.

„Auch wenn sich das jetzt sehr unglaubwürdig anhört, so ähnlich war es tatsächlich. Wir haben nicht miteinander gekämpft, nicht einmal miteinander gerangelt. Das wird die Polizei bestimmt auch bestätigen können, denn man wird keine Spuren von mir an ihr oder ihren Kleidern finden. Ich ging nur etwas heftig auf sie zu, und sie ging rückwärts. Da ist sie tatsächlich aus diesem niedrigen Fenster gefallen, ohne dass ich sie berührt habe. Aber wer glaubt mir diese Geschichte schon? Du hast sie ja auch nicht geglaubt. Das war schon wieder ein Unfall, und zwar ein sehr tragischer. Aber immerhin war das schon der zweite Unfall mit Todesfolge, das ist schon ein Zufall zu viel."

„Die Polizei ist doch intelligent, sie wird das doch herausfinden. Da brauchst du dir keine Sorgen zu machen, wenn du unschuldig bist. Und du kennst doch auch Niklas, das ist ein sehr kompetenter Kriminalkommissar. Vor dem musst du dich nicht fürchten."

„Ich fürchte mich auch vor niemandem mehr. Wenn dir so etwas passiert ist, wenn du durch einen Unfall zwei Menschen auf dem Gewissen hast, dann ist das Leben nicht mehr normal für dich. Du lebst wie ein Außenseiter, du fühlst dich ausgestoßen, du fühlst dich nicht mehr zu den normalen Menschen zugehörig. Plötzlich gehörst du nicht mehr zu den Guten. Und dann wirst du skrupellos und kennst keine Hemmungen mehr."

„Und was bedeutet das jetzt? Willst du dich etwa nicht stellen, willst du nicht, dass du endlich Ruhe findest?"

„Ich werde nie mehr Ruhe finden. Ich kann das ja alles nicht mehr rückgängig machen."

„Ach, Bernhard! Komm doch einfach mit mir zur Polizei. Wir klären das dann gemeinsam. Ich glaube dir ja auch, da wird dir Niklas auch glauben. Und darum wird er auch alles herausfinden können, mit richtigen Beweisen."

„Dazu ist jetzt alles zu spät. Ich habe dir auch etwas in den Kaffee getan. Und du wirst gleich einschlafen …"

Seine Stimme schien leiser zu werden. Und dann war da auf einmal gar nichts mehr…

***

24. Kapitel

Als ich wieder aufwachte, befand ich mich in einem abgedunkelten Zimmer, das aussah wie ein Kellerraum. Ich lag auf einer alten Matratze, deren Bezug verschlissen war und sich feucht an fühlte. Meine Hände und Füße bewegten sich kaum in Fesseln aus dicken Kordeln, und über meinem Mund spürte ich ein festes Klebeband.

Ich brauchte einen Augenblick, um zu begreifen, was geschehen war. Bernhard Schmidt hatte mir gestanden, dass er für die beiden Unfälle, den Tod von India und Manuela verantwortlich war. Offenbar war er sich seiner Schuld bewusst, und es tat ihm leid, aber er wusste nicht, was er tun und wie er damit fertig werden sollte. Aber wo war er jetzt? Und was hatte er jetzt vor? Wo war ich, und was hatte er mit mir vor?

Diese Fragen schossen mir immer wieder durch den Kopf, ohne dass ich eine Antwort darauf finden konnte. Im Gegenteil, neue Fragen tauchten auf. Wollte er sich irgendwo absetzen? Wollte er der Polizei entkommen und mich hier verhungern und verdursten lassen? Hatte er irgendjemandem mitgeteilt, wo ich war? Ich beschloss, erst einmal ein wenig Ruhe zu finden und dieses Gedankenkarussell aus meinem Kopf zu verbannen. Doch stattdessen erinnerte ich mich an India. Wie hatten wir uns alle doch in ihr getäuscht! Nachdem ich noch einmal an Manuelas und Tobias Aussage über diese junge Frau nachgedacht hatte, schien es mir immer glaubwürdiger, dass Bernhards Geschichte stimmte. Wie tragisch sie doch war! Eine junge Frau, deren armselige Kindheit nie verarbeitet, ihr dann doch eines Tages zum Verhängnis wurde, weil sie an der neuen Macht Gefallen gefunden hatte. Warum hatte sie diese Uhr behalten? Tobias hätte ihr sicher noch eine andere geschenkt. Warum hatte sie Bernhard, den sie doch offensichtlich auf ihre Art und Weise auch geliebt hatte, so gequält? Weil sie selbst als Kind auch keine Liebe empfangen hatte? Auf solch eine Begründung lief es am Ende immer hinaus, ganz pauschal. Aber wie es nun wirklich war, in allen Details, würden wir niemals herausbekommen.

Als ich Durst bekam, schaute ich mich noch einmal gründlich in dem Raum um, doch nirgends entdeckte ich etwas Trinkbares. Wie viel Uhr mochte es sein? Nach dem Schlaf mit dem Betäubungsmittel hatte ich jedes Gefühl für Zeit verloren.

Indias Geschichte, eine traurige Geschichte, fand ich. Und Bernhards Geschichte? Warum hatte ich ihn von Anfang an abgelehnt? Hatte ich seine Angst vor der Entdeckung gespürt oder seine kriminelle Energie?

Nachdem mein Durst stärker wurde, und ich niemanden hörte, gelang es mir nicht mehr, mich mit anderen Gedanken abzulenken. Mit einem Mal fühlte ich mich so wie alle in einer ähnlichen Lage. Ich dachte nur noch an etwas zum Trinken, an etwas zum Essen und an die Freiheit, die ich mir wünschte. Vergeblich versuchte ich, mich von den Fesseln zu befreien, ich fand nichts, woran ich sie aufreiben oder zerschneiden konnte, nicht einmal irgendwo eine feste Kante.

Ich erinnerte mich dunkel daran, dass es gut sei, in einem solchen Moment Kräfte zu sparen, daher versuchte ich zu schlafen. Aber offenbar hatte das Schlafmittel einen guten Dienst getan. Ich hatte genug Schlaf gehabt, da war keine Müdigkeit mehr. Ich starrte an die Flecken auf der Raumdecke und versuchte, sie zu zählen.

In diesem Augenblick hörte ich Geräusche.

Schritte näherten sich, im Schloss drehte sich ein Schlüssel. Ein heller Schein fiel auf mich. Ob das jetzt Bernhard war? Ob er jetzt vorhatte, mich umzubringen, jetzt wo er keine Hemmungen mehr kannte?

Als der Lichtschein aus meinem Gesicht genommen wurde, erkannte ich Niklas, Ermanno und eine fremde Frau, die sich sofort zu mir beugte. Während Niklas mir Hand- und Fußfesseln durchschnitt, löste Ermanno vorsichtig das Klebeband von meinem Mund, er bemühte sich, mir dabei nicht weh zu tun. Dann nahm er mich in seine Arme und hielt mich eine ganze Weile fest.

„Wo bin ich denn?" stammelte ich.

„Bei uns im Keller. Ich bin Frau Schmidt", stellte sich die Fremde vor.

„Und wie habt ihr mich gefunden?"

„Zuerst haben wir dich alle überall gesucht", erklärte Niklas. „Dann haben wir natürlich überlegt, dass du dein letztes Gespräch mit Oliver geführt hast, und der hat glücklicherweise ein so gutes Gedächtnis, dass er uns Wort für Wort berichten konnte, was ihr miteinander gesprochen habt. Da gab es dann nicht mehr viel zu überlegen, wir sind dann sofort hierhergekommen, wo Frau Schmidt, die inzwischen nach Hause gekommen war, ahnungslos in der Küche das Essen kochte, ohne zu wissen, dass du dich hier unten im Keller befandest."

„Und wo ist Bernhard?"

„Den sucht die Polizei", wusste Frau Schmidt. „Er hat mir einen Brief hinterlassen, dass er nicht mehr wiederkommen wird. Und seine Worte hören sich ganz danach an, als ob er seinem Leben ein Ende setzen wollte. Hat er wirklich etwas mit den Unfällen zu tun, Frau Mühlberg?"

„Ja, er hat mir alles darüber erzählt. Und so, wie es ausschaut, waren es auch wirklich Unfälle gewesen. Und es ging alles um diese Uhr, das wertvolle Erbstück, das ihm seine Tante vermacht hatte."

Sie atmete auf. „Ach, das ist alles schlimm genug, und ich mache mir große Sorgen um ihn. Aber wenn es um diese Uhr ging, dann bin ich doch ein klein wenig erleichtert. Ich hatte nämlich befürchtet, dass er irgendein Verhältnis mit einer Frau gehabt hätte. Wenigstens dieser Kummer bleibt mir dann erspart."

„Ich hoffe, dass ihn die Polizei bald findet", wünschte ich ihr. „Es gibt doch immer wieder einen neuen Anfang. Und wenn Sie ihn lieben, dann schaffen Sie das bestimmt mit ihm gemeinsam."

„Wenn ich nur wüsste, wo er ist?" fragte sie verzweifelt.

„Wie spät ist es denn?" wollte ich wissen.

„Es ist schon Nachmittag. Wir haben uns große Sorgen um dich gemacht", ließ mich Ermanno wissen. „Du musst schreckliche Angst gehabt haben."

„Er hat mir etwas in den Kaffee getan, damit hat er mich betäubt. Ich glaube, damit habe ich ein paar Stunden geschlafen. Wenn man hier so liegt, lässt sich die Zeit schlecht schätzen. Aber ich vermute einmal, dass ich hier vielleicht so zwei bis drei Stunden wach gelegen habe. Vielleicht war es noch das gleiche Betäubungsmittel, dass er India gegeben hat."

„Das ist anzunehmen, Abigail. Und wir wissen inzwischen auch, woher es hatte. Linda hat es heimlich gestohlen und sich von ihm gut bezahlen lassen, denn sie brauchte Geld für ihre Drogen. Aber sie versicherte uns, dass sie nicht geahnt hat, wofür er es verwenden wollte. Er muss ihr wohl erzählt haben, dass er unter Schlaflosigkeit leidet, aber dass ihm sein Arzt ein solches Medikament nicht verschreibe, weil er medikamentensüchtig sei. Das alles ist natürlich nur gelogen, so wollte er unentdeckt an dieses Schlafmittel kommen. Er war sich sicher, dass Linda ihn nicht verraten würde, weil sie ihn wohl als gute Geldquelle eingeschätzt hatte."

„Sieh mal einer an, das hätte ich der Linda auch nicht zugetraut", bemerkte ich.

Ermanno nahm mich auf den Arm. „Und jetzt bringe ich dich erst einmal ins Krankenhaus, damit du untersucht wirst. Vielleicht hast du auch noch ein Schock."

„Ich denke, ein ganz gewöhnlicher Arzt reicht, wenn überhaupt", entgegnete ich. „Ich habe wirklich keinen Schock. Vielleicht habe ich etwas Angst ausgestanden, weil ich nicht wusste, was Bernhard mit mir vorhatte. Aber da ich ganz bewusst zu ihm als Täter hingegangen bin, war ich schon etwas vorbereitet."

„Heute hast du uns genug Angst eingejagt." Er sah mich liebevoll an. „Für heute hast du genug ausgefressen. Jetzt musst du dich einmal fügen und auf uns vernünftige Menschen hören. Du hast ja nun wirklich wieder einmal alles getan, und jetzt hast du etwas Ruhe verdient."

Er trug mich die Treppe hinauf und die anderen folgten ihm.

„Nein. Das ist noch nicht genug", ich wehrte mich, „jetzt muss ich erst noch überlegen, wohin Bernhard geflohen sein kann. Vorher habe ich noch keine Ruhe."

„Oh ja, bitte!" drängte mich Frau Schmidt. „Sagen Sie mir doch, wenn Sie irgendetwas wissen. Ich werde Ihnen mein Leben lang dankbar sein."

Also liebte sie ihn doch, auf ihre Weise, konstatierte ich. Manchmal sind solche schlimmen Momente offenbar dazu da, wahre Gefühle zu entdecken.

Ermanno hatte mich auf die Couch gelegt, der Notarzt, den offenbar schon vorher jemand gerufen hatte, trat ein und untersuchte mich. „Soll ich Ihnen eine Beruhigungsspritze geben?"

„Nicht, wenn ich es irgendwie vermeiden kann. Ich bin ja von so vielen lieben Menschen umgeben, die mir alle helfen können. Wenn Sie mit meinem Zustand zufrieden sind, würde ich gerne auf eine Spritze verzichten."

„Nun gut. Da ich Niklas kenne, und weiß, dass er auch ausgezeichnet erste Hilfe leisten kann, lasse ich einmal etwas hier, ein Medikament, dass er Ihnen notfalls später noch geben kann."

Nachdem er noch kurz mit den anderen Anwesenden gesprochen hatte, verabschiedete er sich und wünschte mir eine gute Besserung.

Ich wandte mich an Frau Schmidt. „Wenn Ihr Mann so viel Zugang durch Linda zu Medikamenten hatte, wird er sich vermutlich davon auch einige mitgenommen haben. Oder wissen Sie zufällig, ob er auch eine Waffe hatte?"

„Nein, eine Waffe hatte er nicht. Aber er war früher schon immer ein bisschen dramatisch und theatralisch. Deshalb hat er auch so gute Artikel geschrieben, und ist in letzter Zeit in seinem Beruf groß rausgekommen. Ich vermute schon, dass er vorhat, irgendetwas mit einem Schlafmittel zu tun. Weil er diesen ersten Unfall auch verursacht hat mit diesem vermaledeiten Medikament. Aber wo könnte er denn hin sein? Bitte denken Sie doch noch einmal nach! Die Polizei weiß ja gar nicht, wo sie suchen soll?"

„Vielleicht sollte die Polizei auch einmal nach verkleideten Personen schauen", riet ich Niklas. „Im Fall India hatte er sich als Putzfrau verkleidet, mit Ihren Kleidern, Frau Schmidt. Und ich könnte mir auch denken, dass er vielleicht ins Gemeindezentrum gegangen ist oder ins Schloss. Da würde ich einmal nachschauen."

„Das haben wir schon, liebe Abigail. Auf diese Idee ist Ermanno auch schon gekommen."

„Wann habt ihr denn den Abschiedsbrief gefunden, und wo?"

„Wie gesagt, erst noch gar nicht. Frau Schmidt war erst einmal ahnungslos nach Hause gekommen und ist dann sofort in die Küche gegangen, um das Abendbrot vorzubereiten. Erst viel später ist sie noch einmal hinausgegangen an den Briefkasten, das macht sie immer noch einmal später ganz automatisch. Die Post hatte sie morgens schon herausgeholt, die kommt hier immer ganz früh, schon vor 9:00 Uhr. Aber deswegen schaut sie immer nachmittags noch einmal in den Kasten wegen der Anzeigenblätter und Werbungen, mit denen der

Briefkasten häufig verstopft wird. Dort hat sie dann den Abschiedsbrief gefunden."

„Dann können wir leider nicht herausfinden, wann er von hier weg gegangen ist, es sei denn irgendein Nachbar hat ihn gesehen. Vielleicht weiß da einer, in welche Richtung er gegangen ist. Wart ihr denn schon einmal am Flughafen? Vielleicht ist er ja einfach kopflos geflohen und fliegt nun irgendwohin."

Niklas sah mich bedauernd an. „Es mag zwar jetzt ziemlich brutal klingen, aber wenn er sich das Leben nehmen will, dann muss er dafür nicht extra weit weg fliegen."

Irgendetwas klingelte in meinem Kopf. Fliegen! Wohin war er geflogen? Was war ihm bisher wichtig gewesen. „Halt!" rief ich. „Da fällt mir gerade etwas ein."

Alle Augenpaare sahen mich erwartungsvoll an.

„Bitte! Sagen Sie schon!" drängte mich Frau Schmidt.

„Niklas! Checkt doch mal alle Flüge nach London. Und seht beim Flughafen nach, es könnte gut sein, dass er nach London will, vielleicht zum letzten Mal. Diese Stadt mochte er immer besonders."

Während Frau Schmidt unruhig im Zimmer einher lief, Ermanno sich neben mich setzte und mir beruhigend die Hand streichelte, telefonierte Niklas hin und her.

Die nächste Viertelstunde kam uns sehr lang vor, Niklas, der versucht hatte, Frau Schmidt mit Worten zu beruhigen, hatte wenig Erfolg. Nervös spielte sie mit ihren Händen, immer wieder rannte sie ans Fenster, als ob sie dort Bernhard entdecken könnte.

Nach einer gefühlten Ewigkeit meldete sich das Handy von Niklas. Erwartungsvoll sahen wir ihn an, als er das Gespräch entgegennahm. Ungeduldig warteten wir, bis er sein Gestammel: „Ach so… Ja… Na so was … Also gut … Danke! Ciao!" beendet hatte.

Endlich teilte er uns die Antwort mit: „Es ist alles in Ordnung. Man hat ihn gefunden. Es geht ihm gut, und man hat ihn schon in Sicherheit gebracht, er reiste ganz ohne Gepäck, also ganz bestimmt mit der Absicht, nie mehr wieder zu kommen. Er hatte sogar eine ganze Menge Tabletten bei sich, wie er das geschafft hat, sie ins Flugzeug zu schmuggeln, das konnte man bisher noch nicht klären. Und sein Ziel, ja, das war der Flughafen von London."

„Gott sei Dank!" rief Frau Schmidt erleichtert aus.

Sie eilte in die Küche und brachte uns Kaffee und Kuchen. „Jetzt wird alles wieder gut, das weiß ich. Mein Mann ist bestimmt kein schlechter Kerl. Das werden wir schon gemeinsam durchstehen."

Nachdem wir sie noch eine Weile beruhigt hatten, und Olivers Mutter, der das ungewöhnliche Treiben am Haus aufgefallen war, von nebenan herbeigekommen war, ließen wir sie getröstet zurück. Während Niklas zum Kommissariat fuhr, um die nächsten Schritte in die Wege zu leiten, spazierte ich mit Ermanno durch die Wiesen, deren Grün sich gerade für den Frühlingsbeginn etwas erfrischte.

„Du warst wirklich sehr leichtsinnig, Amore", tadelte mich Ermanno. „Es hätte dir Schlimmeres geschehen können. Gerade jetzt, wo Bernhard doch alles so ziemlich egal war, hätte er doch auch sehr gefährlich werden können."

„Ich habe ihn zwar nicht gemocht, aber im Grunde genommen war er einfach an diesen tragischen Unfällen schuld, er hat Beides nicht beabsichtigt. Einen Mord traue ich ihm eigentlich auch nicht zu, nicht einmal jetzt. Vielleicht wäre ich gar nicht allein hingegangen, wenn er nicht behauptet hätte, seine Frau sei ebenfalls zu Hause. Als ich das ahnte, war allerdings bereits zu spät. Aber jetzt schimpf nicht mehr mit mir, es ist ja doch alles gut ausgegangen. Wir können aufatmen!"

„Ja, wie schon Frau Schmidt eben sagte: „Gott sei Dank!" Ich habe übrigens, dein Einverständnis vorausgesetzt, eben schon eine Nachricht zu Adelaide ins Schloss gesendet, dass du wohlauf bist und dich bei mir in den besten Händen befindest. Dort haben sich alle nämlich auch schrecklich viel Angst um dich gemacht. Adelaide war ganz außer sich, und sie hat auch für dich gebetet. Selbst Laura habe ich gar nicht wiedererkannt, Kevin musste sie trösten, weil sie sich so schrecklich viel Sorge um dich gemacht hat."

„Das finde ich auch alles wahnsinnig lieb von euch. Es sind ja auch alles meine Freunde. Aber es musste einfach sein, der Augenblick war gut gewählt. Ich bin sicher, dass Bernhard nicht jederzeit bereit gewesen wäre für ein Geständnis."

„Kannst du mir etwas versprechen, Abigail?"

„Das kommt ganz darauf an. Wenn es nichts Unmögliches ist, dann ja."

„Machst du bitte solche Alleingänge, die gefährlich sind, niemals mehr ohne mich?"

„Wie soll denn das vor sich gehen? Du bist doch gar nicht immer in meiner Nähe. Demnächst fängt deine

Arbeit hier an der Hochschule an, da wirst du kaum noch Zeit für mich haben."

„Oh, das denkst du dir aber nur. Ich bin nicht so verrückt wie dein Rolf. Selbst wenn ich an der Hochschule arbeite, werde ich jeden Tag für dich Zeit haben, wenn du das willst. Und in gefährlichen Situationen lasse ich dort sofort alles stehen und liegen und kommen sofort zu dir. Das verspreche ich dir."

„Gut. Das hört sich wirklich verlockend an, Ermanno." Ich schenkt ihm ein dankbares Lächeln. „Dann melde ich mich demnächst, wenn es gefährlich wird."

„Wie sieht es denn jetzt aus, mit dir und Rolf?" erkundigte er sich mit leiser Stimme. „Ist bei euch immer noch alles so wie früher?"

Ich seufzte. „Vielleicht. Vielleicht auch nicht. Vielleicht ist es auch gerade nicht gut, dass alles noch genauso ist wie früher, denn es entwickelt sich nicht gerade in eine freundliche Richtung. Wir sind gerade in so einer Art Probezeit, keine direkte Pause, aber doch in einem Zustand, in dem wir uns gegenseitig einen sehr großen Freiraum geben, um uns über viele Dinge klar zu werden. Da ist es natürlich sehr verführerisch, wenn gerade du in meiner Nähe bist. Ich weiß auch vom Verstand her, dass das nicht klug ist."

Er lächelte. „Das kann ich mir vorstellen. Es könnte so aussehen, als fändest du in mir ganz leicht einen Ersatz. Aber da bin ich einmal ganz selbstsicher. Wenn es so ist, dass du mich magst, dann ganz bestimmt nicht als Ersatz."

„Danke, dass du das auch so siehst!"

Arm in Arm wanderten wir schweigend weiter bis zum Schloss.

***

25. Kapitel

Adelaide, Laura, alle Schlossbewohner und Gäste hatten sich inzwischen in Rossinis Königreich versammelt, um mich herzlich zu empfangen. Die Schlossherrin hatte mithilfe von Frau Bühler ein festliches Abendbuffet gezaubert, das wir entspannt genossen, obwohl lebhafte Diskussionen über das Geschehene den Speisesaal durchzogen.

Etwas später ereignete sich das, was ich mir als ein ganz rührseliges Happy-End erhofft und vorgestellt hatte: der pedantische Kommissar Neubert erschien mit Tobias, der ein sehr feierliches Gesicht machte und von dem Kommissar aus Wittentine zu dem kleinen Lars geführt wurde. Der Junge erhob sich und begrüßte erstaunt den fremden Mann, der, so wie es Neubert pathetisch verkündete, wirklich der leiblicher Vater des Jungen war. Es gab keine bewegende Szene, nicht einmal eine einzige Träne bei Vater und Sohn. Offenbar war das ganze Geschehen noch viel zu neu und unbegreiflich für beide. Lediglich Adelaide, ein paar andere Frauen und ich verdrückten ein paar Tränchen, während sich die Beiden flüchtig umarmten.

Doch ich hoffte, dass sich aus diesem unspektakulären Wiedersehen einmal eine gute Beziehung entwickeln würde.

Das Mittagsblatt von Sankt Augustine hatte eine freiberufliche Journalistin mit dem schön klingenden Namen Helene Dinkelsbühl ins Schloss geschickt, um die neuesten Geschehnisse aufzunehmen und verbreiten zu können.

Adelaide lud sie kurzerhand mit ein, an der festlichen Tafel Platz zu nehmen und sich erst einmal zu bedienen, bevor sie uns mit Fragen begegnen konnte. Diese nicht mehr ganz junge Frau hatte das Geschick, die Anwesenden so zu befragen, dass es eher eine Unterhaltung, als eine Befragung zu sein schien, und so störte sie nicht wesentlich den Verlauf des gemütlichen Abends.

„Darf ich Abigail zu Ihnen sagen?" bat sie mich. „Da wir im gleichen Alter und auch noch Kollegen sind fände ich das sehr passend. Ich vermute einmal, dass Bernhard jetzt erst einmal für eine Weile beurlaubt wird, bis der ganze Fall geklärt ist. In der Zwischenzeit würde ich mich ganz gerne mit Ihnen zusammen tun. Wäre Ihnen das recht?"

Ich nickte. „Ich habe nichts dagegen, Helene. Unsere Arbeiten werden sich auch sicherlich nicht gegenseitig stören. Die Fakten erhalten Sie am besten immer von Niklas, jedenfalls das, was er gewillt ist, an die Öffentlichkeit zu geben. Haben Sie denn in diesem Fall noch eine Frage an mich?"

„Nur eine einzige, Abigail. Ich war nun eben schon bei Tobias, und er weiß inzwischen auch schon von Niklas, dass es um diese Armbanduhr ging, die einmal meinem Kollegen gehört hat. Du hast ja das Geständnis von ihm gehört. Warum ist er nicht einfach zu India und Tobias gegangen und hat den beiden gesagt, dass ihm die Uhr gehörte? Tobias hätte sie ihm mit Sicherheit gegeben, und er hätte India irgendeine andere stattdessen gekauft. Dann würden jetzt vermutlich beide Frauen noch leben, sowohl India, als auch Manuela. Und welchen Grund hatte India, ihm diese Uhr nicht zurück zu verkaufen?"

Ich lächelte. „Das sind schon zwei Fragen, aber ich werde versuchen, sie Ihnen zu beantworten. Für Bernhard war es nicht so einfach, zu beweisen, dass ihm diese Uhr wirklich gehört hatte, da der Student Toni, der bei Kuhlmann als Aushilfe gearbeitet hatte, inzwischen in Afghanistan gefallen war. Ich nehme an, dass er sich vorstellte, eher an das Herz einer Frau appellieren zu können, als sich an den reichen Verlobten zu wenden, bei dem er offenbar weniger Herz vermutete."

Sie sah mich durchdringend an. „Und dabei hatte sie, India, weniger Herz?"

„Das habe ich nicht gesagt. Für India hatte diese Uhr eine besondere Bedeutung. Vielleicht mag Ihnen Tobias, wenn es ihm einmal etwas besser geht, mehr über Indias Kindheit erzählen. Dabei könnten Sie noch einiges erfahren. Das beantwortet dann auch ihre zweite Frage, warum sie ihm die Uhr nicht zurückgab. Aufgrund eines Erlebnisses in der Kindheit, haben Uhren eine besondere Bedeutung bei ihr gehabt, insbesondere in Form einer Armbanduhr. Ein altes Trauma, dass offensichtlich noch nicht verarbeitet war. Vielleicht wird aber auch eines Tages ihr Kollege Bernhard Ihnen mehr darüber erzählen können, ich will da nicht vorgreifen. Zum Glück hat sich nun herausgestellt, dass beides nur ein Unfall war, das freut mich auch für Ihren Kollegen, dem sie vielleicht in der nächsten Zeit etwas helfen können."

„Wie soll ich ihm denn helfen?"

„Ich habe gesehen, wie schnell und wie leicht sie hier mit den Menschen in Kontakt gekommen sind. Jeder Mensch braucht einen guten Zuhörer und einen guten Gesprächspartner. Wenn Sie Bernhard kontaktieren,

338

erfahren Sie möglicherweise einige wichtige Dinge für die Zeitung, aber Sie helfen ihm auch dabei, seine Erlebnisse zu verarbeiten und irgendwann einmal wieder in das normale Leben zurückzukehren."

„Ich bin keine Psychotherapeutin", wehrte sie ab. „Das muss ich mir noch überlegen. Wir sind ja auch Konkurrenten, er und ich. Und wenn er nicht wieder zurückkommt, werde ich wohl seine Stelle bekommen. Ich bin noch nicht sicher, ob ich so selbstlos sein und über meinen Schatten springen kann."

Ich lachte. „Jedenfalls sind Sie ehrlich. Dennoch glaube ich, dass auch Sie davon profitieren können, wenn Sie sich mit Herrn Schmidt näher befassen. Ich will ganz bestimmt keine Lanze für ihn brechen, mir selbst war er auch nicht sympathisch. Aber er tut mir auch ein bisschen leid. Und ich werde ihm in der Zukunft bestimmt keine Steine in den Weg legen, auch nicht mit dem, was er mir angetan hat. Wer weiß, was ein jeder von uns in der gleichen Situation getan hätte."

Sie bedankte sich bei mir und ging ein paar Schritte weiter zu Moro, den sie in ein Gespräch über seine Werke verwickelte.

Mein Handy meldete sich und ich erkannte, dass mich Rolf sprechen wollte.

Unbemerkt entfernte ich mich aus dem Speisesaal und huschte in die Vorhalle des Schlosses.

„Aber Abigail! Was ist denn los?!" meldete sich mein Verlobter vorwurfsvoll. „Niklas hat mir gerade einiges mitgeteilt. Wie kannst du dich denn an eine solche Gefahr begeben?!"

„Das weiß ich jetzt selbst nicht mehr so genau. Aber so schlimm war es auch gar nicht. Meistens hatte ich alles im Griff", schwindelte ich.

„Ist es nicht besser, wenn ich sofort komme?" fragte er aufgeregt.

„Aber nein! Es ist doch schon alles wieder in Ordnung. Wir sitzen hier alle ganz gemütlich im Schloss und feiern ein bisschen, so, wie man unter diesen Umständen eben feiern kann. Wir sitzen alle nett zusammen, freuen uns, dass es nun nichts mit einem Mord zu tun hatte und freuen uns, dass auch Herrn Schmidt letztendlich nichts Schlimmeres geschehen ist. Es gibt ja wirklich nichts, wobei du hier helfen könntest. Wahrscheinlich gibt es in den nächsten Tagen noch eine ganze Reihe von Protokollen. Das ist sowieso langweilig und lästig, und dabei kannst du gar nicht helfen, weil du ja gar nicht hier warst."

„Also gut. Dann bleibe ich hier. Und Ermanno hat dich wieder einmal gerettet?"

„Na ja , so würde ich das nicht sagen. Er hat mit Niklas und Frau Schmidt zusammen das ganze Haus durchsucht, sie haben mich gesucht und dann im Keller gefunden. Mehr war das eigentlich nicht."

„Aber dann hast du doch bestimmt einen Schock. Niklas sagte, du bist gefesselt gewesen. Das muss doch sehr schlimm für dich gewesen sein, Abigail."

„Ja, angenehm war es nicht. Ich war schon erschrocken und hatte ein paar düstere Gedanken. Aber um jetzt wirklich viele große Ängste zu entwickeln, dazu war ich nicht lange genug wach in diesem Raum. Möglicherweise hatte Bernhard auch beabsichtigt, mich so lange schlafen zu lassen, bis man mich fand. Denn dass man mich sucht, das konnte er sich vorstellen, vor allen Dingen, sobald man seinen Abschiedsbrief gelesen hatte, in dem man auch einen Hinweis auf meinen Aufenthaltsort finden konnte. Ich wäre also weder verhungert noch verdurstet."

„ Aber du hattest sicher Angst! Und jetzt ist Ermanno bei dir?"

„Warum fragst du das? Machst du dir immer noch Sorgen?"

„Ihr seid euch bestimmt jetzt durch diese Angelegenheit wieder näher gekommen, oder?"

„Ich glaube, nicht dadurch. Ich hatte nachts ein paar Träume. Die wollten mir sagen, dass er mir doch mehr bedeutet. Ich glaube, er ist mehr als nur ein Freund."

„Das habe ich schon immer geahnt. Für Vera empfinde ich auch ziemlich viel. Bisher habe ich immer gedacht, das empfinde ich so, weil sie dir so ähnlich ist. Aber mittlerweile zweifle ich auch daran. Es ist irgendwie intensiver mit Vera. Wie du schon sagtest: Da gibt es ein größeres Feuer. Das wollte ich dir nur sagen, nicht, dass du dich meinetwegen extra zurücknimmst. Wenn du magst, bist du frei."

„Danke, dass du das sagst. Tatsächlich habe ich mich immer noch so distanziert verhalten, weil ich denke, ich muss unsere Beziehung retten."

„Ich glaube, dazu ist es schon zu spät Abigail. Wenn man etwas retten will, dann ist manchmal schon etwas ins Wasser gefallen. Ich glaube einfach, wir sind nicht sorgsam genug damit umgegangen. Unsere Arbeit war uns immer sehr, sehr wichtig, vermutlich war das ein großer Fehler. Vera sorgt jeden Abend dafür, dass ich pünktlich Feierabend mache. Und ich merke, dass mir das gut tut. Ich merke, dass mir auch ein Feierabend bisher immer gefehlt hat. Vielleicht wirst du das auch noch merken. Und ich wünsche dir wirklich Glück mit Ermanno!"

„Das ist ganz lieb von dir! Das wünsche ich dir auch mit Vera. Aber ich will mich jetzt wirklich nicht in eine Beziehung mit Ermanno stürzen. Er soll nicht ein Ersatz für dich sein. Das ist wirklich kein guter Ausgangspunkt. Ich werde ihm und mir lieber etwas Zeit geben, um nicht schon wieder einen Fehler zu begehen."

„Aber zuerst musst du mal ein bisschen weniger arbeiten", riet er mir. „Das könnte sonst dein größter Fehler sein."

Wir verabschiedeten uns liebevoll, eine Träne lief über meine Wange. Offenbar war das doch ein langer, aufregender Tag gewesen.

Als ich die Verbindung im Handy trennte, entdeckte ich eine Kurznachricht von Theresa. „Bitte komm sofort zu mir zum Rosenturm! Brauche deine Hilfe! Bitte komm allein!"

Ich schrieb Ermanno rasch eine Nachricht: „Bitte nicht böse sein! Theresa braucht mich dringend im Rosenturm, allein! Freue mich schon sehr auf dich! Bis später!"

Ich eilte zum Rosenturm, wo ich Theresa in heller Aufregung vorfand.

Mit vor Erregung glühenden Wangen berichtete sie mir, was geschehen war. „Es ist wirklich unglaublich, Liebste! Ich habe einen Brief vorgefunden, den mir irgendjemand unfrankiert in den Briefkasten gesteckt hat. Er ist von Giorgio, und er schreibt mir, dass er hier in der Nähe ist."

Sie reichte mir den Brief und ich las: „Meine liebste Theresa, du musst nicht denken, dass ich dich auch nur eine Minute lang vergessen hätte. Ich habe dich immer geliebt und auch deine Liebe in jeder Sekunde gespürt. Aber mit der Schuld, die wir uns moralisch aufgeladen haben, konnte ich so nicht leben. Ich habe mich eine ganze Weile in einem Kloster aufgehalten und über dich und uns und über die ganze Welt nachgedacht. Da hatte ich dann plötzlich einen ganz bedeutenden Traum, der mir gesagt hat, dass ich uns eine neue Chance geben darf. Ich werde zu dir nach Deutschland kommen, dorthin, wo du jetzt mit deinem Vater Giovanni bist. Wenn ich dir diesen Brief in den Kasten werfe, bin ich ganz in deiner Nähe. Aber du musst mich suchen, und dafür werde ich dir Zeichen geben. Ich werde rote Herzen dorthin kleben, wo du einen Wegweiser finden kannst, zu mir. Ich werde aber nur kurz dort sein und auf dich warten. Wenn du mich bis Mitternacht nicht gefunden hast, dann werde ich wieder zurückfahren, nach Italien. Dann soll es nicht sein, dann sollen wir keine zweite Chance bekommen. Bitte, suche mich, denn ich liebe dich! Dein Giorgio."

Ich sah sie ungläubig an. „Du sollst ihn jetzt im Dunkeln suchen?! Das ist jetzt schon nach 20:00 Uhr, das sind doch nur noch vier Stunden bis Mitternacht. Wie willst du das denn fertig bringen?!"

„Eben. Deswegen habe ich dich ja auch gerufen. Das schaffe ich nie in vier Stunden. Aber ich muss es schaffen. Ich liebe ihn doch, ich will ihn wiedersehen, und ich will eine neue Chance mit ihm haben. Deswegen musst du mir unbedingt helfen!"

„Bist du denn sicher, dass diesen Brief auch Giorgio selbst geschrieben hat. Nicht, dass sich irgendeiner damit einen bösen Scherz erlauben will. Oder irgendjemand will dich nach draußen locken, damit er dich überfallen kann. Soll ich nicht lieber Ermanno oder Niklas anrufen?"

„Nein, Abigail. Das wäre Giorgio bestimmt nicht recht. Diese Aufgabe ist ja für mich. Du, ja, du kennst unsere Geschichte, du hast mir damals auf Sizilien auch geholfen. Da wird er mir nicht böse sein, denn ganz allein traue ich mich auch nicht in die Dunkelheit. Willst du mir helfen?"

„Natürlich helfe ich dir! Mach dir keine Sorgen! Das schaffen wir schon."

„Dann komm! Wir dürfen keine Zeit verlieren. Ich habe inzwischen schon alles zusammen gepackt, was wir brauchen könnten: Eine Taschenlampe, Streichhölzer, ein Taschenmesser, eben alles Dinge, die uns vielleicht hilfreich sein könnten."

Sie hüllte sich in eine dicke Jacke und setzte sich den Rucksack auf. Gemeinsam stiegen wir die Treppe hinunter und öffneten das Tor. Gleich in dem großen Blumentopf, in dem der Rosenstrauch seine nackten Zweige tapfer in die kalte Luft streckte, fand Theresa das erste rote Herz. Auf ihm stand in deutlich geschriebenen Buchstaben: „Dort, wo man Gastlichkeit findet, Früchte für ein edles Getränk sieht, dort findest du das zweite Herz."

„Das kann nur der Gasthof „Zur Traube" sein", wusste sie und eilte voraus.

Ich lief ihr hinterher und fand sie gerade dabei, wie sie ein zweites Herz von einem Fensterladen entfernte.

„Hier! Sie nur!" Sie hielt mir das zweite rote Herz entgegen. „Nun hast du schon das Zweite gefunden, liebste Theresa. Fünf Herzen habe ich versteckt, und bei dem fünften Herz bin ich selbst. Willst du keinen Wein, sondern nur Wasser, dann geht dorthin, und du wirst das nächste Herz finden. Es ist ganz in deiner Nähe, sieh dich nur um!"

„Der Brunnen hier!" rief ich aus. „Das kann nur hier der Brunnen auf dem kleinen Platz sein."

Wir überquerten die Straße und schauten uns an dem kleinen, alten Gemäuer um. Dieses Mal musste sie die Taschenlampe einsetzen, damit wir das rote Herz in einer ausgesparten Nische zwischen den Steinen entdecken konnten.

Glückselig nahm sie es in die Hand und lass laut vor: „Du hast nun schon das dritte Herz gefunden. Das Vierte findest du dort, wo sich schon vor vielen Jahren die Menschen immer etwas gewünscht haben. Auch Jette und Benjamin haben sich dort geküsst, wie ich in einem historischen Buch von Sankt Augustine lesen konnte."

Sie sah mich etwas verzweifelt an. „Wo ist denn das, Abigail? Ich hoffe, du weißt wo das ist."

„Natürlich weiß, ich wo das ist. Das ist der Wunschbaum, gleich hinten beim Gemeindezentrum. Das ist gar nicht so weit."

„Wie spät ist es denn, Abigail?"

„Es ist erst halb neun, und wir haben noch eine ganze Menge Zeit. Mach dir also keine Sorgen!" Ich nahm sie in den Arm und führte sie die Hauptstraße entlang nach Norden bis zum Ortsausgang, bog dann nach rechts ab mit ihr zum Gemeindezentrum. Dort zeigte ich ihr den wunderschönen, uralten Baum, an dessen Zweigen sich schon erste Knospen zeigten.

Unten zwischen den Wurzeln fanden wir das vierte Herz.

Theresa hob es glücklich auf und küsste es.

„Oh, was für ein Glück! Es ist noch keine zehn Uhr und schon haben wir das vierte Herz gefunden. Das macht mir Hoffnung."

Sie reichte mir das Fundstück und ich las: „Historisch bin ich nicht, und doch bin ich alt und viele Menschen kennen mich, nicht nur in Sankt Augustine. Ich warte auf dich und du wirst mich sicherlich finden, wenn du ein wenig nachdenkst und dein Herz sprechen lässt. Nein, es ist kein gläsernes Herz, und es hat auch nichts zu tun mit den Märchen, die von Glas handeln. Ich suche dein echtes Herz, keines aus Glas. Und auch du sollst ein Herz bekommen, das nicht so zerbrechlich ist, wie das Glasherz. Deswegen wirst du mich finden, an dem Ort, wo oft die vielen Sterne schimmern. Aber es ist kein Tag dort, es ist dort niemals Tag. Dieser Ort soll ein Symbol für uns sein, denn sein Symbol zeigt dir, was ich mit dir erleben will, wenn wir uns wieder gefunden haben. Wirst du den Schlüssel finden?"

Sie sah mich ganz verzweifelt an. „Was ist das nun um Himmelswillen? Ich dachte zuerst, es wäre hier irgendetwas im Gemeindezentrum. Das wäre doch sehr schön gewesen. Aber natürlich, hier war der Unfall, das wäre doch kein gutes Omen gewesen."

„Nein, sicherlich nicht. Die vielen Sterne schimmern natürlich hier immer, an vielen klaren Nächten. Aber das kann er nicht meinen, denn er sagt, dass dort immer Nacht ist, und oft dabei die Sterne schimmern. Wir haben hier kein Planetarium, auch nicht so etwas Ähnliches. Aber was will er dir sagen? Was will er mit dir erleben, wenn ihr euch wiederfindet?"

„Es ist dort immer Nacht. Das kann doch kein Keller sein. Auch in Kellern ist es manchmal hell, und dort sind auch keine Sterne. Es muss irgendetwas märchenhaftes sein. Meinst du vielleicht es ist irgendein abgebildetes Szenarium im Märchenpark, Abigail?"

„Natürlich! Wie dumm ich war! Das kann nur die Märchengruppe von 1001 Nacht sein. Dort in dieser kleinen Kuppel ist es immer dunkel, aber an der Decke scheinen die Sterne, wenn der Märchenpark für die Besucher geöffnet ist."

„Ja, und er will tausend und eine Nacht mit mir erleben, wenn wir uns wieder sehen. Also lass uns ganz schnell dorthin gehen!" forderte sie mich auf.

Ich erschrak. „Jetzt, wo der Frühling gerade kommt, ist der Märchenpark um diese Zeit geschlossen. Diese Märchengruppe ist zwar gleich am Anfang, nicht weit vom Kassenhäuschen. Aber der Zaun ist so hoch und der Garten wird auch bewacht. Da wird uns jetzt niemand hineinlassen."

Sie zog mich an der Hand. „Wir müssen uns einfach versuchen. Die Zeit läuft mir davon, und wir müssen bis zum ganz anderen Ende der Stadt. Der Märchenpark liegt ja in genau entgegengesetzter Richtung. Was für ein Drama! Aber ich muss unbedingt dort hinein kommen. Mein Leben hängt davon ab."

Ich eilte mit ihr den Weg zurück, am Brunnen und an dem Gasthof vorbei, weiter nach Süden die Straße entlang bis zum Ortsausgang, wo wir in Richtung des Blumenviertels das dunkle Tor des Märchenparks entdeckten.

Im Augenblick war weit und breit keine Wache zu sehen, vermutlich machten die Dienst habenden Wachmänner gerade ihren Rundgang. Verzweifelt rüttelte Theresa am Tor.

„Vielleicht ist da ja eine Warnanlage installiert, dann hören sie das wenigstens und kommen hoffentlich bald vorbei."

Wir standen da und warteten, in der Dunkelheit, in der Kälte, die Zeit verrann und Theresa wurde immer verzweifelter.

„Es ist jetzt gleich 11:00 Uhr, es muss irgendetwas geschehen. Ich werde eine Zange holen und das Tor aufbrechen. Oder weißt du, wer ein Ersatzschlüssel hat?"

„Senta und Jasmin haben einen Ersatzschlüssel, ich kann versuchen, sie anzurufen. Aber sie gehen meist früh zu Bett, weil sie im Gutshof auch immer früh aufstehen müssen."

„Dann versuche es wenigstens! Ruf sie an!"

Ich wählte die Nummer des Gutshofs und ließ lange anklingeln, doch außer der Mailbox rührte sich nichts. Ich bat die Beiden nacheinander um Rückruf, aber auch da verstrichen die Minuten, und wir hatten keinen Erfolg.

„Wo sind denn diese verflixten Wachmänner?" rief Theresa und rüttelte am Tor.

Es tat sich nichts, und sie begann zu weinen und wurde immer verzweifelter.

„Wir können ja auch nicht einbrechen. Ganz abgesehen davon haben wir auch kein Werkzeug. Es gibt keine andere Möglichkeit, als auf die Wachleute zu warten, vielleicht kommen sie ja doch noch kurz vor zwölf für einen neuen Rundgang", hoffte ich.

„Nein!" rief sie energisch. „Darauf kann ich nicht warten. Es geht um die Liebe meines Lebens. Ich werde jetzt über den Zaun klettern."

Ich packte sie am Arm. „Um Himmels Willen, Theresa! Das kannst du nicht tun! Du wirst dir die

Beine brechen mindestens, wenn nicht sogar das Genick! Bleib hier!"

Ich versuchte sie zurückzuhalten, aber sie begann, an dem großen eisernen Tor empor zu klettern. Mit aller Macht hielt ich sie an einem Bein zurück.

In diesem Augenblick löste sich aus der Dunkelheit eine Gestalt und eilte auf uns zu. Ich erschrak und wollte gerade Theresas Pfefferspray aus dem Rucksack holen, als eine dunkle Stimme laut rief: „Halt! Nicht, Theresa! Amore mio! Ich bin doch hier!"

Schnell löste sich die junge Frau von mir und sprang ohne zu überlegen in Giorgos geöffnete Arme.

„Jetzt habe ich gesehen, was du alles für mich riskierst", flüsterte er ihr zärtlich zu.

Mehr Worte brauchten die beiden nicht, sie versanken in einem endlos langen Kuss.

***

26. Kapitel

Theresa und Giorgio brachten mich zum Schloss zurück, wo mich Adelaide schon sehnsüchtig erwartete. Erstaunt betrachtete sie die Beiden, die hinter mir aus der Dunkelheit in die erleuchtete Empfangshalle traten.

„Oh wie schön!" rief sie aus, als sie entdeckte, dass sich das Paar hinter mir an den Händen hielt. „Dann sind Sie also Giorgio! Ich freue mich, Sie kennen zu lernen." Sie eilte auf ihn zu.

„Sagen wir doch gleich du", schlug er vor. „Ich habe schon viel von dir und meinem Landsmann Moro Rossini gehört. Schließlich wart ihr auch damals mit Theresa und Abigail in Catania, als wir gerade unsere schlimme Zeit hatten, Theresa und ich. Was für ein Segen, dass wir uns alle einmal wieder sehen. Ich hoffe, es geht deinem Mann Moro gut?"

„Gut? Für mein Empfinden könnte es besser sein. Er ist ja leider nicht nur über 80 Jahre alt, sondern eben auch mit einigen Krankheiten behaftet, die ihn quälen. Aber ich versuche, ihm das Leben so angenehm wie möglich zu machen. Das ist leider nicht so viel, wie ich es mir wünsche. Trotzdem versuchen wir, die gemeinsamen Stunden zu genießen. Aber jetzt kommt erst mal mit hinein in den kleinen Saal. Dort sitzen wir nämlich alle und hatten einen sehr schönen Abend."

„Stören wir denn nicht?" erkundigte sich Theresa mit ganz neuer Bescheidenheit.

Adelaide schüttelte den Kopf. „Aber Kind! Du gehörst doch schon fast mit zur Familie. Einen schönen Auftritt habt ihr leider verpasst. Die Kinder haben etwas aufgeführt, ganz allein.

So konnte Tobias seinen neuen Sohn zum ersten Mal in Aktion erleben. Sie spielten etwas, das sie sich selbst einstudiert haben. Michi und Lena und Tim und Lars haben sich wohl von all dieser Schauspielerei hier so anregen lassen, dass sie selbst aktiv geworden sind. Sie haben ein bisschen improvisiert und uns Märchen vorgestellt."

„1001 Nacht?" fragte Theresa lächelnd.

„Nein. Wieso?"

„Ach, das wird für uns jetzt immer eine Erinnerung bleiben", teilte ihr Giorgio mit. „Theresa wollte sich mit mir dort im Märchenpark treffen, aber dann hatte sie doch einige Schwierigkeiten."

„Der ist doch jetzt geschlossen!" wunderte sich Adelaide.

Giorgio amüsierte sich. „Eben deswegen. Ich habe meine Liebste schon etwas gequält vorhin mit ein paar Aufgaben, die sie zu lösen hatte. Aber eigentlich wollte ich ihr nur den freudigen Schock ersparen. Sie sollte langsam auf mich vorbereitet werden. Wenn das Glück zu groß ist, kann man es manchmal auch nicht ertragen."

Theresa sah ihn glücklich lächelnd an. „Mit dir kann ich alles ertragen."

Während sich die beiden erneut küssten, wandte ich mich an Ada. „Und? Was gab es inzwischen hier im Schloss noch. Ich war jetzt wieder gerade einmal vier Stunden unterwegs. Sicher ist wieder in dieser Zeit eine ganze Menge geschehen, oder?"

„Ja, das kann man wohl sagen. Der Kommissar Neubert hat Niklas seinen Tagesbericht mitgebracht, und der hat es in sich. Er schafft doch eine ganze

Menge, der Kommissar, den du nicht besonders leiden kannst."

„Was gibt es denn? Etwas Wichtiges?"

„Wie man es nimmt! Ich hatte diese Dinge allerdings schon so vorausgesehen. Dieser Pollmann bekommt keine Anzeige, weil er die Filter nun alle inzwischen hat einbauen lassen, sodass es keine Umweltverschmutzung bei ihm mehr gibt. Natürlich hatte er auch einen guten Anwalt, das war nicht anders zu erwarten. Dann hat er noch irgendwohin irgendetwas gespendet, und die Sache war in Ordnung. In Italien ist es bei den Körners ganz ähnlich gewesen. Auch die haben natürlich Anwälte eingeschaltet, und die haben nun festgestellt, dass aus dem fernen Osten angeblich nur Rohmaterialien oder vorgefertigte Stücke in Italien eintreffen, dass Wesentliche, was die italienischen Schuhe ausmacht, das käme ganz einwandfrei aus dem Süden Italiens. Also bleibt es dabei: Made in Italy. Und falls die Presse irgendetwas anderes berichten würde, wollen sie natürlich sofort eine Verleumdungsklage starten. Dazu muss ich leider sagen, große Bosse werden selten geschnappt, wenn es um etwas Illegales geht. Und Bernhard Schmidt, da gibt es nun auch schon wieder eine Nachricht, die uns seine Frau vorhin übermittelt hat."

„Und wie geht es den Beiden, Ada?"

„Sie hat sicher auch noch einen weiten Weg vor sich, bis das Leben wieder einigermaßen normal werden kann. Bernhard ist nämlich erst einmal in eine Psychiatrie gekommen, damit er vor sich selbst geschützt werden kann. Das wird ihm sicherlich gut tun. Sie durfte ihn sogar schon besuchen und hat, wie sie erzählte, ihm sogar Blumen mitgebracht. Nein, falls du jetzt vermutest, es wären Rosen gewesen, nein, so blauäugig und naiv scheint sie nun auch wieder nicht zu sein. Aber immerhin waren es Tulpen, ein Frühlingsblumenstrauß. Das ist schließlich das Symbol von einem neuen Anfang."

Ich seufzte. „Immerhin. Rolf und ich, wir haben uns auch getrennt, in Freundschaft, und ich wünsche ihm, dass er mit dieser Vera glücklich wird, sie scheint gut zu ihm zu passen. Er hat sich verändert, offenbar hat sie ihn positiv verändert."

„Nimm dir das bloß nicht zu Herzen, Abigail! Wie hättest du ihn verändern sollen, wenn ihr euch überhaupt nicht seht!"

„Komisch, woran ich mich bei ihm am meisten erinnern kann, ist, dass er mir immer einen heißen Kakao gemacht hat, wenn es mir nicht gut war."

„Das war schon sehr fürsorglich von ihm", fand Adelaide, „aber das ist eben doch nicht alles, Abigail. Du bist doch noch eine Reihe von Jahren jünger als ich. Ich bin schon über 70, da wird alles etwas anders. Ich muss froh sein, wenn ich noch imstande bin, meinem Moro einen Kakao zu kochen. Aber du bist noch nicht einmal 50 Jahre alt, gerade erst Mitte 40. Das sind doch die besten Jahre, so war es bei mir jedenfalls damals so in dem Alter mit meiner Gesundheit. Aber bei dir sollte es in der Liebe auch noch außer den romantischen noch erotische Stunden geben, und auch noch ein bisschen mehr. Möglicherweise war der Kakao von Rolf dann doch ein bisschen zu wenig."

„So habe ich das noch gar nicht gesehen. Ich bin aber auch in der letzten Zeit noch gar nicht zum Nachdenken gekommen."

„Viel zum Nachdenken gibt es da nicht", meinte sie. „Da sieht man bei den beiden Männern auch schon verschiedene Mentalitäten. Rolf ist kein Vesuv und kein Ätna …"

„Es war mir bisher noch nicht bewusst, dass ich die Hitze des Ätna vertragen kann. Aber du hast Recht. In Italien habe ich das Klima genossen."

Sie lächelte wissend. „Du weißt, Kindchen. Einiges im Leben kommt so, wie es muss. Aber ich muss mich jetzt wieder um meine Gäste kümmern. Für dich liegt übrigens ein Brief dort drüben auf der Kommode."

„Ein Brief? Von wem?"

Sie lächelte. „Das weiß ich nicht! Schau nach!"

Ich sah ihr hinterher, wie sie die Treppe hinauflief, auf der auch Giorgio und Theresa hinaufstiegen und sich auf jedem Absatz küssten.

Du liebe Zeit, so viel Happy End, dachte ich. Das ist ja nicht zum Aushalten. Es wird Zeit, dass ich bald wieder einmal neue Arbeit bekomme.

Ich lief zu der Kommode, nahm den Brief, auf dem mein Name stand, der aber leider keinen Absender verriet.

Also öffnete ich ihn eilig und fand eine in Schönschrift geschriebene Einladungskarte:

„Verehrte Margareta,

in Bälde erwarte ich Euch im Grünen Salon.

In großer Erwartung

Ehrerbietigst

Euer

Ernst Wilhelm".

Ich lächelte und dachte nach. Was hatte Ermanno vor?

Irgendein Spiel? Hatte mir Adelaide nicht gerade ins Gedächtnis gerufen, dass ich Mitte vierzig war? Und hatte sie mir nicht eben auch einen Hinweis gegeben, ich könnte vielleicht ein Faible haben für den Vulkan Ätna?

Ach Unsinn, schalt ich mich. Schließlich hatte ich heute schon genug Ärger und Aufregung gehabt. Selbst mit Theresa, während die anderen hier gemütlich im Speisesaal den Vorstellungen der Kinder gelauscht hatten. Ich hatte mir jetzt ein heiteres Spiel verdient, und wer weiß, was sich Ermanno da ausgedacht hatte.

Eilig lief ich die Treppen hoch in Rolfs Wohnung. Rolfs Wohnung! Würde ich hier wohnen bleiben können, im Schloss bei Adelaide und Moro? Oder würde Rolf wieder hierhin zurück wollen und seine Vera mitbringen. Vermutlich eher nicht, schließlich hatte sie doch dort einen großen Garten mit vielen Pflanzen und Kräutern. Dort wohnte er dann auch viel näher bei seinem Chef, sein Weg zur Arbeit könnte sich dadurch verkürzen. Praktisch für ihn. Wie hatte Adelaide eben gesagt? Einiges im Leben kommt so, wie es muss. Es hörte sich ganz naiv an, aber es schien zu stimmen.

Ich erholte mich beim ausgiebigen Duschen und schlüpfte dann in mein weißes Prinzessinnenkleid. Die Frisur wollte mir nicht mehr so gelingen, und so steckte ich nur ein paar kleine Seidenblüten ins Haar.

Voller Erwartung betrat ich in den Grünen Salon, einem mittelalterlich eingerichteten Schlafgemach, in dem Kevin gestern noch einige Szenen gedreht hatte. Ich sah mich um, nichts deutete auf Ermannos Anwesenheit.

Ich setzte mich aufs Bett, strich mit der Hand über die seidene Decke und überlegte. Was hat er sich wohl ausgedacht?

Wie schön bequem dieses Bett war! Ich legte die Beine hoch und streckte mich aus. Das tat gut nach diesem langen Tag. Entspannt schloss ich die Augen ein wenig, um zu träumen.

In diesem Augenblick öffnete sich die Tür. Ermanno trat ein in seinem fürstlichen Gewand.

Ich schenkte ihm ein zaghaftes Lächeln.

Mit leisen Schritten näherte er sich und setzte sich zu mir auf die Bettkante. Sein liebevoller Blick erreichte meine erwartungsvoll blickenden Augen.

Und während er mich unverwandt anblickte, hob er meine Hand an seinen Mund. Ein winziges Lächeln umspielte seine Lippen, als er kaum hörbar hauchte:

„Margareta, Liebste, ich hoffe, du hast dir nicht allzu viele Sorgen gemacht, denn sie sind alle umsonst, weil ich mich mit der Frau verloben werde, die ich liebe."

Und obwohl ich dieses Mal absolut nicht an Ernst Wilhelm dachte, antwortete ich fest: „Ich habe es mir immer gewünscht, ich habe davon geträumt, dann ist es wohl Schicksal."

Als er mich leidenschaftlich küsste, wusste ich es mit einem Mal: In dieser Szene führte ich jetzt selbst die Regie, gemeinsam mit ihm, und es war alles andere als ein Spiel.

ENDE

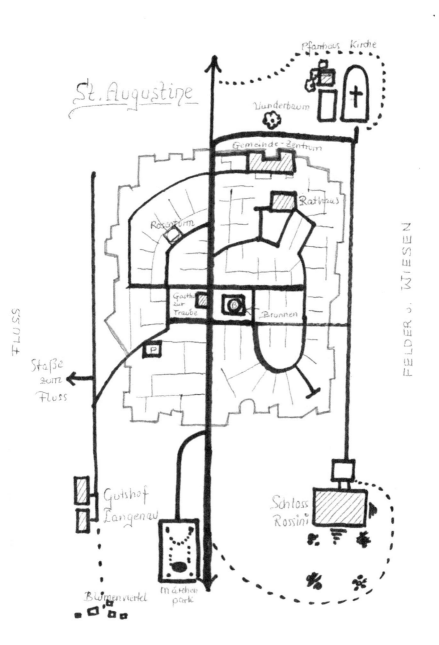

St. Augustine

Anhang:

Das Märchen von den drei Schwestern mit den gläsernen Herzen
Von Richard von Volkmann-Leander

Es gibt Menschen mit gläsernen Herzen. Wenn man leise daran rührt, klingen sie so fein wie silberne Glocken. Stößt man jedoch derb daran, so gehen sie entzwei.

Da war nun auch ein Königspaar, das besaß drei Töchter, und alle drei hatten gläserne Herzen. »Kinder«, sagte die Königin, »nehmt euch mit euren Herzen in acht, sie sind eine zerbrechliche Ware! « Und sie taten es auch.

Eins Tages jedoch lehnte sich die älteste Schwester zum Fenster hinaus über die Brüstung und sah hinab in den Garten, wie die Bienen und Schmetterlinge um die Levkojen flogen. Dabei drückte sie sich ihr Herz: kling! ging es, wie wenn etwas zerspringt, und sie fiel hin und war tot.

Wieder nach einiger Zeit trank die zweite Tochter eine Tasse zu heißen Kaffee. Da gab es abermals einen Klang, wie wenn ein Glas springt, nur etwas feiner wie das erste Mal, und auch sie fiel um. Da hob sie ihre Mutter auf und besah sie, merkte aber bald zu ihrer Freude, dass sie nicht tot war, sondern dass ihr Herz nur einen Sprung bekommen hatte, jedoch noch hielt.

»Was sollen wir nun mit unserer Tochter anfangen? « ratschlagten der König und die Königin. »Sie hatte einen Sprung im Herzen, und wenn er auch nur fein ist, so wird es doch leicht ganz entzweigehen. Wir müssen sie sehr in acht nehmen.«

Aber die Prinzessin sagte: »Lasst mich nur! Manchmal hält das, was einen Sprung bekommen hat, nachher gerade noch recht lange! « –

Indessen war die jüngste Königstochter auch groß geworden und so schön, gut und verständig, dass von allen Seiten Königssöhne herbeiströmten und um sie freiten. Doch der alte König war durch Schaden klug geworden und sagte: »Ich habe nur noch eine ganze Tochter, und auch die hat ein gläsernes Herz. Soll ich sie jemandem geben, so muss es ein König sein, der zugleich Glaser ist und mit so zerbrechlicher Ware umzugehen versteht.« Allein es war unter den vielen Freiern nicht einer, der sich gleichzeitig auf die Glaserei gelegt hätte, und so mussten sie alle wieder abziehen. –

Da war nun unter den Edelknaben im Schloss des Königs einer, der war beinahe fertig. Wenn er noch dreimal der jüngsten Königstochter die Schleppe getragen hatte, so war er Edelmann. Dann gratulierte ihm der König und sagte ihm: »Du bist nun fertig und Edelmann. Ich danke dir. Du kannst gehen.«

Als er nun das erste Mal der Prinzessin die Schleppe trug, sah er, dass sie einen ganz königlichen Gang hatte. Als er sie ihr das zweite Mal trug, sagte die Prinzessin: »Lass einmal einen Augenblick die Schleppe los, gib mir deine Hand und führe mich die Treppe hinauf, aber fein zierlich, wie es sich für einen Edelknaben, der eine Königstochter führt, schickt.« Als er dies tat, sah er, dass sie auch eine ganz königliche Hand hatte. Sie aber merkte auch etwas; was es aber war, will ich erst nachher sagen. Endlich, als er ihr das dritte Mal die Schleppe trug, drehte sich die Königstochter um und sagte zu ihm: »Wie reizend du mir meine Schleppe trägst! So reizend hat sie mir noch keiner getragen. « Da merkte der Edelknabe, dass sie auch eine ganz königliche Sprache führte. Damit war er nun aber fertig und Edelmann. Der König dankte und gratulierte ihm und sagte, er könne nun gehen.

Als er ging, stand die Königstochter an der Gartentüre und sprach zu ihm: »Du hast mir so reizend die Schleppe getragen wie kein anderer. Wenn du doch Glaser und König wärst!«

Darauf antwortete er, er wolle sich alle Mühe geben, es zu werden; sie möge nur auf ihn warten, er käme gewiss wieder.

Er ging also zu einem Glaser und fragte ihn, ob er nicht einen Glaserjungen gebrauchen könne. »Jawohl«, erwiderte dieser, »aber du musst vier Jahre bei mir lernen. Im ersten Jahr lernst du die Semmeln vom Bäcker holen und die Kinder waschen, kämmen und anziehen. Im zweiten lernst du die Ritzen mit Kitt verschmieren, im dritten Glas schneiden und einsetzen, und im vierten wirst du Meister. «

Darauf fragte er den Glaser, ob er nicht von hinten anfangen könne, weil es dann doch schneller ging. Indes der Glaser bedeutete ihm, dass ein ordentlicher Glaser immer von vorn anfangen müsse, sonst würde nichts Gescheites daraus.

Damit gab er sich zufrieden. Im ersten Jahre holte er also die Semmeln vom Bäcker, wusch und kämmte die Kinder und zog sie an. Im zweiten verschmierte er die Ritzen mit Kitt, im dritten lernte er Glas schneiden und einsetzen, und im vierten Jahre wurde er Meister. Darauf zog er sich wieder seine Edelmannskleider an, nahm Abschied von seinem Lehrherrn und überlegte sich, wie er es anfinge, um nun auch noch König zu werden.

Während er so auf der Straße, ganz in Gedanken versunken, einherging und aufs Pflaster sah, trat ein Mann an ihn heran und fragte, ob er etwas verloren habe, dass er immer so auf die Erde sähe. Da erwiderte er: verloren habe er zwar nichts, aber suchen täte er doch etwas, nämlich ein Königreich; und fragte ihn, ob er nicht wisse, was er zu beginnen habe, um König zu werden.

»Wenn du ein Glaser wärst«, sagte der Mann, »wüsste ich schon Rat. «

»Ich bin ja gerade ein Glaser! « antwortete er, »und eben fertig geworden! «

Als er dies gesagt, erzählte ihm der Mann die Geschichte von den drei Schwestern mit den gläsernen Herzen, und wie der alte König durchaus seine Tochter nur einem Glaser vermählen wolle. »Anfangs«, so sprach er, »war noch die Bedingung, dass der Glaser, der sie bekäme, auch noch ein König oder ein Königssohn sein müsse; weil sich aber keiner finden will, der alles beides ist, Glaser und König zugleich, so hat er etwas nachgegeben, wie es der Klügste immer tun muss, und zwei andere

Bedingungen gestellt. Glaser muss er freilich immer noch sein, dabei bleibt es!«

»Welches sind denn die beiden Bedingungen? « fragte der junge Edelmann.

»Er muss der Prinzessin gefallen und Samtpatschen haben. Kommt nun ein Glaser, welcher der Prinzessin gefällt und auch Samtpatschen hat, so will ihm der König seine Tochter geben und ihn später, wenn er tot ist, zum König machen. Es sind nun auch schon eine Menge Glaser auf dem Schloss gewesen, aber der Prinzessin wollte keiner gefallen. Außerdem hatten sie auch alle keine Samtpatschen, sondern grobe Hände, wie das von gewöhnlichen Glasern nicht anders zu erwarten ist. «

Als dies der junge Edelmann vernommen, ging er in das Schloss, entdeckte sich dem König, erinnerte ihn daran, wie er bei ihm Edelknabe gewesen sei, und erzählte ihm, dass er seiner Tochter zuliebe Glaser geworden und sie nun gar gern heiraten und nach seinem Tode König werden wolle.

Da ließ der König die Prinzessin rufen und fragte sie, ob der junge Edelmann ihr gefiele, und als sie dies bejahte, weil sie ihn gleich erkannte, sagte er dann weiter, er solle nun auch seine Handschuhe ausziehen und zeigen, ob er auch Samtpatschen habe. Aber die Prinzessin meinte, dies sei unnötig, sie wisse es ganz genau, dass er wirklich Samtpatschen habe. Sie hätte es schon damals gemerkt, als er sie die Treppe hinaufgeführt hätte.

So waren denn beide Bedingungen erfüllt, und da die Prinzessin einen Glaser zum Mann bekam und noch dazu einen mit Samtpatschen, so nahm er ihr Herz sehr in acht, und es hielt bis an ihr seliges Ende.

Die zweite Schwester aber, welche schon den Sprung hatte, wurde die Tante, und zwar die allerbeste Tante der Welt. Dies versicherten nicht bloß die Kinder, welche der junge Edelmann und die Prinzessin zusammen bekamen, sondern auch alle anderen Leute. Die kleinen Prinzessinnen lehrte sie lesen, beten und Puppenkleider machen; den Prinzen aber besah sie die Zensuren. Wer eine gute Zensur hatte, wurde sehr gelobt und bekam etwas geschenkt; hatte aber einmal einer eine schlechte Zensur, dann gab sie ihm einen Katzenkopf und sprach: »Sage einmal, sauberer Prinz, was du dir eigentlich vorstellst? Was willst du später einmal werden? Heraus mit der Sprache! Nun, wird's bald? «

Und wenn er dann schluckte und sagte: »Kö-Kö-Kö-König!« lachte sie und fragte: »König! Wohl König Midas? König Midas Hochgeboren mit zwei langen Eselsohren!« Dann schämte sich der, welcher die schlechte Zensur bekommen hatte, gewaltig.

Und auch diese zweite Prinzessin wurde steinalt, obwohl ihr Herz einen Sprung hatte. Wenn sich jemand darüber wunderte, sagte sie regelmäßig: »Was in der Jugend einen Sprung kriegt und geht nicht gleich entzwei, das hält nachher oft gerade noch recht lange.« –

Und das ist auch wahr. Denn meine Mutter hat auch so ein altes Sahnetöpfchen, weiß, mit kleinen bunten Blumensträußchen besät, das hat einen Sprung, solange ich denken kann, und hält immer noch; und seit es meine Mutter hat, sind schon so viele neue Sahnetöpfchen gekauft und immer wieder zerbrochen worden, dass man sie gar nicht zählen kann.

Das Märchen vom gläsernen Schatz-Berg

Es waren einmal drei Brüder, die lebten mit ihrem
Vater auf einem Weingut und bewirtschafteten es.
Der älteste war Weinbauer und pflanzte die Reben
und achtete darauf, dass sie gut wuchsen. Der zweite
war Kellermeister und sorgte dafür, dass der Wein in
den Fässern aufbewahrt wurde, und dass ihnen ein
guter Wein gelang. Der dritte sorgte dafür, dass die
Leute den Wein auch kauften, denn er machte ihn im
ganzen Land bekannt.

In diesem Land lebte ein König auf einem gläsernen
Berg in einem gläsernen Schloss, und aller Hausrat
und Zierrat im Schloss war ebenfalls aus Glas. Dieser
König hatte eine Tochter, die nun ins heiratsfähige
Alter kam. Von überall kamen nun die Prinzen und
Könige herbei, um sich bei der Königstochter als
Bräutigam zu bewerben. Aber keiner von ihnen, die
da von fern und nah kamen, gefiel der Prinzessin.
Das hörten auch die drei Brüder vom Weingut, und
der Älteste sattelte sich sein Pferd und ritt zu dem
gläsernen Berg.

Und weil er gewohnt war, in seinem Weinberg
vorsichtig mit den Reben umzugehen, da gelang es
ihm, den Berg hinauf zu klettern, ohne etwas zu
beschädigen.

Als er im Schloss ankam, wurde er schon von der
Prinzessin erwartet. Sie war so wunderschön, dass er
die Augen einen Moment lang schließen musste, so
geblendet war er.

Nachdem er sich wieder gefasst hatte, begrüßte er die Prinzessin höflich und bat sie um ihre Hand. Die Königstochter antwortete ihm, dass er zunächst einmal drei Aufgaben zu erfüllen hatte, erst dann wolle sie sich seine Bewerbung noch einmal gut überlegen. Der junge Mann war damit einverstanden und erwartete gespannt seine erste Aufgabe.

„Zunächst einmal musst du hier im Garten Blumen pflücken. Wenn du mir einen ganzen Strauß bringen kannst, hast du die erste Aufgabe bestanden."

Darauf ging der Winzer in den Schlossgarten und fand ihn voller Glasblumen. Da gab es Rosen aus Glas und Nelken aus Glas, da gab es Flieder und es wuchsen dort Schneeglöckchen, große Lilien und zarte Mimosen, alle aus Glas. Er nahm sein Messer aus der Hosentasche und versuchte die Stiele zu zertrennen. Aber jedes Mal, wenn er eine Blume abschneiden wollte, zerbrachen nicht nur der Stiele, sondern auch die ganze Blumen. Er versuchte es eine ganze Weile, aber es gelang ihm nicht.

Da wurde er ganz wütend, und er sagte sich: „Was ist das doch für eine verrückte Prinzessin! Ich soll Blumen pflücken, aber sie zerbrechen alle dabei. Soll sie doch einen anderen Mann nehmen. Ich gehe jetzt nach Hause. Da habe ich doch meinen Weinberg, in dem es mir sehr gefällt. Und eines Tages werde ich auch eine nette Frau dazu finden."

Er ging nach Hause und erzählte seinem Vater und seinen Brüdern die ganze Geschichte, und die Zuhörer staunten sehr darüber.

Da entschied sich der zweite Bruder, es auch einmal zu versuchen und der Königstochter einen Besuch abzustatten. Weil er aber wusste, dass sein Bruder mit dem Messer kein Glück gehabt hatte, nahm er sich eine kleine Säge und eine Zange mit. Als er an den gläsernen Berg kam, gelang es ihm, den Berg hinauf zu klettern, ohne etwas um sich herum zu zerbrechen, und er war sehr stolz darauf.

Als er der Königstochter vorgestellt wurde, erging es ihm wie seinem großen Bruder. Er war so geblendet von ihrer Schönheit, sodass er einen Augenblick lang nichts sehen konnte. Danach hielt auch er um ihre Hand an. Sie sah ihn eine Weile prüfend an und sprach: „Du hast dich sehr geschickt angestellt, als du den Berg hier heraufgekommen bist. Nun zeige auch, ob du weiter so geschickt bist, oder ob du dich zu dumm anstellst. Pflücke mir draußen in meinem Garten einen Strauß voller Blumen! Wenn du das schaffst, will ich es mir noch einmal durch den Kopf gehen lassen, ob du vielleicht der richtige Mann für mich bist oder nicht.

Der Kellermeister ging in den Garten und betrachtete die gläsernen Blumen. Sie gefielen ihm gut, und er sagte sich: „Ich kann so geschickt mit dem Wein hantieren, da werde ich es doch wohl schaffen, einen Blumenstrauß zu pflücken!"

Er nahm vorsichtig die Zange und die kleine Säge und versuchte damit, die Stiele zu durchtrennen. Aber soviel er sich auch bemühte, jedes Mal, wenn er einen Stängel geschnitten hatte, zerbrachen die Blüten und die Blätter. Das versucht er eine ganze Weile, bis fast in die Mittagsstunden hinein. Dann aber wurde er sehr ärgerlich, und er sagte sich: „Was brauche ich denn eine solche Prinzessin zur Frau. Ich gehe lieber zurück in meinen Weinkeller, und ich werde eine Frau finden, die zu mir passt, die vielleicht ganz normale Blumen mag." Und er stieg den Berg wieder hinunter und kehrte zurück zu seinem Vater und seinen Brüdern.

Als er seinem Vater und seinen Brüdern alles erzählt hatte, sprach der jüngste Bruder: „Nun gut, ihr beide habt es versucht. Da will ich es auch einmal versuchen. Und er nahm außer einer Zange und einem Messer auch noch ein Feuerzeug mit und wanderte frohgemut zu dem gläsernen Berg. Auch ihm gelang es, den Berg hinaufzuklettern, ohne dass irgendetwas rings um ihn herum zerbrach. Erwartungsvoll ließ er sich der Prinzessin melden.

Schon bald ließ sie ihn zu sich herein rufen und sagte zu ihm: „Du gefällst mir sehr gut. Aber wenn du hier mit mir in dem gläsernen Schloss wohnen willst, dann musst du auch mit Glas umzugehen wissen. Bitte versuche es, mir draußen im Schlossgarten einen Strauß Blumen zu pflücken. Aber sieh dich vor, sie sind alle aus Glas."

Er ging in den Schlossgarten nahm das Messer und die Zange, erhitzte das Messer bis es glühte und durchtrennte die Stiele der Blumen. Vorsichtig hielt er sie mit der Zange fest, bis sie wieder völlig erkaltet waren und pflückte so einen ganzen Strauß voller Blumen, von denen keine einzige zerbrach. Damit ging er ganz stolz zu der Königstochter und reichte ihr voll Freude den Strauß. Sie freute sich ebenfalls und sagte: „Die erste Aufgabe hast du erfüllt, nun geht es an die zweite. Und die ist noch viel schwerer. Wir werden gleich mit meinem Vater gemeinsam das Abendessen einnehmen. Du aber wirst erst einmal der Lakai sein. Denn bevor du mit uns essen darfst, musst du uns mit all diesem feinen Geschirr und Glas, mit allen Schüsseln und Gabeln, mit Schalen aus hauchzartem Glas bedienen, ohne dass irgendetwas zerbricht. Wenn dir das gelingt, darfst du dich zu uns setzen und mit uns zu Abend speisen. Sollte dir das gelingen, hast du auch die zweite Aufgabe bestanden."

Der junge Winzer machte sich keine Sorgen. Im Weingut war er es gewohnt, mit vielen Gläsern umzugehen. Auch beim Verkauf des Weines, hatte er oft den Menschen eine Kostprobe des guten Weines in zartes Glas eingeschenkt. Und so gelang es ihm tatsächlich, den König und seine Tochter vortrefflich zu bedienen, ohne auch nur das geringste Glas zu zerbrechen. Dabei führte er eine feinsinnige Unterhaltung, denn er war es gewohnt, den Menschen etwas zu verkaufen.

Die Prinzessin freute sich sehr und sprach: „Du hast auch diese zweite Aufgabe bestanden, und ich muss dir sagen, du gefällst mir immer besser. Die dritte Aufgabe ist sehr kompliziert. Bisher ist es noch keinem gelungen, auch nur annähernd einen Teil von ihr zu lösen. Der Kapellmeister wird gleich kommen, und es wird Musik aufgespielt. Wie du dir denken kannst, sollst du mit mir tanzen, ganz lieblich und fein. Das aber ist schwierig, denn mein Herz ist aus Glas, und du musst so zart tanzen, dass es nicht zerspringt. Dann darfst du mich zur Belohnung auch küssen. Bisher habe ich schon immer beim ersten

Schritt des Partners gespürt, dass es lauter Grobiane waren, da habe ich dann lieber den Tanz abgebrochen, als dass mir das Herz zerbrochen wäre. Traust du dir das zu? Mir würde das sehr gefallen, denn bei dir fühle ich mich gut aufgehoben."

Dem jungen Winzer gefiel die Prinzessin sehr gut, und er sagte zu ihr: „Ich will mein Bestes geben. Lassen wir es uns einmal versuchen!" Da rief die Prinzessin den Kapellmeister und die Kapelle, und sie spielten eine liebliche Weise, die sanft in den Ohren des Winzers klang. Vorsichtig setzt er einen Fuß vor den anderen und drehte die Königstochter mit winzigen Schritten im Kreis. Ganz sanft wiegte er sie hin und her und achtete darauf, dass er sie nicht drückte.

Als der Tanz zu Ende war, sah ihn die Prinzessin glücklich an und sagte: „Du hast alle drei Aufgaben bestanden. Wenn du magst, darfst du jetzt mein König werden. Und zum Dank dafür darfst du mich auch küssen." Er lächelte glücklich, näherte sich ihr ganz vorsichtig und küsste sie.

Doch im nächsten Moment klirrte alles gewaltig um die beiden herum, dass es dem Winzer ganz schwindelig wurde und ihm Hören und Sehen verging. Er schloss einen Moment lang die Augen und fürchtete, dass alles um ihn herum zerbrochen war. Als er die Augen öffnete, hatte sich tatsächlich alles Glas verwandelt. Der Berg war aus Erde mit Wiesen und Bäumen, die grünten, und in denen die Vögel sangen, das Schloss war aus Stein mit Dächern aus Ziegeln. Die Möbel standen in Holz gezimmert, das Porzellan und die Töpfe, die Bilder und der

Blumenschmuck, alles war aus dem Material, so wie es der Winzer aus seiner Welt kannte. Nur die Gläser auf den Tischen und einige Blumenvasen und einige Lampen leuchteten immer noch in durchsichtigem Glas.

Und als er sich die Augen rieb, sah er vor sich die wunderschöne Prinzessin, die ihn glücklich anlächelte. „Und was ist jetzt mit deinem Herzen?" wollte er wissen. „Ist das jetzt immer noch aus Glas?"

Sie aber lachte ihn an und sprach: „Nein, mein lieber Bräutigam. Es ist nicht mehr aus Glas. Aber ein bisschen Mühe solltest du dir doch geben, und in Zukunft gut darauf aufpassen, denn zerbrechlich sind die Menschenherzen auch."

Da küsste er sie wieder, und sie tanzten zusammen mit großer Freude. Später benachrichtigten sie seinen Vater und seine beiden Brüder. Die wurden eingeladen zu einem großen Hochzeitsfest auf dem wunderschönen Schloss. Und obwohl es nicht mehr aus Glas war, leuchtete es dort an vielen Ecken und Enden. Der junge Winzer heiratete die Prinzessin und das ganze Land feierte mit ihnen mit. So lebten sie dann glücklich und zufrieden bis an ihr seliges Ende.

GLÜCK UND GLAS, WIE LEICHT BRICHT DAS!